LE MARCHAND DE SABLE VA PASSER

ANDREW PYPER

LE MARCHAND DE SABLE VA PASSER

traduit de l'américain
par Sebastian Danchin

l'Archipel

Ce livre a été publié sous le titre
The Killing Circle
par Doubleday, Canada, 2008.

www.editionsarchipel.com

Si vous souhaitez recevoir notre catalogue
et être tenu au courant de nos publications,
envoyez vos nom et adresse, en citant
ce livre, aux Éditions de l'Archipel,
34, rue des Bourdonnais 75001 Paris.
Et, pour le Canada,
à Édipresse Inc., 945, avenue Beaumont,
Montréal, Québec H3N 1W3.

ISBN 978-2-8098-0403-4

À Heidi

3 SEPTEMBRE 2007, FÊTE DU TRAVAIL

Je ne savais pas mon fils capable de se repérer la nuit à l'aide des étoiles.

La Couronne australe. La Lyre. Le Dauphin.

Le nez collé à la vitre de la voiture, il récite les constellations et murmure « sud », « est » et « nord » chaque fois que je prends un virage depuis que nous avons quitté la ville.

— Où as-tu appris ça ?

Il me regarde avec le même air que deux soirs plus tôt, lorsque je l'ai surpris dans sa chambre en train d'envoyer un peloton de soldats en plastique avec une fronde sur le toit du voisin.

— Je suis un terroriste, m'avait-il répondu quand je lui avais demandé à quoi il jouait.

— Où j'ai appris quoi ?

— À te repérer par rapport aux étoiles.

— Dans les livres.

— Lesquels ?

— Des livres normaux.

Inutile d'insister, Sam n'en dira pas plus. Il est comme moi, il aime lire. Pas nécessairement par passion, mais parce que c'est dans notre nature. Nous observons, nous interprétons, nous critiquons. Et nous lisons. Nos derniers livres en date : un Philip Roth de sa période tardive pour moi, *Robinson Crusoé* pour Sam, que je lui lis par bribes le soir avant qu'il s'endorme. Et aussi, des bandes dessinées, les catalogues des voyagistes, les graffitis dans les toilettes, les notices explicatives ou encore les recettes sur les paquets de céréales. Tout ce qui nous tombe sous les yeux. La lecture nous permet de traduire la réalité du monde en un langage à peu près compréhensible.

— Nord, laisse tomber Sam, le nez à nouveau sur la vitre.

Une masse sombre apparaît au même instant. Un monolithe émergeant d'un champ de maïs en plein Ontario, ultime vestige d'une ère révolue.

— Drive-in du Mus-tang. Fin de sai-son. Fê-te du Travail, ou-vert tou-te la nuit, déchiffre Sam alors que notre voiture passe devant la pancarte.

Il se penche afin de mieux voir l'énorme cow-boy de néon, perché sur son bronco cabré, qui annonce le drive-in dans la nuit.

— Je suis déjà venu, ajoute-t-il.

— Tu t'en souviens ?

— Oui, le néon. Le type sur son cheval.

— Tu étais tout petit, à l'époque.

— Et maintenant ?

— Maintenant ? Tu es un jeune homme capable de lire dans les livres et les étoiles.

— Non, grimace-t-il. J'ai huit ans. Je me souviens des événements, c'est tout.

Nous sommes ici, un veuf et son fils, venus voir le dernier film de l'été dans l'un des derniers drive-in du pays.

Tamara, la mère de Sam, ma femme, est morte huit mois après sa naissance. Depuis, j'essaie de jouer mon rôle de père en l'emmenant au cinéma. Dans les salles obscures – un champ de maïs obscur, en l'occurrence –, Sam et moi pouvons partager la même intimité sans le risque de la parole. Il y a quelque chose d'éminemment masculin là-dedans. Cette proximité passive et silencieuse entre un père et un fils qui pêchent à la mouche ou regardent un match de base-ball.

Le gardien à l'entrée du drive-in tique en découvrant mon jeune passager. Le film de ce soir, un thriller hollywoodien, est interdit aux moins de dix-sept ans. Je tends au type un billet qui couvre très largement le prix de deux entrées normales. Il me fait signe de passer avec un clin d'œil sans me rendre la monnaie.

Le drive-in est bourré à craquer. La dernière place acceptable se trouve sur le côté, près du snack. Sam aurait préféré qu'on s'installe plus loin de l'écran, mais je sais d'expérience que l'arrière des drive-in est le refuge de prédilection des lycéens. Joints, alcool, rendez-vous galants et tout ce qui s'ensuit. Ce n'est pas par souci de préserver les yeux chastes de mon fils que je me gare au milieu des gens respectables, mais plutôt pour m'épargner les bouffées nostalgiques que pourrait provoquer chez moi la vision de ces frasques.

— Ça commence ! s'écrie Sam en voyant s'éteindre les projecteurs.

Du coup, je suis obligé de sortir les chaises pliantes et le sac de couchage qui sent la naphtaline à la lueur des publicités défilant sur l'écran. Je longe la voiture, décidé à ne pas perdre une miette de ce qui constitue à mes yeux le meilleur moment d'une sortie au drive-in : les vieilles pubs pour la malbouffe. Le hot dog qui danse et le milk-shake qui rigole devant un chœur de frites. Allez savoir pourquoi, j'ai toujours le même pincement au cœur en voyant la rondelle d'oignon frit faire des claquettes.

Je déplie la chaise de Sam, puis la mienne, et nous nous collons l'un contre l'autre dans la chaleur du sac de couchage.

— L'heu-re de no-tre grand film. Bon-ne séance ! lit Sam sur l'écran.

Les rangées de voitures attendent sagement que s'éteigne dans le ciel la dernière lueur violette. Un coup de klaxon s'élève un peu plus loin d'une camionnette de jeunes joueurs de base-ball excités, déclenchant des rires étouffés autour de nous. Je décèle pourtant un je-ne-sais-quoi d'inquiétant dans cette gaieté factice. Je m'efforce de rire à mon tour, décidé à chasser cette impression. Un rire de père. Je reconnais l'odeur familière de gaz d'échappement, de pop-corn, de hamburger grillé... Mais aussi une odeur de peur, à peine perceptible, comme celle qu'a laissée le client précédent sur la taie d'oreiller d'un motel.

Le film vient de commencer, avec une scène d'horreur en guise d'introduction. Une silhouette sombre poursuivant sa proie en pleine nuit dans un champ. Des mouvements désespérés, des bras et des jambes qui volent, un tintement de clés à la ceinture. Un montage alterné entre la démarche sûre du tueur et la fuite éperdue de la proie qui finit par s'étaler, un sanglot dans la gorge, avant de continuer en rampant. Un gros plan sur des mains dégoulinantes et poisseuses. De l'huile, de la boue, ou alors du sang. Un cri déchirant.

Sans savoir qui est la malheureuse victime, on comprend déjà qu'elle est perdue. Un cauchemar que nous avons tous fait. Les jambes qui pèsent des tonnes et le sol qui nous aspire, avec la mort en toile de fond.

Nous sommes installés si près de l'écran que je suis obligé de me tourner complètement sur mon siège pour voir autour de nous. Une mer de regards qui m'observent derrière leurs pare-brise couverts de moucherons écrasés.

Je reprends ma position initiale, la tête levée. Sous le dôme infini et glacé de cette nuit presque automnale, je me sens enfin respirer. Mais ça ne dure pas. Au bout d'un moment, les étoiles se jettent sur moi.

— Papa ?

Sam s'inquiète de me voir bouger sans arrêt et je m'oblige à fixer les acteurs sur l'écran. Leurs voix m'arrivent de tous côtés, comme s'ils parlaient dans ma tête, et le film cède bientôt la place à un cauchemar que j'ai fait des centaines de fois.

Je me lève sans même m'en apercevoir. Le sac de couchage tombe par terre.

Sam lève la tête. Il a le visage à demi plongé dans l'obscurité et je reconnais les traits de sa mère. C'est ce qui lui donne cette douceur, cette vulnérabilité. La revoir à travers lui me donne l'impression curieuse qu'elle se trouve toujours là et qu'elle me manque.

— Tu veux quelque chose, Sam ? Des beignets de pomme de terre ?

Il acquiesce. Et quand je lui tends la main, il la prend dans la sienne.

Nous nous dirigeons dans le noir vers le projecteur. À part un croissant de lune pâle, nous avançons à la lumière éphémère de quelques briquets qui s'allument çà et là à l'arrière des voitures. Le dialogue du film se poursuit sur les haut-parleurs accrochés aux vitres.

— *C'est lui.*

— *De quoi est-ce que tu parles ?*

— *Le monstre qui vit sous ton lit. Le regard qui te dévore, la nuit, dans ton placard. L'obscurité. Tout ce qui te fait peur...*

Quelqu'un pousse la porte du snack-bar, dessinant à nos pieds un cône de lumière. Sam se précipite sur la tache dorée et s'efforce de la suivre en courant, prétendant être aspiré dans une autre dimension si jamais il pose le pied dans le noir avant d'avoir atteint la porte.

Cela ne nous empêche pas de remonter dans le temps en franchissant le seuil. Le snack du Mustang est d'une autre génération que Sam ou moi. Il date d'une époque où les amateurs de cheeseburgers portaient encore des cravates. Il suffit de regarder les affiches sur les murs : des parents aux sourires lumineux, dans des Ford chromées à ailerons, achetant des gourmandises à des enfants affamés au look démodé. De quoi vous couper définitivement l'appétit.

Ou presque.

La preuve, il me faut un plateau afin d'y empiler les barquettes de beignets de pomme de terre, les hot dogs enveloppés dans du papier alu, les rondelles d'oignons panées si grasses qu'on voit à travers l'assiette en carton sur laquelle elles sont posées, et un soda géant avec deux pailles.

Il ne reste plus qu'à payer. Derrière sa caisse, la fille parle dans le vide.

— Pas question ! s'exclame-t-elle d'un air incrédule. Pas question !

Je remarque alors le fil qui lui sort de l'oreille et le minuscule micro pendu sous son menton.

— Sans déconner !

— Je retourne voir le film, m'annonce Sam en saisissant un hot dog sur le plateau.

— Fais bien attention aux voitures.

— Mais enfin, papa ! Elles sont arrêtées, les voitures !

Il m'adresse un sourire apitoyé et sort du snack en courant.

Le temps de payer et je ressors, aveuglé par l'obscurité. Un beignet dégringole du plateau et s'écrase sous ma semelle. Où est la voiture, déjà ? Je la retrouve en me repérant à l'écran. Quelques rangées plus loin, de côté.

Je reconnais ma vieille Toyota. Il faudrait que j'en achète une nouvelle, mais je n'y arrive pas. À cause du rouge à lèvres et du crayon noir que Tamara a laissés dans la boîte à gants. Chaque fois que je veux prendre la carte grise, le rouge et le crayon me tombent dans la main et Tamara est là. Assise à côté de moi, en train de se remaquiller dans le miroir du pare-soleil. Il suffisait qu'on arrive quelque part pour qu'elle se tourne vers moi et me demande :

— Je suis bien, comme ça ?

Je répondais systématiquement oui, et c'était la vérité.

La Toyota en ligne de mire, j'avance à l'aveuglette et je dépasse la camionnette des joueurs de base-ball. Ils ont fini par se calmer, pris par le film.

— *Pourquoi faire ça ? Pourquoi ne pas nous avoir tués quand il en avait l'occasion ?*

Le plateau m'échappe des mains.

Pas à cause du film, mais à cause de ce que je vois devant la voiture.

Les deux chaises pliantes. Le sac de couchage.

Le sac de couchage est par terre. Les deux chaises sont vides.

Dans la camionnette, les gamins du base-ball ricanent en montrant du doigt le hot dog tombé par terre dans son fourreau d'alu et les traînées sanglantes qu'a laissées le ketchup sur mon pantalon. Je me tourne vers eux. En voyant ma tête, ils s'empressent de refermer la porte coulissante de leur véhicule.

Je m'éloigne de la Toyota, tâtonne entre les voitures en regardant de tous les côtés. Je fouille des yeux les habitacles, découvrant au passage les mille et une distractions de mes concitoyens – ados qui fument de l'herbe, adultes qui s'empiffrent et couples dissimulés sous des couvertures à l'arrière des pick-up.

Mais pas de Sam.

L'idée d'appeler la police me traverse l'esprit, mais je n'en fais rien. Sam a disparu depuis moins de trois minutes. Il ne doit pas être loin. Il y a une marge entre mes craintes et la réalité. Ce n'est tout simplement pas possible.

— Sam !

J'entends une voix crier son nom sans comprendre qu'il s'agit de la mienne. La voix de quelqu'un d'inquiet.

— *Sam !*

Je me mets à courir. D'abord de toutes mes forces, avant de ralentir en m'apercevant que je ne tiendrai pas à un tel rythme. Un presque quarantenaire courant entre des voitures, au beau milieu d'un film, tournant la tête de tous les côtés. Le genre de truc qui ne passe pas inaperçu. Un ado dans la décapotable de son père siffle en me voyant passer, les filles agglutinées sur la banquette m'adressent un petit signe de la main et je leur réponds machinalement.

Après avoir zigzagué un moment entre les voitures, je fais le tour du drive-in en observant les champs obscurs qui m'entourent. Chaque nouvelle rangée de maïs me donne l'espoir de voir Sam, caché entre les épis, attendant que je le trouve. J'espère tellement le découvrir que je le vois distinctement à plusieurs reprises, avant de m'apercevoir qu'il s'agit d'un mirage.

J'arrive tout au fond du drive-in. Il fait aussi noir qu'en pleine mer. Les rangées d'épis paraissent plus larges, plus sombres aussi. Au loin, un toit de ferme barre l'horizon. Les yeux plissés, j'essaie de mieux voir, mais les larmes qui commencent à couler en traître me brouillent la vue.

15

— *Je t'avais pris pour un fantôme.*

— *Mais* j'étais *un fantôme. À ceci près que les fantômes ne font rien. C'est tellement mieux d'être un monstre. Un monstre que tu n'attends pas, sauf quand il est trop tard.*

Plié en deux, les mains sur les genoux, je cherche à reprendre mon souffle. La panique me gagne. J'imagine le pire. Ceux avec qui il est. Ce qu'ils vont lui faire. Ce qu'ils lui font. Je ne le retrouverai jamais.

— *J'ai aperçu quelqu'un à la fenêtre.*

— *Tu as pu voir qui c'était ?*

— *Un type. Ou plutôt une ombre.*

Je retourne vers le snack en courant quand je l'aperçois.

Il disparaît entre les rangées de maïs. Il est aussi grand que moi, peut-être même plus grand. Là-bas. Et puis plus rien.

Je tente de compter les rangées pour repérer l'endroit où la silhouette s'est glissée. Sept ? Huit ? Dix rangées tout au plus. À la neuvième, je prends à droite à travers champs.

Les feuilles me griffent le visage, les tiges craquent dans mon sillage. De loin, j'imaginais les rangées plus larges. Sur place, je me rends compte qu'il est impossible de se frayer un chemin sans s'écorcher et trébucher à chaque pas. Je ne cours même plus, je suis comme aspiré par un œsophage géant.

Comment l'ombre entraperçue peut-elle se mouvoir plus vite que moi ? La question m'arrête net. Je me jette à plat ventre afin de tenter de voir entre les tiges, mais une lumière grise et poussiéreuse flotte au-dessus du sol. La bouche ouverte, j'ai l'impression de goûter la lune. Un goût de limaille de fer.

Je m'oblige à rester immobile.

Je me demande un instant si je ne suis pas devenu fou entre le moment où j'ai laissé Sam et maintenant. Une crise de démence soudaine. Cela aurait le mérite d'expliquer ce que je fais en plein champ de maïs à une heure pareille, en quête d'une hypothétique silhouette.

Et puis je la vois.

Deux bottes qui traversent le champ à toute vitesse, une trentaine de mètres plus loin, à deux ou trois rangées de l'endroit où je me trouve.

Je me relève d'un bond. Mes genoux rouillés me font mal, les muscles des hanches me lancent. Je me sers de mes mains pour avancer. J'arrache les épis qui s'écrasent dans mon dos avec un bruit sourd.

J'aperçois par intermittence la ferme dans le lointain, j'oblique légèrement pour la garder en ligne de mire. Comme si j'étais sûr que l'ombre s'y rendait. Comme si j'avais un plan.

Je relève à nouveau la tête afin de m'assurer que la baraque est toujours en vue quand la forme resurgit. Elle fonce de droite à gauche à travers une trouée. Un léger mouvement parmi les soies dorées dépassant des épis, une ombre plus noire que la nuit qui enveloppe le champ.

Je me précipite, les yeux écarquillés, dans l'espoir de revoir la silhouette. Comment l'appeler autrement ? Impossible de dire s'il s'agit d'un homme ou d'une femme. Aucun signe vestimentaire distinctif. Pas de chapeau, pas de cheveux, pas de visage. Un épouvantail qui aurait déserté son poste.

Je hurle et je ne m'adresse plus à Sam à présent, mais à l'ombre qui traverse le champ dans la nuit.

— Rendez-le-moi ! Rendez-le-moi !

Il ne s'agit pas d'une menace, ni d'une promesse de vengeance. Juste des mots prononcés par un père à bout de souffle.

Je suis à présent dans la cour de la ferme. Des mauvaises herbes ont poussé tout autour d'une balançoire rouillée. La peinture des volets s'écaille, les vitres sont cassées.

Je fais le tour du bâtiment. Aucune voiture en vue. Rien n'indique que quelqu'un soit venu ici depuis que les derniers occupants en ont été chassés par le destin.

Je m'arrête, le temps de réfléchir à ce qu'il convient de faire. C'est le moment que choisissent mes jambes pour me lâcher. Je tombe à genoux, comme pris d'une brusque envie de prier. Je cherche à reconnaître un bruit de pas derrière les battements affolés de mon cœur. Les voix des acteurs sur l'écran ne parviennent plus jusqu'à moi, seule me répond la rumeur électrique des grillons.

Je ne vois que l'écran géant du Mustang. Un océan de maïs m'en sépare, mais il se détache clairement dans la nuit, disséminant une terreur fluide dans l'atmosphère.

Hypnotisé par le film, je dois me rendre à l'évidence.

Je sais qui a fait ça. Je sais qui a pris mon fils. Je connais son nom.

À genoux dans les herbes folles de la cour de ferme, je vois son visage en gros plan au-dessus des rangées de maïs, je vois ses lèvres qui adressent un message muet à la divinité nocturne. Un visage de lumière monstrueusement agrandi sur un écran blanc.

Le rôle préféré des acteurs.

Celui du méchant.

PREMIÈRE PARTIE
LE CERCLE DE KENSINGTON

1

14 FÉVRIER 2003,
JOUR DE LA SAINT-VALENTIN

— Des cartes !

Sam, mon fils de quatre ans, déboule dans ma chambre et se jette sur mon lit en m'inondant de cartes de Saint-Valentin dessinées aux crayons de couleur.

— C'est la fête de l'Amour.

Je confirme en soulevant son T-shirt pour lui administrer des bisous bruyants sur le ventre.

— C'est qui ta Valentine, papa ?

— Ça doit être ta maman.

— Mais elle est pas *là*.

— Alors ça n'a pas d'importance. Tu choisis qui tu veux.

— Vrai ?

— Absolument.

Sam prend le temps de réfléchir en triturant machinalement l'une des cartes, dont les paillettes s'agitent sur leur lit de colle encore humide.

— Et toi, Sam ? C'est Emma, ta Valentine ?

Emma est la nounou qui le garde.

— Ou alors quelqu'un à la crèche ?

Sa réaction me surprend. Comme souvent.

— Non, répond-il en me tendant un cœur de papier découpé. C'est toi.

Les jours de fête incontournables comme celui-ci – Noël, le jour de l'an, la fête des Pères, la fête des Mères – sont pires que les autres. Ils se chargent de me rappeler à quel

21

point je suis seul. À quel point cette solitude a fini par envahir ma chair et mes os à la façon d'un cancer.

Récemment, quelque chose a changé. Un sentiment de vide nouveau. Le poids de l'absence absolue. Moi qui croyais être en deuil depuis trois ans et demi, peut-être suis-je seulement en train de sortir de l'état de choc. Peut-être le véritable deuil est-il encore à venir.

Sam est tout pour moi.

Cette constatation me sert encore de béquille aujourd'hui, mais elle aura été mon unique bouée de sauvetage au cours des mois qui ont suivi la mort de Tamara. J'étais incapable de vouloir quoi que ce soit pour moi-même. Je me refusais le droit de rêver dans l'espoir de ne plus rien sentir du tout.

Peut-être me suis-je trompé. Peut-être ai-je eu tort de croire qu'il était possible de s'en sortir sans vie personnelle. L'existence finit par vous échapper le jour où vous n'êtes plus rien.

Je ne vais pas m'étendre sur les derniers jours de Tamara, sinon pour reconnaître une multitude d'erreurs de jugement et de comportement, de transgressions aussi. Je suis capable d'*explorer la nature de mes souvenirs* – voilà le genre de phrase qu'on trouve au dos des romans contemplatifs –, même au prix d'une introspection douloureuse. Je me refuse en revanche à vous exposer le détail de sa souffrance, à vous dire comment je l'ai vue mourir.

Je suis pourtant prêt à admettre une chose : la mort de Tamara m'a rendu définitivement indifférent à mes ambitions professionnelles déçues, aux mesquineries entre collègues, à toutes ces injustices dérisoires qui composent notre quotidien. Elle m'a fait prendre conscience du temps perdu à réfléchir alors qu'il est tellement plus simple d'agir. Du fait aussi que j'aurais pu changer.

Je venais d'avoir trente et un ans quand Tamara est morte. Pas même la moitié d'une vie. Son départ a éclairé d'un jour cruel ce qu'aurait pu être la vie en question. Ce qu'elle était en réalité, si seulement j'avais accepté de le comprendre.

Nous venions de nous marier quand nous avons acheté notre maison d'Euclid Avenue, à deux pas de Queen Street. C'était avant l'arrivée des clubs de yoga, des salons de coiffure à cent dollars la coupe et des magasins d'articles érotiques. À l'époque, la pratique du yoga dans le quartier se limitait aux positions acrobatiques des alcoolos coincés dans les entrées de magasins, et l'érotisme était tarifé par les filles qui faisaient les cent pas au coin de la rue, juchées sur des talons interminables.

Alors que j'avais du mal à payer les traites de la maison au début, je n'ai tout simplement plus les moyens de vendre aujourd'hui à moins de m'éloigner du centre. Ce que je me refuse à faire. Avant tout parce que j'apprécie de pouvoir me rendre à pied à mon travail. Malgré l'argent et l'embourgeoisement, le quartier fournit encore son lot de surprises au piéton. Grâce aux punks qui encouragent les batailles de mastiffs devant le Big Bop, aux drogués en manque qui monologuent à longueur de journée, au type qui me suit tous les matins en me demandant de lui acheter un sandwich au jambon italien (il est très insistant sur ce point) et qui m'appelle systématiquement Steve-o, pour une raison qui m'échappe totalement, sans parler des ambulances chargées de ramasser ceux qui n'ont pas eu la chance de trouver une place en foyer d'accueil la veille.

Tout le monde s'accorde à dire que Toronto change chaque jour un peu plus avec ses nouveaux buildings et ses nouveaux arrivants fermement décidés à gagner de l'argent. Avec la peur, aussi. On entend parler de violence aveugle, de maisons cambriolées en présence de leurs occupants, de fusillades, d'attaques gratuites.

La rue est devenue synonyme de tension, elle est porteuse d'une agressivité suscitée par une multitude de désirs inassouvis. Dans la mesure où l'offre est plus riche qu'autrefois, les envies se font plus présentes et le regard que nous portons sur les autres est différent. Les gens sont désormais des marchés, des statistiques, des portes d'entrée.

Le partage d'un même désir insatiable est la seule chose qui nous rassemble. Le désir est une arme capable de métamorphoser en concurrents des gens qui étaient autrefois de simples étrangers.

Je remonte Queen Street jusque Spadina Avenue avant de descendre vers le lac en direction des bureaux du *National Star* – le *New York Times* de Toronto, comme le proclamait maladroitement une campagne de publicité il y a quelques années. C'est là que j'ai fait mes débuts, à l'époque où j'étais un jeune homme révolté sans véritable raison de l'être, passant rapidement du statut de secrétaire de rédaction au poste de critique littéraire, le plus jeune de toute l'histoire du journal. Un critique impitoyable, convaincu que tous ceux dont je fauchais les prétentions littéraires d'un trait de plume finiraient par comprendre que j'en avais le droit. Car le moment viendrait où je signerais mon propre livre.

D'aussi loin que je m'en souvienne, j'ai toujours été persuadé de pouvoir exprimer un jour ce que j'avais au fond de moi. Sans doute faut-il y voir le résultat d'une enfance solitaire de fils unique tout au long de laquelle les livres auront été mes meilleurs amis. Je restais enfermé des week-ends entiers, recroquevillé à la façon d'un chat sur les carrés jaunes du tapis, dévorant Greene, Leonard et Christie, méditant les pages plus obscures de James, Faulkner ou Dostoïevski. J'aurais aimé percer leur secret. Comprendre comment ils parvenaient à créer de véritables *univers*.

Je n'ai donc jamais douté du fait que je finirais par me joindre à eux le jour où j'atteindrais l'âge adulte. Sans avoir forcément la prétention de les égaler, j'étais convaincu de pratiquer plus tard cette noble activité. J'acceptais d'emblée l'idée que je ne serais pas aussi doué qu'eux. Au début. Conscient de la somme de travail qu'avait nécessitée l'écriture de mes livres cultes, j'étais prêt à tous les sacrifices pour me hisser lentement à la cheville des auteurs que j'admirais.

Avec le recul, je constate qu'écrire était pour moi une religion. Un engagement absolu, synonyme d'intégrité, que l'absence de divinité ne rendait pas moins sacré. J'y voyais une promesse de salut. La possibilité d'inventer une histoire qui parlerait à ma place, au point de transcender ma personne. Une histoire plus intéressante et mystérieuse que la mienne. À l'époque où mes parents étaient encore de ce monde, je devais également croire qu'écrire un livre garantirait leur présence à mes côtés ; lorsqu'ils ont disparu, je me suis contenté de modifier les termes de ma foi en me persuadant qu'écrire un livre digne de ce nom suffirait à les ramener à la vie.

Ce livre, je ne l'ai jamais écrit.

Mes études universitaires achevées, ma machine à écrire m'a uniquement servi à publier des piges dans divers hebdomadaires de petites villes et autres magazines spécialisés. « Un autre chien, un autre vous » pour *Puppy Love* et « Carottes ou betteraves ? Prendre le problème par la racine », paru dans les colonnes du *Journal des potagers*, m'ont même valu un prix dans leurs domaines respectifs. Par la suite, après mon mariage et mon entrée au *National Star*, des projets plus concrets ont pris le pas sur ce besoin de publier un roman. J'ai voulu avoir des enfants, voyager. Mais l'idée que je gâchais ma vie à m'enfermer dans le confort domestique continuait néanmoins à me travailler. Dans quelque recoin sombre de mon âme, je continuais secrètement d'attendre. La première phrase. La *clé*.

Cette première phrase n'est jamais venue.

Deux événements, curieusement reliés entre eux, sont ensuite survenus simultanément : Tamara est tombée enceinte et j'ai résilié mon abonnement à l'édition dominicale du *New York Times*. Je suis arrivé à cette décision en m'apercevant que je ne triais même plus les divers cahiers de ce pavé hebdomadaire et que je trouvais encore moins le temps de lire les articles qui m'intéressaient. Avec un bébé en route, continuer à payer un abonnement inutile relevait du gâchis.

En fait, ma véritable motivation ne tenait ni au manque de temps ni au respect des forêts. J'en étais arrivé au stade où je n'arrivais plus à ouvrir le cahier littéraire du *Sunday Times* sans éprouver un pincement au cœur en découvrant des noms d'auteurs et des titres de romans qui n'étaient jamais les miens.

Cela me faisait mal physiquement. Il ne s'agissait pas uniquement d'une blessure à l'ego, mais d'une douleur aussi réelle que celle provoquée par une colique néphrétique ou un ballon de foot envoyé dans le bas-ventre. Une douleur instantanée, indescriptible, paroxystique. Ce n'était pas tant la lecture des articles eux-mêmes qui me traumatisait. Je mentirais en disant que j'allais toujours jusqu'au bout des critiques positives ; quant aux critiques négatives, elles suffisaient rarement à soulager mes maux. Même les charges les plus sauvages et les condamnations à mort les plus impitoyables venaient me rappeler que les écrivains incriminés avaient au moins su produire des lignes dignes d'être compissées. Ah ! Si seulement j'avais pu me réveiller un dimanche de pluie et refuser de me lever au prétexte qu'on m'avait brocardé dans les colonnes du *Times* ! Quelle souffrance délectable, en comparaison de l'agonie lente que constituait le fait de se voir incapable d'écrire des lignes dignes du mépris du Journal de Référence.

Et puis Sam est arrivé et mes aigreurs ont disparu.

J'étais amoureux de Tamara, de mon fils, et même de ce monde que je n'avais pourtant guère porté dans mon cœur jusque-là. L'envie d'écrire m'est passée. Le simple fait d'être heureux occupait tout mon temps.

Huit mois plus tard, Tamara disparaissait.

Sam était bébé. Il était trop jeune pour se souvenir de sa mère et me laissait le soin de le faire pour deux.

C'est peu après ce tournant de mon existence que j'ai recommencé à croire. À la recherche d'une façon de raconter la seule histoire capable de ressusciter les morts.

Le processus de régression a débuté à l'issue du congé qui m'avait été accordé à la mort de Tamara. On nous a expliqué que le nouveau millénaire coïncidait avec l'arrivée d'un type de journaux « mieux à l'écoute de l'usager », capables de rivaliser avec Internet, la télé câblée et l'illettrisme rampant. Nos lecteurs, gagnés par le virus de l'impatience, perdaient trop de temps à lire. En vertu de quoi la rubrique « Culture » est devenue la rubrique « Divertissement » et les articles de fond ont rétréci comme peau de chagrin afin de laisser place à des échos *people* illustrés de photos de stars en lunettes noires marchant dans la rue, un gobelet de café géant à la main. Les notes de service nous enseignaient comment ne plus écrire à l'intention d'adultes normalement constitués pour mieux s'adresser à des ados hyperactifs souffrant de troubles de l'attention prononcés.

Pour dire les choses simplement, la période n'était pas rose pour la rubrique « Livres ».

Ma carrière journalistique ne s'est pas défaite du jour au lendemain. J'ai redescendu les échelons de la respectabilité les uns après les autres, passant du statut de critique littéraire, acide et sarcastique, à celui de spécialiste des portraits de starlettes, en charge du palmarès cinématographique de la semaine. Je me suis ensuite occupé pendant deux ou trois mois de la rubrique nécrologique aux côtés d'un responsable de cinq ans mon cadet, avant de finir dans l'impasse la plus implacable de toute rédaction digne de ce nom : critique télé. J'ai bien essayé de convaincre mon rédacteur en chef d'accoler à mon nom le titre de « Journaliste de télévision », au lieu de quoi, en ouvrant le supplément télé du journal le week-end suivant, j'ai découvert qu'à mon patronyme légitime avait succédé le surnom de Zappeur Fou.

Aujourd'hui, la formule se révèle proche de la réalité. À force de m'être étiolé professionnellement au cours des derniers mois, et lorsque je ne sue pas sang et eau sur le divan de mon psy, je passe le plus clair de mon temps dans mon lit ou sur le canapé du sous-sol, une télécommande à la main, le doigt figé sur la touche d'avance rapide afin de faire défiler le plus rapidement possible les sitcoms débilitantes, les téléfilms policiers et autres reality-shows qui agissent sur moi comme ces somnifères que l'on glisse sous la langue des malades dans les asiles d'aliénés.

Je n'éprouve aucune honte à vivre de ça, bien évidemment. Mon métier n'est pas plus honteux que la plupart des autres professions, à une époque où les postes de sauveurs de baleines, de creuseurs de puits en Afrique et de militants de la cause écologique se font rares.

Mon véritable problème est d'avoir vu revenir en force le mal qui me rongeait déjà enfant. Ce murmure insidieux et fou, cette malédiction qui résonne dans ma tête comme une promesse méphistophélique.

Mon salut pourrait-il venir de ma capacité à aligner les mots dans le bon ordre, à transmuer mon envie en art?

Aucun critique confirmé n'est à l'abri d'une certaine dose d'amertume. Tout simplement parce que la critique vous rappelle quotidiennement votre position d'infériorité littéraire. Tous les critiques aspirent à écrire des livres et non à les éreinter. Prétendre l'inverse équivaudrait à affirmer que les enfants qui rêvent de courses hippiques préféreraient peser des jockeys plutôt que chevaucher des pur-sang.

J'en veux pour preuve la demi-douzaine de pauvres hères qui malmènent leur clavier, le regard vague, dans les box qui m'entourent au siège du journal. Notre lot commun consiste à trier les épaves que vomissent à nos pieds chaque matin les vagues de la culture de masse. CD, DVD, jeux vidéo, films, magazines. C'est la même chose pour les collègues censés chroniquer les livres, en charge d'une page unique, publiée chaque samedi dans l'indifférence générale. À tout prendre, je préfère encore leur place à la mienne.

Il suffit de nous observer. Parqués dans un coin, à plusieurs jets d'agrafes de la fenêtre la plus proche. Mes confrères ont surnommé mon bureau le Royaume du Porno, à cause des piles de cassettes vidéo qui menacent de s'y écrouler à tout instant. Et ils n'ont pas tort. La télé tient de la pornographie. Un plaisir insatiable et honteux dont nous semblons vouloir toujours plus.

Je découvre sur mon fauteuil un carton contenant les dernières nouveautés. J'en sors une au hasard – un reality-show dont les participantes en bikini se nourrissent d'araignées vivantes, à en croire le dossier de presse – lorsque Tim Earheart, l'un des journalistes d'investigation de la rédaction, me tape dans le dos. Aussi paradoxal que cela puisse paraître, Tim est mon meilleur ami au journal. En écrivant ça, je m'aperçois non sans étonnement qu'il est probablement mon meilleur ami tout court.

— Tu aurais des épisodes de *Filles en folie*? me demande-t-il en fouillant dans mes piles de cassettes.

— Moi qui te croyais plutôt du genre documentaires…

— Ma femme n'est pas là cette semaine. En fait, je ne suis même pas certain qu'elle remette un jour les pieds à la maison.

— Janice t'a quitté?

— Elle a appris que ma source principale pour mon article sur les Hells Angels, la semaine dernière, était la copine d'un des motards, répond Tim avec un sourire triste. Disons que j'ai fait preuve d'un peu trop de conscience professionnelle avec elle, selon Janice.

Si l'information est avérée, c'est la troisième femme de Tim qui se fait la malle. Tim aura trente-six ans la semaine prochaine.

— Je suis désolé.

Il me fait aussitôt taire d'un geste.

— T'as le temps de prendre un verre ce soir? m'interroge-t-il en s'éloignant en direction de la ruche bourdonnante dans laquelle il travaille. Attends. J'oubliais que c'est la Saint-Valentin. T'as déjà un rancard?

— Je n'ai jamais de rancard, Tim. Je ne fais jamais rien.

— Ça commence à faire un bail.

— Pas tant que ça.

— Beaucoup de gens te diront que quatre ans, c'est bien assez pour…

— Trois.

— Très bien. Trois ans si tu veux. Tu sais, il faudra bien que tu te rendes compte un jour que tu es encore là, même si ce n'est pas le cas de Tamara.

— Fais-moi confiance, je m'en rends compte tous les jours.

Tim hoche la tête. Il a été envoyé spécial, il sait reconnaître une victime de guerre quand il en voit une.

— Je peux te poser une question ? insiste-t-il. Tu crois qu'il est trop tard pour que je demande à la nouvelle stagiaire des ressources humaines si elle est libre ?

Et voilà que ça me reprend au moment de rentrer chez moi.

De plus en plus fréquemment, je suis au beau milieu de quelque chose – je suis à l'épicerie du coin, je tape mon compte de mots au journal, je fais la queue devant la machine à café – quand les larmes se mettent à couler. Discrètement, sans prévenir, c'est tout juste si je m'en aperçois.

Ce soir, sur le trottoir, alors que je répondrais « rien » à celui qui me demanderait à quoi je pense, ça recommence. Des traînées humides que l'air glacé fige instantanément sur mes joues.

Un couplet me vient à l'esprit. Une comptine déprimante qui m'accompagne jusque chez moi.

> *Je ne vais pas **bien***
> *Je ne vais pas bien*
> *Sacré nom d'un chien*
> *À qui en parler demain ?*

Le temps de rentrer, Sam a fini de dîner et Emma, la nounou, l'essuie après l'avoir sorti du bain. Encore un instant unique perdu à jamais. Le bain de Sam est le meilleur moment de la journée. Sur fond de musique, nous engageons des batailles navales épiques à grands coups de canards en plastique et de vieilles brosses à dents. Jusqu'à l'heure d'aller au lit et de lire une histoire.

— C'est bon, je le prends, dis-je à Emma qui déplie le drap de bain dans lequel mon fils est emmailloté.

Mon petit ange qui sent le savon sort de son cocon et se précipite dans mes bras.

Je l'aide à enfiler son pyjama, j'ouvre le livre du moment, mais il me regarde longuement avant que j'aie le temps de commencer ma lecture. Il me pose la main sur le front.

— Alors, docteur? Vous croyez que je vais m'en tirer?

— Vous allez vous en sortir, déclare Sam.

— C'est grave, docteur?

— Je ne sais pas. Comment vous sentez-vous?

— Ça devrait aller.

— Je ne veux pas que tu sois triste.

— Ta maman me manque de temps en temps. C'est tout. C'est normal.

— Normal.

— Plus ou moins.

Sam fait la moue. Il ne semble pas encore décidé à prendre mon sourire forcé pour argent comptant. Cela dit, il faut que j'aille bien pour lui et je ferai tout ce qui est en mon pouvoir pour le rester.

Il laisse échapper un bâillement et vient se blottir contre moi, le front contre mon cou, de façon à sentir les vibrations de mes cordes vocales quand je lui lirai son histoire. D'un doigt, il tapote le livre ouvert à la bonne page.

— Où en étions-nous?

Une fois Sam endormi, je descends au sous-sol où est installé mon bureau. Ce que Tamara appelait la crypte. Un terme un peu trop bien choisi pour que je puisse en rire. Il s'agit d'une pièce basse de plafond dans laquelle les propriétaires précédents fabriquaient leur vin. Aujourd'hui encore, il m'arrive de sentir des effluves de raisin fermenté. Comme une odeur de pieds.

C'est là que je regarde mes cassettes, un carnet sur les genoux, la télécommande à la main.

Cela fait trois minutes que j'observe des nanas en bikini en train de manger des araignées quand j'appuie sur « Pause ». Je sors de ma poche la petite annonce découpée le matin même dans le journal.

Laissez parler votre âme. Noircissez la page blanche avec vos propres mots grâce à l'atelier d'écriture dirigé par Conrad White, poète et romancier reconnu. *Écrivez vraiment. Écrivez vrai.*

Je n'ai jamais entendu parler de Conrad White. Je n'ai jamais fréquenté d'atelier, de cercle, de cours du soir, de séminaire d'écriture. Cela fait des années que je n'ai pas écrit autre chose que les articles pour lesquels je suis payé. Une intuition me souffle pourtant que c'est différent aujourd'hui, qu'un changement est imminent. Qu'il est déjà là. Je le sens dans l'air que je respire.

Je compose le numéro figurant au bas de l'annonce. Lorsqu'une voix à l'autre bout du fil me demande ce que je veux, je réponds sans hésiter :

— Je veux écrire un livre.

2

Les gens lisent moins qu'autrefois. Il suffit de regarder les études réalisées à ce sujet, d'observer les ados, de fréquenter les centres commerciaux pour le vérifier. Cette réalité dissimule cependant une vérité moins connue :

Moins les gens *lisent*, plus ils ont envie d'*écrire*.

Les ateliers d'écriture qui abondent dans les universités, les bibliothèques, les cours du soir, les hôpitaux psychiatriques ou les prisons constituent le seul secteur en expansion du petit monde de l'écrit. Sans parler des cénacles d'aspirants écrivains qui s'échangent leurs manuscrits, officiellement dans le but de recueillir l'avis de leurs semblables, mais avec le secret espoir que leur génie soit ouvertement reconnu.

Et voilà que je joins mon nom aux leurs.

La voix au téléphone m'a indiqué une adresse sur Kensington Market. Les ateliers doivent avoir lieu tous les mardis soir pendant cinq semaines. Mon interlocuteur m'a précisé que j'étais le dernier à me joindre au groupe. C'est moi qui ai prononcé le mot *groupe*, mais la voix m'a aussitôt corrigé.

— Je préfère parler de cercle.

— Très bien. Combien sommes-nous ? Je veux dire, dans le cercle ?

— Vous êtes sept. Nous risquerions de perdre en concentration si vous étiez plus nombreux.

En raccrochant, je me suis aperçu que Conrad White — si la voix était la sienne — ne m'avait pas demandé mon nom. J'ai également oublié de lui demander s'il fallait apporter quelque chose à la première réunion : un stylo, un carnet, de l'argent au cas où il ferait la quête. J'ai tenté de le rappeler pour lui poser la question, mais la sonnerie a résonné dix fois dans le vide sans que personne ne décroche. Maintenant que le cercle est au complet, M. White ne voit sans doute plus l'intérêt de répondre au téléphone.

Le mardi suivant, je remonte Spadina en sortant du journal, mon écharpe enturbannée autour des oreilles. Malgré le froid, la plupart des épiceries de Chinatown ont sorti leurs étals garnis de choux chinois, de caramboles et de brins de citronnelle gelés. Une mince couche de neige poudreuse a recouvert toute la ville. Une fois passé le carrefour avec Dundas Avenue, la nuit est tombée d'un seul coup, l'écran géant surmontant le Dragon Mall projetant une lueur bleutée sur la rue.

Le temps de parcourir quelques pâtés de maisons, je passe devant des bouis-bouis chinois aux vitrines desquels sont accrochées des pancartes « SANS ADDITIFS », des boucheries avec des porcelets rôtis pendus à des crocs, la bouche grande ouverte comme sous l'effet de la surprise, puis je traverse l'avenue au milieu des quatre files de circulation avant de m'engouffrer dans les ruelles du marché.

Chaque fois que je me rends à Kensington, je me pose invariablement la même question : combien de temps le quartier survivra-t-il ? Sur les façades de certains bâtiments transformés en appartements et en lofts s'affichent des publicités promettant un nouveau mode de vie à « ceux qui aiment vivre sur le fil du rasoir ». Je sors de ma poche le petit dictaphone qui me sert normalement à enregistrer les extraits les plus croustillants des émissions que je suis censé chroniquer. Cette fois, il me permet de garder une trace de ce slogan imparable. D'autres se sont arrêtés comme moi pour lire les élucubrations des promoteurs, mais ils s'empressent de repartir en me voyant murmurer dans le micro de mon enregistreur. On n'est jamais trop prudent avec les cinglés.

Les vieux mareyeurs portugais ramassent les morceaux de morue et de pieuvre sur leur lit de glace et les rentrent dans les frigos géants pour la nuit. L'endroit grouille de fous, de punks avec des épingles à nourrice, de cyclistes que le froid n'arrête jamais, tous à l'affût d'un repas bon marché. À moins qu'ils ne souhaitent simplement se retrouver dans l'un des derniers endroits de la ville où se manifeste encore un semblant de résistance face à l'embourgeoisement ambiant, à l'uniformisation, au pouvoir de l'argent.

Je suis brusquement parcouru d'un frisson en me disant que certains des inconnus qui m'entourent se trouvent peut-être ici pour la même raison que moi.

Certains d'entre eux sont peut-être écrivains.

L'adresse que l'on m'a donnée correspond à une porte située à côté d'un bar baptisé le Fukhouse. À travers une vitre crasseuse, je découvre une pièce intégralement laquée en noir, du sol au plafond en passant par les tables. Au-dessus de l'enseigne, au premier étage, de grosses bougies aux flammes vacillantes brûlent aux fenêtres. Si je ne me suis pas trompé en notant le numéro, c'est là qu'est censé se réunir le cercle de Kensington.

— Des anarchistes, souffle une voix derrière moi.

En me retournant, je découvre une jeune femme perdue dans un blouson de moto bien trop grand pour elle. Les épaules sont renforcées de clous pointus. Apparemment imperméable au froid, elle porte une jupe d'écolière usée et des collants résille. Elle a un corbeau tatoué au poignet.

— Je vous demande pardon ?

— Je voulais vous prévenir, poursuit-elle en désignant la porte du Fukhouse. C'est un club anarchiste et les anarchistes n'aiment pas tellement les ennemis de la révolution.

— C'est sûr.

— Mais je vous dis ça... Vous faites partie du cercle ?

— Comment avez-vous deviné ?

— Vous n'avez pas l'air à l'aise.

— Parce que je ne le suis pas.

Elle me regarde en plissant les yeux au milieu des flocons qui tourbillonnent. On dirait un douanier en train de scanner sur son ordinateur le passeport d'un étranger qu'il hésite à refouler.

— Evelyne, prononce-t-elle enfin.

— Patrick Rush. Enchanté de faire votre connaissance.

— Vous en êtes sûr ?

Avant que je puisse savoir si c'est du lard ou du cochon, elle pousse la porte et s'engage dans l'escalier.

La pièce est tellement sombre que je m'arrête sur le seuil en cherchant à tâtons le mur, l'interrupteur, le blouson en cuir de la fille. Je reconnais les bougies qui pleurent leur cire sur le rebord des deux fenêtres, tout au fond de la pièce. De l'autre côté des vitres, la neige tombe aussi dru que sur un écran de télévision muet. J'ai eu beau suivre Evelyne dans l'escalier, elle a maintenant disparu dans le vide interstellaire qui sépare la porte des fenêtres.

— Ravi de vous accueillir.

Une voix masculine. Surpris, je pivote sur moi-même. Trop vite. Mes bottes dérapent sur le plancher dans une mare de neige fondue et je manque de perdre l'équilibre. J'entends quelqu'un pousser un hoquet plein de coquetterie avant de m'apercevoir qu'il s'agit de moi.

— Nous sommes ici, poursuit la voix.

Une silhouette masculine voûtée passe devant moi et se dirige vers ce qui se révèle être un cercle de chaises disposé au centre de la pièce. Le temps d'enlever mes bottes trempées d'un coup de talon et je me glisse jusqu'à l'une des deux places encore libres.

— Nous attendons une dernière personne, reprend la voix.

Je reconnais à présent celle de l'homme que j'ai eu au téléphone. Il doit s'agir du mystérieux Conrad White. Le poète et écrivain inconnu au bataillon s'installe juste en face de moi. Sa voix berçante me fait penser à l'impression ressentie lorsque je lui ai annoncé mon intention d'écrire un livre. Il avait marqué une pause, comme s'il prenait la mesure de mon envie. Quand il avait repris la parole, je m'étais contenté de noter machinalement l'adresse qu'il me donnait sans vraiment y prêter attention. Une voix venue d'ailleurs, d'un autre temps.

Nous attendons tous qu'il poursuive. Nous sommes six, aussi sages que des poupées de chiffon. Seule la rumeur vague de nos respirations traverse le silence, aspirant les bouffées de vin rouge et d'encens qui montent du tapis sous les pieds de nos chaises.

— Ah. Le voici.

Conrad White se lève afin d'accueillir le dernier membre du cercle. J'évite de me retourner dans un premier temps, mais j'entends deux jambes s'avancer lourdement et je sens les autres se recroqueviller sur eux-mêmes. Je ne tarde pas à comprendre pourquoi.

Un géant aux épaules tombantes émerge de l'obscurité. Il reste sans tête l'espace de quelques instants et je baisse machinalement les yeux pour vérifier qu'il ne porte pas son crâne dans ses mains. Mais non, une épaisse barbe de fils noirs lui mange le visage. À l'exception de ses yeux au blanc éclatant, grands ouverts.

— Nous sommes désormais au complet. Merci à tous d'être venus. Je m'appelle Conrad White, nous déclare notre hôte en se rasseyant.

Le géant barbu en profite pour prendre place sur la chaise restante, à ma gauche. Cela m'évite d'avoir à le regarder, mais l'odeur de ses vêtements me chatouille les narines. Un mélange primitif de feu de bois, de sueur et de viande bouillie.

— Au cours des quatre prochaines semaines, je serai votre médiateur, continue Conrad. Votre guide. Peut-être même votre ami. Mais en aucun cas un professeur, pour la bonne raison que la véritable écriture, celle à laquelle nous aspirons tous, ne peut s'apprendre.

Conrad White embrasse du regard l'assemblée, comme s'il entendait nous laisser l'occasion de le corriger. Personne ne le fait.

Il nous explique le fonctionnement des réunions à venir. Chaque semaine, il nous confiera des petits exercices, « afin de vous aider à mieux *ressentir* ce que vous *voyez* », mais le plus clair des réunions sera consacré à la lecture à voix haute de nos textes respectifs, suivie des commentaires des membres du cercle. La confiance sera le maître mot de notre travail et White insiste sur le fait que la critique pure est proscrite. Il s'agit plutôt de « conversations », pas tant entre nous qu'entre « le lecteur et les mots ». Du coin de l'œil, je vois des têtes approuver sur ma droite, sans chercher à savoir lesquelles. Curieusement, tant qu'il continue à parler, je me sens incapable de détacher mon regard de Conrad White, au point de me demander si ce n'est pas par timidité. À moins qu'il y ait quelque chose d'occulte dans la disposition des chaises, dans la présence des bougies et le refus de la lumière électrique. Sans parler d'enchantement, sa façon de s'exprimer me monte à la tête et me donne le vertige.

Lorsque je parviens enfin à retrouver ma concentration, je l'entends nous parler d'honnêteté. Seule la vérité doit guider notre démarche, et non la maîtrise de la langue ou le style.

— Seul compte le récit, déclare la voix. Il est notre religion, notre histoire, notre moi. Seul le récit peut nous faire espérer vivre des expériences différentes.

Dans un autre contexte, dans une pièce suffisamment éclairée pour distinguer les visages qui m'entourent, bercé par le confort d'un système de chauffage traditionnel et des boîtiers lumineux « ISSUE DE SECOURS » au-dessus des portes, la promesse de White pourrait sembler surfaite. Au lieu de quoi, dans cette atmosphère particulière, elle fait mouche. Je suis ému, en tout cas.

Vient à présent le traditionnel tour de table permettant à chacun de se présenter. Je suis terrifié à l'idée que Conrad commence par moi. (« Bonjour, je m'appelle Patrick. Je suis veuf et père d'un petit garçon. J'ai longtemps rêvé de devenir romancier. Aujourd'hui, je gagne ma vie en regardant la télé. ») Mais ce dernier choisit une solution pire encore en jetant son dévolu sur la femme assise à ma droite, que je sens – elle porte un parfum raffiné et un pantalon de cuir qui semble d'excellente qualité – à défaut de la voir nettement. Cela signifie que je serai le dernier. Celui qui conclut.

Chacun s'exprime à tour de rôle et je joue machinalement avec le dictaphone dissimulé dans la poche de mon blouson. J'appuie alternativement sur « Enregistrer » et « Pause », créant ainsi une sorte de montage accidentel. Le tour de table est bien entamé lorsque je m'en aperçois, ce qui ne m'empêche pas de continuer.

La femme au parfum capiteux s'appelle Petra Dunn. Divorcée depuis trois ans, elle se retrouve « à peu près seule » dans sa maison de Midtown, maintenant que son fils unique est parti faire des études. Elle évoque son quartier sur un ton presque coupable, consciente que le nom de Rosedale respire l'opulence pour nous tous. Mme Dunn a décidé de se consacrer à elle-même. Elle passe des heures à faire du jogging, travaille bénévolement au sein de diverses associations caritatives, prend des cours du soir sur des sujets qui semblent choisis au hasard : l'histoire des États-Unis avant la guerre de Sécession, la peinture européenne d'après-guerre, les vingt romans les plus importants du xxᵉ siècle. Mais elle avoue être lasse de retrouver dans ces cours « différentes versions de moi-même, des femmes qui en sont à leur deuxième ou troisième vie et qui s'intéressent moins à leur culture générale qu'aux rares prédateurs masculins inscrits à l'université du troisième âge ». En outre, elle éprouve le besoin croissant de raconter la vie qu'elle aurait pu mener si elle n'avait pas dit oui quand le monsieur d'âge mûr qui allait devenir son mari l'a invitée à dîner, à l'époque où elle était barmaid au Weston Country Club. Une existence qui lui aurait permis de reprendre des études et de vivre pleinement sa liberté, au lieu d'épouser quelqu'un pour ses cartes de crédit, malgré le charme désuet qu'elle croyait trouver à son mari. Elle voudrait écrire l'histoire de « quelqu'un comme moi, sauf que… ».

Petra Dunn laisse sa phrase en suspens. Assez long-temps pour que je coule un regard dans sa direction. Je m'attends à découvrir une cinquantenaire au bord des larmes, mais je découvre une jolie femme d'à peine qua-rante ans. Et ce ne sont pas les sanglots qui ont coupé son élan, mais la frustration.

— Je voudrais imaginer qui je suis réellement, finit-elle par conclure.

— Je vous remercie, Petra, la félicite Conrad White, manifestement heureux de ce premier témoignage. Qui prend la suite ?

Cet honneur revient à Ivan, un personnage chauve au crâne lisse et rose. Les épaules rentrées, un corps trop petit pour remplir sa chemise à carreaux boutonnée jusqu'au cou. Il est conducteur de métro et voit rarement la lumière du jour (« Quand je ne dors pas, soit il fait nuit, soit je passe ma vie dans un tunnel. ») Un solitaire. Ivan ne l'avoue pas spontanément, mais on devine son célibat aux poches qu'il a sous les yeux, à ce ton défaitiste qui donne constam-ment l'impression qu'il s'excuse. Sans parler d'une timidité manifeste, qui l'empêche de croiser le regard des femmes de l'assistance.

Conrad White lui demande ce qu'il attend des pro-chaines réunions et Ivan réfléchit longtemps avant de répondre.

— Chaque fois que je pénètre dans une station de métro, je vois passer devant mes yeux les visages des pas-sagers qui attendent sur le quai. J'aimerais pouvoir entrer dans leur vie. Voir quelque chose d'autre que des gens qui montent et descendent de l'autre côté de la vitre. En faire de vraies gens. Des gens auxquels m'accrocher. Les trans-former en *quelqu'un*.

Ivan se tait et baisse la tête, craignant d'en avoir trop dit. Je dois me retenir de ne pas me lever pour poser une main fraternelle sur son épaule.

C'est alors que je remarque ses mains, semblables à de gros gants sur ses genoux. La peau tendue sur les os comme du vieux cuir. Des mains qui m'ôtent instantanément toute envie de l'approcher.

Le personnage rondouillard assis à côté d'Ivan se présente sous le nom de Len. Il nous regarde tour à tour, un sourire aux lèvres, comme si une connotation osée était attachée à son prénom.

— Ce que j'aime dans la lecture, annonce-t-il, c'est le fait de pouvoir entrer dans la peau de différentes personnes, de faire différentes choses. Des trucs qu'on ne ferait jamais soi-même. Si on se prend vraiment au jeu, on finit par dépasser le stade de l'imagination.

C'est ce qui pousse Len à vouloir écrire. Ce pouvoir de transformation. Il me fait penser à un adolescent attardé qui présente toutes les apparences d'un amateur de jeux vidéo, de ceux qui restent cloîtrés chez eux, entourés d'amis virtuels, et qui passent leur temps sur les forums Internet à envoyer des messages pour savoir comment atteindre le niveau 9 du dernier jeu où l'on déquille des zombis. Qui pourrait lui reprocher de vouloir devenir quelqu'un d'autre ?

Plus Len évoque son envie d'écriture et plus il s'agite sur son siège en remuant des hanches, manquant de tomber, se frottant les mains sur les accoudoirs comme s'il voulait y essuyer ses paumes moites. Il atteint le comble de l'excitation en nous avouant que son « vrai truc », c'est tout ce qui touche à l'horreur. Les nouvelles, les romans et les films d'horreur, mais avant tout les bandes dessinées.

— Tout ce qui touche aux morts vivants, aux présences mystérieuses. Les loups-garous, les vampires, les démons, les esprits frappeurs, les sorcières. *Surtout* les sorcières. Ne me demandez pas pourquoi.

Len nous gratifie à nouveau de son sourire gentiment déjanté. Il en est presque touchant. Il exprime sa passion avec une telle candeur que j'en arrive à l'envier.

Installée à côté de la boule de nerfs qu'est son voisin, Angela paraît presque une enfant. Une impression en partie due au fait qu'elle occupe le siège le plus imposant, une bergère trop haute pour elle qui lui permet à peine de toucher le sol des orteils. Le plus frappant chez Angela est l'absence totale de traits distinctifs. J'ai beau m'appliquer à mémoriser son visage, je m'aperçois qu'il me serait impossible de la décrire si on me le demandait. Ses traits se modifient à chacun de ses mouvements, au point de donner le sentiment qu'il s'agit d'un être recomposé, d'un personnage générique et non d'une personne.

Jusqu'à ses paroles, qui s'évaporent à mesure que les mots traversent l'air de la pièce. Elle est arrivée récemment à Toronto, « après avoir bourlingué dans pas mal d'endroits sur la côte Ouest ». Le seul élément constant de son existence est son journal.

— Sauf que ce n'est pas *vraiment* un journal, précise-t-elle avec un léger reniflement qui pourrait passer pour un rire étouffé. Ce que j'écris est en grande partie inventé, mais pas totalement. C'est plus de la fiction qu'un journal intime, en fait.

Elle n'en confie pas davantage et s'enfonce dans son fauteuil. Je continue pourtant à l'observer. Bien qu'elle ne croise le regard de personne, j'ai le sentiment qu'elle enregistre ce qui se dit aussi scrupuleusement que moi.

Vient ensuite le tour d'Evelyne, le lutin pince-sans-rire en blouson de moto. Je suis assez surpris d'apprendre qu'elle est étudiante en licence à l'université de Toronto. Pas tant du fait de son âge qu'à cause de sa tenue. Elle tient plus de Courtney Love à l'époque de sa rencontre avec Kurt Cobain que d'une boursière modèle hésitant entre Yale, Cornell ou Cambridge. Elle nous explique que son sujet de thèse sera justement « Démembrement et vengeance féminine dans le cinéma d'horreur des années 1970 ». Mes souvenirs de fac me confirment que ce genre de sujet est généralement réservé aux excentriques.

Le tour de table se poursuit avec le géant barbu. Evelyne s'arrête de parler et je note que chacun change imperceptiblement de position pour mieux le regarder. Un mouvement général qui s'apparente davantage à un léger réglage d'antenne qu'à un regard franc et direct. Tous s'arrangent pour l'observer en coin, sauf moi. Il me faudrait me tourner et avancer la tête pour le voir de face et il n'en est pas question. Peut-être est-ce dû au cadre particulier qui m'entoure, à la présence de ces inconnus avec lesquels je partage uniquement le besoin de m'exprimer par la plume ? Toujours est-il qu'il émane de mon voisin de gauche quelque chose d'infiniment plus sombre que la nuit. Un manque étrange d'empathie, un vide d'humanité absolu. Malgré sa carrure, on pourrait croire que l'espace qu'il occupe a la densité du rien.

— Et vous ? l'interroge Conrad White. Qu'est-ce qui vous a poussé à vous joindre à ce cercle ?

Le géant prend sa respiration. Un sifflement rauque qui lui traverse la poitrine avant d'effleurer le dos de ma main.

— J'ai répondu à un appel, dit-il.

— Un « appel » dans le sens d'un appel du destin ? Ou bien « appel » au sens littéral du terme ?

— Dans un rêve.

— Vous vous êtes senti appelé ici à la suite d'un rêve ?

— Quelquefois… tente le géant. Quelquefois, il m'arrive de faire de mauvais rêves.

— Très bien. Vous pouvez nous dire comment vous vous appelez ?

— William, déclare-t-il en élevant légèrement la voix. Je m'appelle William.

C'est mon tour.

Je prononce mon nom à voix haute. La sonorité même de ces quelques syllabes me permet de relier entre eux les quelques éléments qui servent à résumer Patrick Rush. Le père d'un petit garçon très intelligent qui a la chance de ressembler à sa mère. Un journaliste qui a toujours pensé qu'il manquait quelque chose à son écriture. (J'ai failli dire *vie* au lieu d'*écriture*, un lapsus révélateur évité de justesse.) Quelqu'un qui ne sait pas s'il a quelque chose à dire, mais qui a décidé d'en avoir le cœur net.

— Très bien, conclut Conrad White avec un soupçon de soulagement. Je vous remercie de votre franchise. Tous tant que vous êtes. Dans ces circonstances, il me paraît normal de vous dire à mon tour qui je suis.

Conrad White nous explique qu'il est récemment « rentré d'un long exil ». Romancier et poète, il est l'auteur d'œuvres publiées à Toronto juste avant l'explosion culturelle de la fin des années 1960 qui a vu l'émergence d'une littérature canadienne. C'est-à-dire, comme l'exprime White d'une voix posée, et non sans amertume, « à l'époque où écrire dans ce pays était le fait d'individus isolés, avant que s'impose la politique de la porte close, de l'élite fermée, du tribalisme ». White n'en a pas moins persisté dans son travail, se sentant de plus en plus marginalisé tandis que certains de ses contemporains réalisaient l'inimaginable pour un auteur canadien jusque-là : devenir célèbre. Les poètes et romanciers hippies qui avaient usé les mêmes bancs que lui à l'université de Toronto, ceux avec lesquels il faisait des lectures dans les cafés littéraires, voyaient brusquement leurs œuvres éditées partout dans le monde, passaient à la télé canadienne et recevaient des bourses du gouvernement.

Conrad White avait choisi une tout autre monture. Une œuvre dont il savait d'avance qu'elle cadrait mal avec les thèmes de prédilection et les modes stylistiques de ses confrères. Un roman d'« évocations sordides » qui s'était révélé plus sulfureux encore qu'il ne l'avait imaginé. Le monde littéraire lui avait tourné le dos. White avait contre-attaqué dans les journaux et les opuscules qui avaient bien voulu lui ouvrir leurs colonnes, mais ce rejet l'avait laissé plus blessé que furieux et il avait décidé de s'expatrier. En Angleterre, dans un premier temps, puis en Inde, en Asie du Sud-Est, au Maroc. Cela faisait moins d'un an qu'il était rentré à Toronto et il dirigeait désormais des ateliers d'écriture comme celui-ci.

— Je dis « des ateliers d'écriture », mais il serait plus exact de mettre la chose au singulier, nous précise Conrad. Vous êtes les premiers.

Dehors, la neige s'est arrêtée de tomber. À l'étage inférieur, les basses qui sortent des haut-parleurs du Fukhouse commencent à faire trembler les fenêtres. Un peu plus loin dans la rue, un fou pousse un hurlement.

Conrad White fait circuler un récipient dans lequel nous déposons notre participation hebdomadaire, puis il nous donne ses instructions pour la semaine prochaine. Une page d'une œuvre en cours. Brute de décoffrage, pas nécessairement un début. Une page de *quelque chose*.

C'est la fin du cours.

Je récupère mes bottes à l'entrée. Personne ne dit mot en quittant la pièce. Comme si cette expérience commune n'avait jamais existé.

Dans la rue, je repars en direction de chez moi sans un regard pour les autres, et je me dis que jamais je ne reviendrai. Au moment même où cette pensée me traverse la tête, je sais déjà que ce n'est pas vrai. J'ai besoin de savoir si le cercle de Kensington va pouvoir m'aider à trouver mon histoire, ou bien si l'histoire sera le cercle de Kensington lui-même.

3

Emma prend ses mercredis matin, de sorte que je reste travailler à la maison ce jour-là pour m'occuper de Sam. À quatre ans à peine, il lit le journal en même temps que moi au petit déjeuner. Il a beau ne rien y comprendre, il affiche une mine sérieuse, comme son vieux père, allant jusqu'à se lécher le pouce pour tourner les pages.

Ce matin-là, j'écume les petites annonces à la recherche de celle de Conrad White, mais je ne la trouve nulle part. Peut-être a-t-il décidé que le groupe de la veille suffirait à l'occuper.

Sam repose le *Rapport annuel du fonds d'action mutualiste* avec un soupir contrit.

— Papa ? Je peux regarder la télé ?

— Dix minutes, pas plus.

Sam sort de table, allume la télé et tombe sur les robots laser des dessins animés japonais. Je m'apprête à lui demander de baisser le son lorsqu'un entrefilet attire mon attention dans les rubriques locales.

Une disparition. La victime – un disparu peut-il être considéré comme une « victime » ? – est une certaine Carole Ulrich et elle aurait été enlevée dans un square. Personne n'a assisté à l'enlèvement, pas même son petit garçon qui faisait de la balançoire à ce moment-là. Il est demandé aux habitants du quartier de signaler « tout prédateur et toute personne au comportement inhabituel ». Les autorités poursuivent leurs recherches tout en avouant ne disposer d'aucune piste sérieuse. L'article se conclut sur une déclaration du porte-parole de la police

46

précisant que « ce type d'incident reste rarement sans suite ».

Je m'intéresse généralement assez peu à ce genre de fait divers, mais je n'en poursuis pas moins la lecture de l'entrefilet parce que l'incident s'est produit tout près de chez moi. Le square concerné est celui où j'emmène régulièrement Sam.

— Papa, qu'est-ce que tu fais ?

Sam est à côté de moi. Debout, immobile, j'ai les deux mains posées sur la porte coulissante donnant sur le jardin.

— Je ferme la porte à clé.

— Mais on la ferme *jamais*, cette porte.

— Ah bon ?

J'observe le jardin recouvert de neige à travers la vitre. À l'affût de traces de pas.

— J'ai fini mon émission, annonce Sam en agrippant mon pantalon, un doigt tendu vers la télé.

— Encore dix minutes.

Tandis que Sam se précipite, je sors le dictaphone de ma poche.

— Note à moi-même, dis-je dans un murmure. Acheter un cadenas pour la grille du jardin.

Le week-end arrive vite et mardi approche à grands pas, avec la perspective de devoir présenter une page d'un roman en cours qui n'existe pas. J'ai bien fait quelques tentatives durant la semaine, mais l'environnement de la crypte comme celui de mon box au journal ont suffi à faire fuir l'inspiration. Il me faut trouver un endroit idéal où poser mon ordinateur portable.

Stacey, la sœur de Tamara, qui habite à la campagne, est passée prendre Sam afin qu'il aille voir les dinosaures au muséum avec ses cousins. J'en profite pour me rendre au Starbucks du coin. C'est un samedi ensoleillé, ce qui signifie qu'à partir de midi Queen Street sera noire de passants venus faire leurs courses. Il n'est que 10 heures du matin et la queue ne franchit pas la porte. Le temps de repérer une table, d'ouvrir mon ordinateur, et je me plonge dans la contemplation de la page blanche électronique. À l'exception de la petite flèche, l'écran est vierge. Sa pureté m'empêche d'appuyer sur la moindre touche. L'idée même de taper un mot me fait le même effet que si j'allais pisser sur le premier tas de neige venu. Et puis le bruit de roulette de dentiste du moulin à café me tape sur les nerfs. Sans compter les cris des employés qui relaient les commandes derrière le comptoir. Comment ne pas relever la tête quand quelqu'un demande un cappuccino décaféiné avec moitié lait écrémé, moitié lait de soja, et *double dose de crème fouettée*?

Je remballe mes affaires et remonte Queen jusque Yonge Street où se trouve la bibliothèque municipale, avec son lot de SDF, de visiteurs indécis et d'âmes en peine dépourvues de portable qui ont besoin de passer un coup de téléphone. De l'autre côté des tourniquets s'ouvre un atrium qui traverse les cinq étages du bâtiment. Je choisis un coin peu fréquenté et m'approprie une immense table vide. Confortablement installé, je cherche le mot capable d'entraîner tous les autres à sa suite.

Rien.

Je suis entouré de dizaines de milliers de livres contenant tous des dizaines de milliers de mots, mais pas un d'entre eux ne vient à mon secours au moment où j'en ai le plus besoin.

Pourquoi?

En fait, je sais *très bien* pourquoi.

Je n'ai aucune histoire à raconter.

Conrad White en a bien raconté une, autrefois. Comme tous les ouvrages de référence consacrés à Toronto sont censés se trouver ici, je m'accorde une pause afin d'effectuer une petite recherche. Au sujet de M. White, meneur de jeu du cercle de Kensington.

Seuls quelques mémoires et autres histoires culturelles du Toronto des années 1960 le mentionnent en passant, dans les notes de bas de page. Un fils de famille, élevé dans le privé, auteur d'un roman jugé prometteur qui a finalement choisi de s'expatrier. Ainsi que l'écrit d'une plume acerbe un commentateur de l'époque, « M. White, pour les rares qui connaîtraient son nom, a davantage fait parler de lui en s'exilant qu'à travers les ouvrages commis à l'époque où il vivait ici ».

La biographie incomplète de Conrad White intrigue avant tout par ses zones d'ombre. À en croire un point de vue largement partagé, il serait parti à la suite des critiques publiées à la sortie de son roman *Jarvis et Wellesley*, le monologue intérieur fragmenté d'un personnage qui arpente les rues de sa ville à la recherche d'une prostituée ressemblant à la fille qu'il vient de perdre dans un accident de voiture. Une figure idéalisée qu'il baptise lui-même « la perfection faite fille ». Il semble que Conrad White n'ait plus écrit par la suite.

Mais ce sont les échos de la vie personnelle de l'auteur, tels qu'ils traversent l'intrigue de *Jarvis et Wellesley*, qui donnent du piquant à son histoire. White avait effectivement perdu sa fille unique un an avant de commencer la rédaction de son roman. J'apprends également que l'exil de White aurait été précipité par sa relation avec une adolescente, et par les procès que ladite relation était sur le point d'engendrer, au civil comme au pénal. D'un côté un auteur vivant une existence de reclus, de l'autre un pervers aimant les très jeunes filles. Thomas Pynchon et Humbert Humbert[1] dans la peau d'un seul et même personnage.

Je retourne à ma table pour m'apercevoir que l'écran de mon ordinateur est en veille, comme s'il savait aussi bien que moi que je n'écrirai rien aujourd'hui. Cela ne signifie pas pour autant que je sois incapable de lire.

---

1. L'auteur new-yorkais Thomas Pynchon (1937), considéré comme l'un des grands romanciers américains de l'après-guerre, a toujours mis un point d'honneur à ne jamais accorder d'interview à la presse, refusant même qu'on le prenne en photo. Quant à Humbert Humbert, il s'agit du narrateur du *Lolita* de Nabokov. *(N.d.T.)*

L'exemplaire de *Jarvis et Wellesley* que je trouve en rayon n'a pas été emprunté depuis plus de quatre ans. Le dos du livre craque lorsque je l'ouvre, les pages sont aussi craquantes que des chips.

Deux heures plus tard, je remets l'ouvrage à sa place.

La prose de White est avant-gardiste, cela ne fait aucun doute. Quelques scènes de sexe assez explicites confèrent à l'ensemble une force assez cochonne, mais de façon anecdotique. Le chagrin muet du héros est palpable tout au long du roman, l'anatomie de la perte d'un être cher rendue d'autant plus pertinente qu'elle analyse les effets, et non la cause.

La description de la fameuse « perfection faite fille » est particulièrement marquante et l'on est frappé autant par son réalisme que par son absence de détails. À la lecture du livre, on la visualise parfaitement, on devine ses réactions et ses pensées alors qu'elle n'apparaît à aucun moment.

Le plus curieux pour moi est encore d'avoir la certitude que je la croiserai un jour.

4

Mardi arrive sur un coup de froid. Le thermomètre descend jusque moins vingt-sept, avec un vent glacial qui donne l'impression qu'il fait deux fois plus glacial. À la radio, on recommande aux gens de rester chez eux sauf en cas de nécessité absolue. Cela me rappelle – et ce n'est pas la première fois – que je fais partie des trente millions d'individus vivant volontairement dans un pays touché par un tel fléau. Un hiver aux allures de peste noire qui nous tombe dessus chaque année.

Réfugié dans la crypte, je bâcle un papier consacré à deux émissions de relooking, un téléfilm ayant pour héros un chirurgien esthétique et cinq (vous avez bien lu, *cinq*) nouvelles émissions de déco dans lesquelles on transforme les salons de gens normaux en salles d'attente d'aéroport. Cette corvée accomplie, je suis libre de m'attaquer au texte pour la séance du cercle qui a lieu ce soir. En fin d'après-midi, j'ai péniblement pondu une introduction poussive : *Mardi arrive sur un coup de froid, etc.* – mais je devrai m'en contenter.

Je remonte au rez-de-chaussée et je réchauffe des restes au micro-ondes quand Sam me montre un article dans le journal.

— Tu ne trouves pas qu'elle ressemble à maman ?

Il s'agit d'une photo de Carole Ulrich, la femme enlevée dans le square du quartier. Celle qui a disparu pendant que son fils faisait de la balançoire.

— Tu trouves ?

Je lui prends le journal des mains et fais semblant d'étudier les traits de la femme. Cela me permet de cacher mon

51

visage pendant quelques instants. Il ne connaît sa mère qu'à travers les photos, mais il a raison. Carole Ulrich pourrait être la sœur de Tamara.

— Je me souviens d'elle, m'apprend Sam.

— Ah bon?

— À l'épicerie du coin. Et puis je l'ai vue une fois faire la queue au distributeur de sous.

— Tiens, tiens.

Sam m'enlève le journal des mains et pose son regard sur moi.

— Elles se ressemblent. Tu ne trouves pas?

— Ta mère était plus belle.

Le micro-ondes sonne. Aucun de nous deux n'y prête attention.

— Cette dame... quelqu'un lui a fait du mal?

— Qui t'a raconté ça?

— Je sais *lire*, papa.

— Non, elle a seulement disparu.

— Mais pourquoi quelqu'un voudrait qu'elle soit disparue?

À mon tour de lui confisquer le journal. Je le plie en quatre et le glisse sous mon bras, comme un prestidigitateur maladroit soucieux d'escamoter les mauvaises nouvelles.

L'intérieur de l'appartement de Conrad White est toujours aussi sombre et il y fait nettement plus froid que la semaine dernière. Evelyne a gardé son blouson et nous regardons tous à regret nos manteaux accrochés près de la porte. William est le seul à ne pas sembler se soucier du froid, malgré son T-shirt à manches courtes. Ses bras blafards, posés sur les accoudoirs de son siège, sont raides comme des tuyaux en béton.

Mais la principale différence avec la fois précédente tient au fait que nous sommes tous venus avec quelque chose pour notre premier texte : un sac de courses en plastique, un classeur, une enveloppe, deux chemises à rabat, un grand cahier relié en cuir, un simple trombone. Nos œuvres respectives sautillent comme des chats agités sur nos genoux tremblants.

Conrad White nous souhaite la bienvenue et nous rappelle les règles du jeu. En l'écoutant parler de sa voix monocorde, j'essaie d'imaginer le romancier maudit qu'il a été quarante ans plus tôt. S'il s'est exilé sous l'effet de la colère, il n'en reste pas trace aujourd'hui sur son visage. Ses traits reflètent une sorte de tristesse défraîchie. Après tout, peut-être est-ce la forme ultime de la colère lorsqu'elle surgit assez tôt dans l'existence.

Ce soir, chacun d'entre nous est censé lire tout haut ce qu'il a écrit. La lecture est limitée à un quart d'heure, le quart d'heure suivant étant consacré aux commentaires. Nous avons le droit d'interrompre les autres lorsqu'ils réagissent, mais pas le lecteur lui-même. Nous devons veiller à rester le plus ouvert possible pendant l'écoute de chacun, de façon à ce que les mots n'engendrent aucune comparaison avec ceux que nous avons entendus avant.

— Je veux que vous soyez comme des enfants dans le jardin d'Éden, nous recommande Conrad White. Des enfants vierges de toute expérience, de toute histoire, de toute pudeur. Seul compte le récit que vous avez apporté avec vous. Nous l'écouterons comme s'il s'agissait de la première fois.

Et nous voilà partis.

Les premiers lecteurs me rassurent. En les entendant chercher la façon de dire leurs mots, je me sens en partie libéré de l'angoisse qui m'étreignait à l'idée de leur soumettre mes maigres gribouillis. À mi-séance, lorsque Conrad White décrète une pause cigarette, je suis soulagé de constater qu'aucun Nabokov, Fitzgerald ou Munro insoupçonné ne se cache parmi nous. Pas même un Le Carré, un Rowling ou un King. Quant aux thèmes abordés, ils ne recèlent aucune surprise. Petra est venue avec un dialogue entre un homme et une femme qui hésite entre le feuilleton *As the world turns* et *Qui a peur de Virginia Woolf?*, et j'y découvre des répliques cruelles d'une telle véracité qu'elles sortent probablement tout droit de son expérience. Ivan, le conducteur de métro, nous raconte l'histoire d'un type qui se réveille un jour transformé en rat. Il doit tant bien que mal se frayer un chemin dans la puanteur des égouts de la ville dont il comprend qu'ils sont désormais son nouvel univers. (Au terme de sa lecture, lorsque je le complimente sur la manière dont il revisite Kafka, Ivan me regarde d'un air surpris en me demandant qui est Kafka.) Len a beau nous prévenir que seul le premier paragraphe de sa « trilogie d'horreur épique » est présentable, il se lance dans une description interminable de la nuit qui mériterait de figurer dans tout bon dictionnaire des synonymes à la rubrique « obscurité ». De son côté, Evelyne démarre de façon prometteuse avec une scène au cours de laquelle une jeune étudiante en licence, sauvagement baisée par son prof à même le sol du bureau de ce dernier, rêve que son père lui apprend à faire des ricochets en jetant des cailloux plats à la surface du lac qui s'étend devant la demeure familiale.

Pendant la pause cigarette, ceux qui n'enfilent pas leur manteau en profitent pour se dérouiller les jambes. Nous tournons machinalement en rond en évitant de nous regarder ou d'entamer une conversation. Ce qui ne nous empêche pas de nous lancer des regards discrets tout en veillant soigneusement à éviter le coin où s'est réfugié William.

Au cours de ces quelques minutes pendant lesquelles je sens le regard des autres peser sur moi, je me pose la question : comment les autres membres du cercle me perçoivent-ils ? Au mieux, comme je me vois moi-même les bons jours, sous les traits d'un élève modèle gentiment assis, oublié par le temps. Au pire, comme je m'envisage les jours sombres, un zappeur compulsif aux épaules couvertes de pellicules, approchant dangereusement le point de non-retour. Seul trait incontestable, une carrure qui donne l'illusion d'un passé d'athlète. Et de bonnes dents. Deux rangées d'incisives ivoire qui ne manquent jamais d'impressionner l'assistance sur les photos collectives prises en disant *cheese*.

Une fois les poumons des fumeurs rassasiés, nous passons aux lecteurs restants.

Les choses deviennent quelque peu floues.

Je leur ai très certainement lu la page que j'avais apportée, je me souviens même de certaines remarques qui m'ont été faites ensuite. (Evelyne trouvait que le fait de raconter l'histoire à la première personne « traduisait très bien l'impression du narrateur d'être piégé à l'intérieur de lui-même ».) William a dû demander à passer son tour, c'est tout juste si je me souviens du son de sa voix, ses paroles m'échappent. Un chuintement grave, comme de l'air pulsé à travers une nappe de sable mouillé.

Mon seul véritable souvenir de la seconde partie de la réunion est lié à Angela.

Ma première pensée, en la voyant ouvrir et approcher lentement de ses yeux, presque à contrecœur, le cahier de vieux cuir posé sur ses genoux, est qu'elle m'apparaît plus jeune que la semaine précédente. Ce que j'avais pris pour les traits d'une adulte sans relief n'est que la douceur poupine et naïve d'une jeune fille à peine sortie de l'adolescence.

À l'entendre lire, cette impression de fraîcheur féminine se teinte d'autre chose. Il est quasiment impossible de décrire son visage, de s'en souvenir, et même de le voir, tout simplement parce que ce n'est pas un visage. C'est un masque. Un masque qui ne se précise jamais tout à fait, à l'image d'une sculpture inachevée dont on saurait qu'elle représente un être humain sans pouvoir lui attribuer de personnalité, quel que soit l'angle sous lequel on l'observe.

Ces considérations sur Angela s'évanouissent aussi rapidement qu'elles me sont venues et toute mon attention se reporte aussitôt sur ce qu'elle lit. Nous l'écoutons sans bouger, sans croiser ni décroiser les jambes. Jusqu'à notre respiration, réduite à sa plus simple expression.

Ce n'est pas la virtuosité de son écriture qui nous éblouit, car son style est presque enfantin. On pourrait même se croire à l'écoute d'un conte de fées un peu particulier. Un conte de fées qui commence par s'installer calmement avant de brusquement laisser place à une atmosphère presque menaçante. La voix d'une enfant effectuant un dernier tour dans un monde adulte sale, corrompu par des désirs inavouables.

Comme lors de la dernière réunion, je n'ai pas cessé de jouer avec le dictaphone. Glissé dans ma poche, je l'allume et l'éteins machinalement depuis le début de la séance, comme un mauvais tic. Mais cette fois, j'appuie consciemment sur la touche « Enregistrer » et je laisse tourner l'appareil.

Angela entame sa lecture et une seule pensée m'assaille : je n'essaierai plus d'écrire. En dehors des articles pour le journal, bien entendu. Quant au cercle, je trouverai bien le moyen de m'obliger à rédiger une page ici et là, histoire de bluffer les autres pendant les séances qui restent. L'histoire d'Angela s'est définitivement chargée d'éteindre le peu de lumière créative qui aurait pu sourdre en moi.

Ce n'est pas la jalousie qui me rend si sûr de moi, pas plus que l'alibi du mauvais perdant refusant de jouer lorsqu'il est certain de ne pouvoir gagner. Non, je sais que je n'essaierai plus d'écrire parce que, tant que le journal d'Angela ne sera pas terminé, je me contenterai de mon rôle de lecteur.

La réunion terminée, je prends un verre avec Len au Fukhouse. Ou plutôt, je m'engouffre dans le premier bar qui se trouve près de l'appartement de Conrad White, où Len me rejoint quelques minutes plus tard. Il s'installe à deux tabourets de moi, comme si nous pouvions décemment faire semblant de ne pas nous connaître. Deux minutes après l'arrivée de nos boissons respectives, servies par un barman au visage tatoué – une bière pour moi, un jus d'orange pour Len –, l'espace qui nous sépare devient parfaitement ridicule.

Le premier, je pose la question :
— Le cours te plaît, jusqu'ici ?
— Oh ouais, je crois même que c'est le meilleur.

— Pourquoi, tu as déjà participé à d'autres ateliers d'écriture ?

— Plein. J'en ai fait des tonnes.

— Si je comprends bien, tu es un vrai pro.

— Mais je n'ai jamais rien publié. Pas comme toi.

Je suis surpris. Comme chaque fois que quelqu'un me reconnaît, avant de me souvenir que ma chronique du vendredi, « Le Top des meilleures émissions de la semaine », est accompagnée d'une petite photo. Un sourire lourdement pixellisé.

Je me défends aussitôt.

— Il y a publier et publier.

La conversation semble arrivée à son terme. Nous sommes restés courtois jusqu'au bout, j'ai quasiment vidé ma bière. Je m'apprête à enfiler mon manteau, décidé à affronter le froid glacial qui m'attend dehors lorsque Len ose à son tour une question.

— Tu ne trouves pas qu'il est bizarre, ce type ?

Il aurait pu faire allusion à Conrad White, à Ivan, au barman avec son lézard tatoué sur la joue, ou encore à l'écran de télé branché derrière le bar, où un leader politique débite un discours sur le danger des gaz neurotoxiques circulant librement à travers le monde, mais je sais immédiatement de qui il veut parler.

— J'avoue que William est un curieux personnage.

— Je ne serais pas surpris qu'il ait déjà été condamné. À de la prison, je veux dire.

— Il en a le profil, en tout cas.

— Il me fait peur, ajoute Len en quittant des yeux son jus d'orange pour poser son regard sur moi. Et toi ?

— Moi ?

— Il ne te fout pas la trouille ?

Je pourrais lui avouer la vérité. Avec quelqu'un d'autre, quelqu'un que je connaîtrais mieux, ou depuis plus longtemps, je n'hésiterais pas. Mais Len a visiblement trop envie de meubler sa solitude pour que je lui rende un tel service.

— Tu n'as qu'à te servir de lui dans ton texte. Après tout, je croyais que tu aimais les romans d'horreur.

Tout en parlant, je pose sur le comptoir un billet couvrant nos deux consommations.

— C'est vrai, mais il y a une différence entre imaginer des trucs horribles et les faire en vrai.

— Espérons que tu aies raison, sinon on pourrait tous se retrouver dans la mouise un jour ou l'autre.

Avant de m'en aller, je lui donne une petite tape amicale sur l'épaule. Il m'adresse un sourire de grand gamin, et voilà que je me surprends à lui répondre de la même façon.

5

Histoire d'Angela
Transcription de la bande n° 1

Il était une fois une petite fille hantée par un fantôme. Un monstre, capable de choses monstrueuses, qui venait troubler ses rêves. La petite fille n'avait jamais eu d'ami, mais elle savait pourtant que le monstre n'avait rien d'amical. Elle avait beau prier et essayer de croire ceux qui lui affirmaient que les fantômes n'existent pas, le monstre revenait toujours, lui apportant la preuve que les prières et les souhaits les plus sincères sont à jamais vains. Aussi la petite fille avait-elle décidé de ne parler à personne de son fantôme.

Le seul lien, la seule forme d'intimité qu'elle s'autorisait avec lui tenait au nom qu'elle lui avait donné.

Le Marchand de Sable.

Tout le monde a des parents. Cela tient de l'évidence, au même titre que l'inéluctable de la mort. Cela fait partie des choses que nous partageons tous.

Pourtant, il arrivait à la petite fille de penser qu'elle faisait exception à cette règle incontournable. Il lui arrivait de croire qu'elle était la seule personne au monde dépourvue de père et de mère. Comme si elle était apparue au beau milieu de sa propre histoire, tout comme le monstre capable de choses monstrueuses apparaissait soudainement au milieu de ses rêves. Dans sa tête, elle n'occupait guère plus de place que l'héroïne d'une histoire, ce qui expliquait qu'elle n'ait pas de parents, puisque les héros procèdent de l'imagination de leur auteur sans avoir besoin de naître.

L'idée de ne pas savoir qui était son auteur troublait la petite fille autant que le fait d'être hantée par le monstre capable de choses monstrueuses. Si elle avait pu connaître son identité, au moins aurait-elle pu lui en vouloir.

Tous les personnages ont une histoire, même s'ils ne l'ont pas véritablement vécue comme les êtres vivants. La petite fille, par exemple, était orpheline. Personne ne lui disait jamais rien de ses origines et la petite fille ne posait jamais de questions, de sorte qu'elle ne savait rien d'elle-même. Son existence était un mystère pour elle-même comme pour les autres. Un problème qu'il allait lui falloir résoudre.

La petite fille avait lu des livres dans lesquels des orphelins vivent dans des foyers avec d'autres orphelins. La plupart du temps, ces foyers étaient des havres de solitude et de cruauté, ce qui n'empêchait pas la petite fille d'avoir envie d'y vivre, afin de rencontrer d'autres orphelins comme elle. Au lieu de quoi on l'envoyait dans des familles d'accueil très différentes des orphelinats que l'on trouve dans les livres, des maisons normales avec des gens payés pour s'occuper d'orphelins comme elle. L'année de ses dix ans, elle avait connu quatre familles d'accueil successives, et deux autres l'année suivante. À douze ans, elle avait changé de famille tous les mois. Mais le Marchand de Sable la suivait inexorablement et lui montrait dans ses rêves les choses qu'il ferait s'il était vivant.

Alors qu'elle avait treize ans, on l'avait envoyée vivre dans une vieille ferme perdue au milieu des sombres forêts du nord du pays, plus au nord que les fermes les plus lointaines. Ses parents adoptifs étaient plus âgés que ceux qu'elle avait connus jusque-là. La femme s'appelait Edra et le mari se prénommait Jacob. Ils n'avaient jamais eu d'enfant dans leur ferme misérable et ils avaient à peine de quoi se nourrir pendant les longs mois d'hiver. Peut-être cette absence d'enfant suffisait-elle à expliquer leur joie lorsque la petite fille était arrivée. Elle restait plus que jamais un mystère insoluble, mais Edra et Jacob l'aimaient plus qu'ils n'avaient de raison de l'aimer, plus qu'ils n'auraient aimé leur propre fille si le destin leur en avait accordé une. Leur amour s'était trouvé décuplé par les souffrances qu'avait endurées la petite fille, eux qui connaissaient bien le châtiment infligé quotidiennement par cette terre qui les nourrissait au compte-gouttes. Edra et Jacob avaient connu leur lot de difficultés et ils savaient ce que peut endurer une petite fille abandonnée.

Pendant un temps, la petite fille connut le bonheur, ou ce qui s'en approchait le plus. Un bonheur comme elle n'en avait jamais eu. La douceur de ses parents d'adoption âgés comportait quelque chose de rassurant. Elle avait une vraie maison, avec la perspective d'y demeurer des années durant, et non une poignée de semaines comme auparavant. Tous les jours, elle se rendait en bus à la petite ville toute proche où se trouvait un collège dans lequel elle pouvait lire des livres et fréquenter d'autres élèves, dont elle espérait devenir un jour l'amie. Pendant un temps, la petite fille mena ce qu'elle croyait être une existence normale.

Ce sentiment de satisfaction nouveau était si intense qu'elle en avait presque oublié l'existence du monstre capable de choses monstrueuses. Cela faisait longtemps qu'il n'était pas venu troubler ses nuits. C'est naturellement avec horreur qu'elle entendit un jour, à son retour du collège, Edra et Jacob évoquer la disparition d'une petite fille.

Une petite fille de treize ans. Comme elle. Une petite fille qui jouait dans la cour une minute et disparaissait la minute suivante. La police, aidée par des groupes de volontaires, avait eu beau chercher partout, la petite fille avait disparu depuis trois jours. Les autorités en arrivaient à croire qu'un drame s'était produit, sans soupçonner personne pour autant. Certains avaient pourtant signalé la présence d'un inconnu arpentant la nuit les trottoirs de la ville. Un personnage élancé, aux épaules voûtées, une ombre qui rasait les murs. « Une silhouette sans visage », avait dit de lui un témoin, tandis qu'un autre prétendait que l'inconnu donnait l'impression de chercher quelque chose. À ces détails près, personne ne savait rien de lui.

Personne, sauf la petite fille, qui avait reconnu la silhouette sombre de l'homme sans l'avoir jamais vue. Elle savait qui avait enlevé la petite fille de son âge : le Marchand de Sable, échappé de l'univers fermé de ses rêves pour mieux pénétrer dans le monde réel afin d'y faire toutes les choses monstrueuses qu'il voulait.

La petite fille en était certaine, mais ce n'était pas tout ce qu'elle savait. Elle savait ce que cherchait le Marchand de Sable lorsqu'il rasait les murs de la ville la nuit.

C'était elle qu'il cherchait.

6

Écrire ce qu'on connaît.

Il s'agit de l'une des règles de base pour un écrivain. Une règle inutile, puisque les auteurs ont une forte inclination à l'autobiographie. L'imagination, si elle doit se manifester, intervient dans un second temps, une fois que l'auteur a fini de feuilleter son album de photos de famille, d'autopsier ses peines de cœur, de détailler les révélations qui ont accompagné son passage à l'âge adulte, ou encore d'énumérer la longue liste de ses tragédies personnelles. De façon générale, les gens trouvent leur propre vie suffisamment passionnante pour ne jamais avoir besoin d'inventer. Le cercle de Kensington n'échappe pas à la règle, ainsi que le montrent les « sexcapades » estudiantines d'Evelyne, le naufrage conjugal de Petra ou la métamorphose d'Ivan en rat d'égout. Ils me rendent tous jaloux. J'aurais infiniment moins de mal à écrire si je n'en avais pas assez de voir le même visage chaque fois que je me regarde dans la glace.

Comment faire lorsque l'on ne trouve pas sa vie particulièrement intéressante ? Une vie bien réelle, pourtant. Marquée par une bonne dose de deuils, rachetée par l'amour d'un fils qui a les yeux de sa mère. Je n'arrive pourtant pas à trouver dans cette existence matière à une fiction digne de ce nom. J'ai déjà assez de mal à m'accepter tel que je suis sans éprouver le besoin de me mettre en scène dans la peau d'un héros.

Cette évidence me taraude chaque fois que je tente de pondre un paragraphe et que rien ne vient. Aujourd'hui, j'ai décidé de déjeuner à mon bureau d'un sandwich jambon-fromage acheté à la cafétéria et mes doigts courent au hasard sur le clavier de mon ordinateur. Tim Earheart, qui a du mal à comprendre mon obsession littéraire – « Qui voudra d'un bouquin dans lequel tu passes ton temps à disséquer ta merde ? », m'a-t-il déclaré de façon péremptoire quand je lui ai parlé de l'atelier d'écriture –, lit ma prose par-dessus mon épaule.

— Je suis mauvais juge, laisse-t-il tomber, mais je ne suis pas certain que tu ailles loin avec ça.

Il a raison. En l'espace d'une heure et demie, quelques maigres phrases se sont affichées sur l'écran.

Voici où m'a entraîné le fait d'*écrire ce que je connais* :

> *J'entends des voix depuis la mort de ma femme. La sienne tout d'abord. Et puis d'autres, qui appartiennent à des inconnus. Sans en avoir la certitude, j'ai la curieuse impression qu'ils relèvent tous du royaume des morts.*
>
> *Ils viennent me rendre visite juste avant que je m'endorme. C'est bien ce qui m'effraie. Pas qu'ils soient morts, ni même le fait d'entendre leurs voix. Mais celui d'être éveillé lorsque cela m'arrive.*

Une fois achevé ce chef-d'œuvre de prose, je me consacre à la rubrique hebdomadaire du Zappeur Fou. Cette semaine, je m'acharne sur la version canadienne d'*American MegaStar !*, un télé-crochet qui bat tous les records d'audience en ce moment, au Canada comme dans les quatorze autres pays infestés par l'émission. Une génération entière croit avoir droit à la célébrité planétaire. Un mensonge, doublé d'une notion méphitique. Un scandale. Et c'est ainsi que la frustration ressentie à vouloir *écrire ce que je connais* m'amène tout naturellement à *écrire sur la façon dont le monde part en vrille*, une science que je n'ai jamais eu aucun mal à maîtriser.

J'ai beau savoir que *Canadian MegaStar !* appartient au conglomérat international propriétaire du journal pour lequel je travaille, et bien que mon rédacteur en chef m'ait copieusement conseillé d'y aller « mollo » sur le « contenu » de ladite émission, je m'en donne à cœur joie, comme si *Canadian MegaStar!* était seule et unique responsable de l'horreur culturelle dans laquelle nous nous débattons. Cette dernière phrase me sert même d'introduction, après quoi j'accumule les formules brutales et les hyperboles avant de rédiger l'une de ces conclusions hystériques qui font douter le lecteur de la santé mentale de celui qui les commet. J'en fais une affaire personnelle.

Comme tous les jeudis, où la relecture du « Top des meilleures émissions » m'enchaîne à mon clavier jusque minuit passé, je rentre chez moi dans la nuit en me demandant si ce fait d'armes sonnera le glas de ma fonction actuelle. Voire de mon poste au journal. Je me demande avec un certain amusement ce que je saurais faire d'autre. J'ai toujours été chatouillé par l'idée de monter ma propre entreprise. Une boîte capable de marcher toute seule. Un truc automatique, de préférence. Une laverie, ou alors une station de lavage de voitures.

Je tourne dans ma rue en me demandant si je gagnerais beaucoup moins d'argent en livrant des journaux au lieu d'écrire dedans, lorsque je remarque la bande de plastique jaune marquée « Police » qui entoure la maison en face de la mienne. Quatre voitures de patrouille sont garées devant le 147 et non devant le 146, c'est-à-dire chez moi, ce qui ne m'empêche pas de remonter Euclid en courant, de sonner à ma propre porte après avoir fait tomber mes clés par terre à deux reprises, et de m'assurer auprès d'Emma que mon fils est sain et sauf, avant d'aller demander ce qui se passe au flic qui déroute les voitures en direction de Queen.

— Vol avec effraction, m'indique-t-il en se mâchonnant la joue.

— Qu'est-ce qu'ils ont pris ?

— Rien du tout. Leur gamin est le seul à l'avoir vu.

— Joseph. Mon fils et lui jouent quelquefois ensemble.

— Ouais ? Eh ben Joseph s'est réveillé en pleine nuit et il a vu un salopard quelconque debout à côté de son lit.

— Il a pu décrire l'inconnu ?

— Il dit avoir vu une ombre, c'est tout.

— Une ombre ?

— Le gamin l'a suivi quand il est redescendu au salon et il l'a vu se planter devant la fenêtre pour observer la rue avant de ressortir tranquillement par la porte d'entrée. Hé, vous ! Demi-tour ! Oui, *vous* !

Le flic s'éloigne afin de s'expliquer avec l. propriétaire d'un 4 x 4 qui refuse de faire un détour par Queen. J'en profite pour traverser le carré de pelouse du voisin et me planter devant la façade, dos à la fenêtre. Je veux savoir ce que l'inconnu observait depuis l'autre côté de la vitre.

Il observait ma maison.

Ma maison devant laquelle je vois Sam qui me regarde, les yeux plissés, à côté d'Emma.

Je devine sur ses lèvres ce qu'elle lui dit, *Dis bonjour à papa*, et Sam agite sa petite main potelée. Je lui réponds en me demandant s'il peut voir à quel point son papa tremble.

Le cercle se rassemble cette fois chez Petra, qui nous a gentiment invités chez elle à la fin de la réunion précédente. En descendant du taxi qui m'a conduit à son adresse de Rosedale, je m'aperçois qu'elle a fait preuve d'une modestie presque insultante en nous parlant d'une « maison toute simple ». Ce n'est pas une maison, mais un manoir, avec un toit de cuivre, un parc paysagé en terrasse qui respire l'argent même sous sa couverture neigeuse, et deux coupés Mercedes assortis (un rouge et un noir) rangés devant le garage. Si c'est tout ce que Petra a pu récupérer à la suite de son divorce, je me demande bien ce que son mari pouvait avoir *avant*.

Dans l'entrée, un type à la crinière argentée dans un costume plus chic que tous ceux que j'ai pu porter dans ma vie récupère mon manteau. Un personnage d'un autre monde et d'un autre temps. Mon premier vrai maître d'hôtel.

— Les autres membres du groupe se trouvent dans le salon rose, me prévient-il en m'invitant à traverser une pièce dallée de marbre avant de descendre quelques marches jusqu'à une suite de fauteuils en cuir, tous affublés d'une petite table, disposés autour d'une cheminée dans laquelle se consument quelques bûches. Le maître d'hôtel me demande si je souhaite boire quelque chose. À la façon dont il pose la question, je crois comprendre que les alcools forts sont autorisés.

— Un scotch?

Il m'adresse un petit mouvement de tête entendu, comme si mon choix ne faisait que confirmer ce qu'il pensait.

Je suis loin d'être le premier. Conrad a choisi un fauteuil près du feu dont les reflets orangés donnent à ses traits un air diabolique, accentué par l'expression amusée qu'il peine à dissimuler à la vue de l'amoncellement hétéroclite qui nous entoure, mélange de sculptures inuites, de tableaux abstraits aux couleurs criardes, de rayonnages sur lesquels s'alignent des classiques reliés plein cuir. Dans ce décor à l'opulence hollywoodienne, nous faisons tous figures d'extras engagés pour la soirée, nos verres en cristal serrés entre les doigts pour ne pas risquer la moindre tache sur le tapis.

Len semble particulièrement hors de propos dans un tel décor, peut-être parce qu'il est le seul à s'exprimer.

— Vous devriez tous venir. *Tous*. Toi aussi, Patrick.

— Venir où?

— Il y a une séance de lecture à l'occasion d'une fête pour le lancement d'un nouveau magazine littéraire. Tout le monde peut venir avec ses textes.

— Je ne sais pas, Len.

— Allez! Tu devrais te tenir au courant de ce qui se passe, un peu.

— Il y aura à boire?

— La bière est à moitié prix si tu achètes le magazine.

— Je sens qu'on va pouvoir s'entendre.

Tout le monde est là, sauf William, et Petra, qui multiplie les allers-retours dans la cuisine sur ses talons aiguilles, soucieuse de vérifier que les brochettes de crevettes ne brûlent pas. Notre hôtesse prend enfin le temps de s'asseoir et Conrad décide de commencer sans William, au soulagement général. Je serais surpris que les autres ne soient pas aussi impatients que moi de voir William changer d'activité, et même de code postal.

J'ouvre le feu et c'est un soulagement de me débarrasser aussi vite de la corvée qui consiste à leur faire lecture des maigres paragraphes que j'ai apportés. Je vais avoir tout le loisir de savourer en paix la quadruple dose de single malt servie par Nestor.

En outre, je suis venu pour une seule raison.

Angela.

Je ne suis pas déçu. Je m'adresse cette remarque sans vraiment l'écouter. Une fois mon dictaphone en marche, je prête moins attention au sens des mots qu'à sa façon de les prononcer. Angela n'a pas la même voix quand elle lit. Je m'aperçois à présent que je ne sais même pas à quoi ressemble sa *vraie* voix. Elle s'exprime si peu pendant les réunions du cercle – à part quelques « ça me plaît beaucoup » murmurés à l'intention des autres participants – qu'elle pourrait très bien avoir au naturel cette même voix de petite fille, à la fois innocente et dépravée.

Sa lecture terminée, personne ne dit rien pendant une bonne minute. Dans la cheminée, le feu émet un sifflement de pneu crevé. Un glaçon éclate dans le verre de jus de pomme de Len. Entre l'instant où Angela referme son journal et celui où Conrad White nous invite à formuler des commentaires, elle ne me quitte pas des yeux.

Elle ne se contente pas de me regarder. On dirait qu'elle m'avale, chaque battement de paupières signalant un autre stade d'observation. Et je fais de même. J'essaie de discerner chez elle ce qui tient de la vérité et ce qui relève de l'imaginaire. J'aimerais savoir si elle trouve chez moi quoi que ce soit de valable. Quoi que ce soit d'attirant.

— Formidable, Angela. Vraiment formidable, commente Conrad White.

Nous relevons tous la tête. Personne n'a prêté attention à cet échange muet entre Angela et moi, à part Conrad. Et Ivan. Tous deux se tortillent sur leur siège, désireux de soulager un mal que je reconnais instantanément. Une pensée plus lancinante que toutes les autres chez les solitaires que nous sommes.

Pourquoi pas moi ?

La réunion terminée, nous ressortons dans le froid de la nuit, perplexes sur la façon d'échapper au dédale de rues et d'impasses qui nous entoure. Je cherche Angela des yeux, mais elle a dû attraper son manteau avant nous car elle a disparu.

— Alors, Patrick. D'accord pour mardi prochain ? me demande Len.

Je le regarde comme si je ne savais pas de quoi il parlait. Ce qui est le cas.

— La lecture ouverte.

— Ah ! Bien sûr. Oui, volontiers.

— Alors bonsoir, conclut-il en s'éloignant dans ce qui me semble être le mauvais sens.

Je reste seul avec Ivan.

— Je sais par où passer, précise ce dernier.

— Vous connaissez le quartier ?

— Non, rétorque-t-il avec un long soupir parfaitement maîtrisé. Je me repère au bruit des trains.

Ivan met la tête en arrière et ferme les yeux, comme pour mieux savourer un concerto pour violon, alors que monte dans la nuit le bruit caractéristique d'un métro émergeant d'un tunnel en contrebas.

— Suivez-moi, me propose Ivan en se dirigeant d'un pas sûr vers les portes de l'enfer.

Tout en longeant les vieilles propriétés patriciennes et les châteaux clinquants de Rosedale dans l'obscurité glaciale de cette nuit de mars, Ivan m'explique qu'il n'a jamais écrasé de candidat au suicide. À l'entendre, c'est rare pour un conducteur de métro avec son ancienneté. Jamais aucune des silhouettes qui se pressent le long du quai n'a eu le mauvais goût de sauter sous ses roues. Chaque fois que la rame pénètre dans une station illuminée comme une salle d'opération, il se demande jusqu'où ira sa chance.

— Tous les jours, je croise des gens qui y pensent, m'explique-t-il tandis que nous franchissons la passerelle surplombant les voies. Un simple mouvement. Un pas en avant. Ou bien alors je les vois poser leur attaché-case et tendre les bras en arrière, comme sur un plongeoir. Certains le montrent uniquement sur leur visage. Ils regardent la rame s'avancer, ils m'aperçoivent dans la cabine et semblent pris d'un calme étrange. Ce serait tellement facile. Et puis, la seconde suivante, ils se demandent : « Pourquoi ce train ? Pourquoi ne pas attendre le suivant, histoire de ne pas me rater ? » Je les entends penser aussi distinctement que s'ils me murmuraient à l'oreille.

— Mais ils changent d'avis.

— Parfois, approuve Ivan avant de cracher sur les voies, par-dessus le parapet. Et parfois, le train suivant est le bon.

Nous poursuivons notre chemin en direction de Yonge Street, à l'endroit où les boutiques pour hippies et les magasins de souvenirs miteux cèdent la place à des kilomètres d'immeubles anonymes. Ivan poursuit son monologue sans que j'aie besoin de le pousser, dans l'enchaînement logique de ses pensées. Il continue alors que nous arrivons à la station de métro, sans jamais me regarder en face. On dirait qu'il a peur de perdre le fil et j'en profite pour détailler son crâne chauve dépourvu de couvre-chef, une casquette de peau fragile et blanche, marbrée de bleu à la façon d'un roquefort.

De quoi me parle Ivan ? Il me raconte des choses que j'avais plus ou moins devinées. Il est fils d'immigrés ukrainiens. Un père violent, ouvrier dans la sidérurgie, une mère effacée qui gagnait sa vie en ravaudant les nippes des gens du voisinage dans leur appartement de Roncesvalles Avenue, au-dessus d'une échoppe de boucher aujourd'hui transformée en magasin de thé bio. Célibataire. Il vit seul dans un appartement en sous-sol et passe son temps à écrire lorsqu'il ne travaille pas, imaginant le parcours sinueux de ceux qu'il véhicule à longueur de journée dans son métro.

— C'est la première fois depuis longtemps que je fréquente d'autres gens, me confie-t-il.

Je mets un instant à comprendre qu'il parle des membres du cercle. De moi.

— Il faut dire que ce n'est pas facile de rencontrer du monde dans cette ville.

— Ce n'est pas ça. C'est surtout moi qui ne voulais pas voir d'autres personnes.

— Pourquoi?

— Je me suis retrouvé un jour accusé de quelque chose, explique-t-il en me regardant dans les yeux. On vous a déjà accusé de quelque chose?

Une rafale d'un vent glacé me traverse de part en part. Une bise violente qui me donne instantanément mal à la tête.

Ce que je croyais être de la timidité chez Ivan a disparu et il me dévisage. Paralysé par le froid, je ne sais plus qui je suis. Personne n'est entré dans la station de métro ni en est sorti depuis que nous sommes là et un sentiment de malaise m'étreint.

— Oui, plus ou moins.

— Plus ou moins, répète-t-il.

— Ça dépend évidemment de ce que vous voulez dire quand…

— Je veux dire, accusé d'avoir fait du mal à quelqu'un.

Ivan recule d'un pas. Ce n'est pas de la gêne que je lis sur son visage à présent, mais de la colère. Contre moi, contre lui-même. Contre le monde entier qui l'accuse.

— Je ferais mieux de rentrer, grommelle-t-il en s'adossant contre la porte d'entrée du métro par laquelle s'échappe une bouffée d'air tiède. Je peux vous faire passer gratuitement, si vous voulez.

— Non merci. J'aime bien marcher.

71

— En pleine nuit ?

— Je n'habite pas très loin.

— Ah oui ? Où ça ?

— Pas loin.

Je pourrais très bien lui dire où j'habite, mais je me contente d'un geste vague.

Ivan hoche la tête. Je sens bien qu'il a envie de me demander de garder pour moi la fin de notre conversation, mais il se faufile à travers l'ouverture et je le vois s'enfoncer sous terre, avalé par l'escalier roulant, sa tête comme une bulle de bande dessinée vide.

Arrivé au carrefour avec Bloor, je passe devant les magasins Gucci, Chanel et Cartier qui transpirent le luxe facile, avant de tourner à gauche à hauteur du musée. Je traverse le campus de l'université de Toronto en empruntant Harbord Street et la rumeur de la circulation me parvient comme assourdie. Je renoue alors avec une vieille habitude héritée de l'enfance. Celle de parler tout haut. À l'époque, je me lançais dans de longues conversations avec les personnages des livres que je lisais. Ce soir, je me limite aux bribes de phrases qui m'ont marqué pendant la lecture d'Angela.

Des mains sales.

Trois mots qui suffisent à m'effrayer.

La peur leur faisait voir la ville et le monde sous un jour qui leur était inconnu.

J'essaie de dissoudre ces phrases incantatoires dans la buée qui sort de ma bouche. Je m'applique à penser à des choses plus graves. À mon écriture qui se trouve au point mort. Au fil de plus en plus ténu qui me relie au journal. Des pensées sombres qui m'amènent à me poser la question : *Est-ce le début ?* Un jour comme aujourd'hui marquerait-il le début d'une dégringolade au fond d'un gouffre dont on ne ressort jamais ?

Une odeur que connaissent bien les soldats et les chirurgiens.

La nuit dernière, Sam s'est réveillé en plein cauchemar. Je suis allé le voir et je lui ai caressé le front en dégageant ses cheveux trempés de sueur. J'ai attendu qu'il se soit calmé avant de lui demander de quoi parlait son rêve.

— Il y avait un monsieur.

— Un monsieur comment ?

— Un méchant.

— Il n'y a pas de méchant, ici. J'ai toujours interdit la maison aux méchants.

— Pas dans notre maison. Dans *l'autre*.

En disant ça, Sam s'est redressé en montrant la fenêtre. Son doigt désignait la maison des voisins, de l'autre côté de la rue. Plus précisément la fenêtre derrière laquelle se tenait l'inconnu, l'autre nuit. Celui qui observait la rue.

— Tu as vu le méchant qui était là-bas ? lui ai-je demandé, mais ma question lui apportait la preuve que le méchant dont je venais de nier la réalité existait bel et bien, et il m'a tourné le dos. Que valent les vaines promesses d'un père face au croque-mitaine ? La prochaine fois, il devra faire front tout seul.

Du sang tatoué sur les rideaux.

Ce n'est qu'en m'engageant à travers Chinatown que le sentiment de solitude commence à s'estomper. Pas grâce aux autres passants qui regagnent leur domicile, tête baissée, mais parce que je suis suivi. Je passe devant les bars à karaoké de Dundas, puis l'idée saugrenue me prend de couper à travers les cités qui rejoignent Queen quelques pâtés de maisons plus bas. C'est là que j'entends des pas faire écho aux miens. Les pages de la rubrique locale signalent fréquemment des coups de feu dans le quartier, mais je suis persuadé que celui qui me file n'en veut pas à mon portefeuille. Il veut savoir comment je vais réagir en m'apercevant de sa présence.

Et comment réagir ?

Je me mets à courir.

Je sprinte de toutes mes forces. Je n'ai pas les chaussures adéquates et mes tibias ne tardent pas à me lancer en envoyant dans ma nuque des échardes de douleur. Le vent me fait pleurer et les yeux me brûlent. Mes poumons émettent un bruit de sachet plastique dans ma poitrine.

Le courage n'est pas affaire de volonté, mais de résistance physique.

Je m'engage dans la ruelle qui court derrière les immeubles de Queen. C'est le plus court chemin jusque chez moi, mais quelle idée de vouloir traverser une portion aussi sombre ? À quoi est-ce que je pensais ? Je ne pensais à rien, trop occupé à courir. Courir le long des murs et des grilles censés dissuader les rats et les drogués. Pas la moindre lumière. Rien que les silhouettes des immeubles, et le carré noir qui signale le bout de la ruelle, loin, très loin.

Je continue à courir, sans me retourner.

Jusqu'au moment où je fais volte-face.

Sous le seul réverbère qui fonctionne encore. Ma maison est à un jet de boule de neige. La lumière est allumée dans la chambre de Sam. Sam ne dort pas. Il doit lire en douce. Je ne demande qu'à m'asseoir au bord de son lit, refermer son livre, éteindre sa lumière. Écouter le bruit de sa respiration.

C'est mon fils.

J'aime mon fils.

Je donnerais ma vie pour lui.

Cette conclusion me tombe dessus à la vitesse de la foudre.

Derrière moi, la ruelle est déserte.

7

Histoire d'Angela
Transcription de la bande n° 2

La petite fille ne dit à personne ce qu'elle sait du Marchand de Sable, des choses monstrueuses dont il est capable. Après tout, elle ne sait rien de précis au sujet de la petite fille disparue, rien qu'elle puisse prouver, en tout cas. Et puis elle ne veut pas courir le risque d'être prise à tout jamais pour une folle. On retirerait sa garde à Edra et Jacob, on l'enfermerait dans un lieu bien pire qu'une famille d'accueil ou un orphelinat. Un lieu dont elle ne ressortirait jamais.

Elle est plus effrayée encore à l'idée de faire souffrir Edra et Jacob. Elle sait qu'ils pensent avant tout à son bien. Elle se refuse à leur briser le cœur en révélant qu'elle croit aux personnages sombres qui hantent ses cauchemars, au monstre obscur qui la poursuit. La petite fille est résolue à les protéger, coûte que coûte.

Les jours suivants lui apportent la preuve qu'ignorer la vérité était la bonne solution. Aucune nouvelle disparition d'enfant n'intervient. Aucun étranger inquiétant n'est signalé en ville. Les rêves de la petite fille, comme ceux des autres, redeviennent de simples énigmes irrationnelles et le monstre capable de choses monstrueuses n'y a plus sa place. L'arrivée en ville d'un inconnu sans visage échappé des confins de ses cauchemars n'est plus qu'un cauchemar, un mauvais rêve sans conséquence.

C'est alors que la petite fille l'aperçoit.

Pas en rêve, mais en vrai, par la fenêtre de sa classe au collège. Assise à son pupitre, elle est en train de résoudre un exercice de mathématiques. Des multiplications de fractions. Perplexe face à une équation plus difficile que les précédentes, elle lève les yeux de son devoir, histoire de balayer de sa tête les nombres éparpillés de tous côtés. Elle le voit aussitôt. À l'ombre de l'if solitaire qui se dresse dans la cour du collège. Il touche de la tête la branche la plus basse, celle qu'elle n'arrive même pas à atteindre en levant le bras, même avec l'aide d'un camarade. Elle le sait pour avoir tenté l'expérience. Les traits du Marchand de Sable restent dissimulés dans l'entrelacs des feuilles, mais la petite fille a la nette impression qu'il la regarde fixement. Un sourire aux lèvres.

Elle se penche à nouveau sur son exercice. Les fractions se sont multipliées toutes seules pendant qu'elle levait les yeux de son devoir.

Elle sait qu'il sera toujours là si elle regarde encore une fois. Elle s'en abstient.

Dehors, quelqu'un met en route une tondeuse. Le bruit du moteur la fait sursauter. Une douleur fulgurante la traverse. Les lames de la tondeuse lui pénètrent les flancs, la coupent en deux, la transforment en fraction.

Plus tard, le même jour, assise à l'arrière du bus scolaire qui la reconduit chez elle, la petite fille cherche à revoir dans sa tête le visage du Marchand de Sable. Comment a-t-elle pu le voir sourire alors qu'elle ne distinguait pas ses traits ? A-t-elle pu imaginer ce détail après coup ? L'a-t-elle inventé, au même titre qu'elle croit parfois être elle-même le fruit d'une invention ? Aurait-elle inventé le monstre capable de choses monstrueuses ?

Comme pour répondre à sa question, la petite fille regarde à travers la vitre du bus et le voit. Assis sur la balançoire de l'aire de jeux. Les jambes tendues, la pointe de ses bottes touchant l'herbe qui entoure le bac à sable. Un personnage voûté, hors de proportion sur cette balançoire d'enfant qui lui donne l'allure d'un géant.

La petite fille se tourne vers les autres élèves, mais personne n'a rien remarqué. Ils sont trop occupés à rire, à envoyer des boulettes de papier mâché à l'aide de pailles. Pendant quelques instants, la petite fille en a le souffle coupé, prenant brusquement conscience de l'innocence des autres enfants. Ils ne savent pas ce qui les attend, ils ignorent qu'on les observe.

Le car scolaire se met péniblement en marche avec un grincement. Assis sur la balançoire, le Marchand de Sable regarde les enfants s'éloigner. Même de loin, la petite fille remarque la taille de ses mains. Des doigts gonflés et boudinés, agrippés aux chaînes de la balançoire. *Des mains sales.*

Au moment où le car tourne sur la route qui quitte la ville, la petite fille s'aperçoit qu'elle s'est trompée.

Ce n'est pas de la crasse qui colle aux plis et aux poils des mains du Marchand de Sable. *C'est du sang.*

Le lendemain, on retrouve la petite fille disparue. Ou plutôt ce qu'il en reste. Sous les arbres qui bordent la rivière, au-delà du cimetière. Un lieu que les ados appellent le Vieux Bosquet, où ils se retrouvent entre garçons et filles. Désormais, ce sera l'endroit où une petite fille trop jeune pour aller retrouver des garçons a été découverte, découpée en morceaux, sous un tapis de feuilles jaunies, comme si son meurtrier avait fini par se lasser et s'était contenté de jeter sur elle une poignée de feuilles mortes.

À cause du lieu, la police a commencé par soupçonner les lycéens à problèmes. Il suffirait que l'un d'eux se soit amouraché d'elle et qu'il ait voulu la suivre. Mais c'est tout juste si les jeunes les plus turbulents dérobent des barres chocolatées et jettent des œufs sur les fenêtres le jour d'Halloween. Comment croire que l'un d'entre eux ait brusquement décidé de changer de registre ?

Le lendemain, la petite ville s'enlise dans la psychose. On s'inquiète peu de savoir qui a pu commettre une chose aussi monstrueuse, on veut surtout ne plus jamais revoir ça.

Un couvre-feu est officieusement instauré. Les lumières restent allumées toute la nuit. Les habitants – les médecins, les commerçants et les artisans comme les ivrognes – patrouillent les rues, armés de torches et de fusils, sans savoir ce qu'ils cherchent. La peur leur fait voir le monde sous un jour inconnu.

Une deuxième petite fille disparaît le soir du jour où a été découverte la première. Malgré les patrouilles qui explorent inlassablement pelouses, haies et portes de caves à la lueur des torches, malgré les lumières allumées dans les maisons, malgré la présence de ceux qui n'arrivent pas à dormir, une autre petite fille du même âge que la première est enlevée, arrachée de son lit en pleine nuit. On retrouve la fenêtre de sa chambre ouverte. Des empreintes de botte dans la terre près d'un massif de rosiers. Les draps jetés par terre. Du sang tatoué sur les rideaux.

L'école reste fermée ce jour-là, comme si les gens voulaient rompre instinctivement avec tout ce qui était normal. Edra et Jacob s'en trouvent soulagés. La saison est avancée, les (maigres) récoltes sont déjà rentrées, il n'y a pas d'office à l'église le mardi, et voilà qu'on ferme l'école. Ils peuvent donc se permettre de rester chez eux avec leur fille adoptive, soucieux de la protéger aussi bien qu'ils l'aiment.

C'est un jour de congé étrange. Ils préparent des pommes caramélisées. Ils jouent aux cartes. Il ne fait pas vraiment froid, mais ils allument un feu dans la cheminée pour avoir le plaisir de faire courir dans la maison une bonne odeur de merisier brûlé. Ce jour-là, la petite fille ne pense qu'accessoirement au monstre capable de choses monstrueuses. Elle observe longuement Edra et Jacob du coin de l'œil et s'autorise même à prononcer dans sa tête le mot *famille* afin d'évoquer le lien invisible qui les unit.

Cette nuit-là, elle est réveillée par un bruit de petits cailloux sur le carreau de sa fenêtre. Elle a bien entendu le premier, mais elle n'ouvre les yeux qu'avec le deuxième. À force d'être hantée par ses cauchemars, la petite fille sait que la première fois ne compte pas nécessairement. La deuxième, en revanche, est bien réelle.

Elle a conscience de faire une bêtise en allant à la fenêtre. Elle agit moins par curiosité que par sens du devoir. Elle doit veiller à préserver Edra et Jacob des ténèbres qui l'entourent. Ce n'est pas leur faute si cette petite fille qu'ils aiment tant a laissé s'échapper ses pires cauchemars. Il ne faut pas qu'ils puissent voir ce qu'elle va voir.

La petite fille s'avance sur le plancher, et la maison tout entière grince d'inquiétude sous ses pieds nus. La chambre est petite. Il lui faut pourtant faire un effort pour atteindre la fenêtre. Le courage, elle s'en rend bien compte, n'est pas affaire de volonté, mais de résistance physique.

Son but atteint, elle s'agrippe des deux mains au rebord de la fenêtre pour ne pas tomber. La vie s'est immobilisée autour d'elle, comme toujours avant de s'évanouir. Elle se demande si son cœur ne s'est pas arrêté.

Debout dans la cour, le Marchand de Sable attend. En la voyant, il envoie un autre petit caillou contre le carreau. Certain qu'elle l'a bien vu, il fait demi-tour et se dirige vers la grange. Il avance d'un pas traînant qui trahit l'assurance avec laquelle il envisage ses actes.

Arrivé à l'entrée de la grange, il s'arrête. La porte est entrouverte, il pourrait se glisser à travers l'ouverture, mais il n'en fait rien. Il veut uniquement lui faire comprendre qu'il a déjà visité la grange.

L'homme se tourne sans lui montrer son visage et disparaît au coin du bâtiment.

La petite fille sait ce qu'il attend d'elle.

Elle descend l'escalier, ses bottes à la main pour ne pas faire de bruit. Dans sa hâte, elle oublie d'enfiler un manteau et le froid transperce son pyjama de coton à l'instant où elle franchit la petite porte de derrière et s'avance dans la cour. Sous l'effet du vent, un ruban de feuilles mortes dessine un chiffre huit au ras du sol. Un bruit de papier froissé qui couvre celui de ses pas et lui permet de courir jusqu'à la grange.

L'épaisseur de l'obscurité l'arrête. Elle va dans cette grange tous les jours – c'est là qu'elle exécute la plupart des tâches qu'on lui confie après l'école –, de sorte qu'elle pourrait avancer les yeux fermés entre les box et les outils accrochés un peu partout. Pourtant, il flotte autour d'elle quelque chose de différent. Quelque chose qu'elle ne voit pas, mais qu'elle sent.

Une odeur laissée par le Marchand de Sable. Une odeur qui couvre celle de la paille, du bois humide et de la bouse de vache. Une odeur qui la fait tousser à s'en étouffer. Une odeur que connaissent bien les soldats et les chirurgiens, mais qu'une petite fille de son âge n'a aucune raison d'avoir croisée auparavant.

Elle surmonte son horreur et se dirige vers le box le plus éloigné. C'est là qu'il a voulu l'attirer. Elle le sait aussi bien que s'il lui tenait la main.

Ses yeux s'habituent à l'obscurité, de fins rayons de lune traversent les planches de la grange. Et lorsqu'elle tire à elle la porte du box, elle voit ce qui l'attend.

La petite fille qui gît dans le box lui ressemble. C'est probablement pour cette raison qu'il l'a choisie. Elles avaient beau fréquenter la même classe au collège, elle n'a jamais remarqué qu'elles avaient la même couleur de cheveux, le même visage rond. L'espace d'un instant, elle se demande si ce n'est pas son corps qu'elle aperçoit en plusieurs morceaux au milieu des bottes de paille. Si c'est le cas, elle s'est transformée en fantôme.

Avant même d'avoir réfléchi, elle quitte la grange et se met à creuser à l'orée de la forêt qui borde les maigres champs de Jacob. Elle creuse aussi loin que la terre dure et le temps qui passe l'y autorisent. Elle n'a pas peur. Même lorsque le sac de grosse toile qu'elle a traîné derrière elle depuis la grange se met à bouger.

Elle enfouit le sac dans le trou et le recouvre de pelletées de terre, consciente d'agir ainsi pour que personne ne puisse accuser Jacob. Ce qui ne manquerait pas d'arriver si l'on retrouvait la deuxième petite fille dans sa grange. Le monstre capable de choses monstrueuses a pris la décision pour elle. Elle préfère devenir la complice du Marchand de Sable que de voir jeté en prison celui qu'elle considère comme un père.

Au moment où apparaît à l'horizon le premier filet de l'aube, elle tasse la terre recouvrant la tombe de la deuxième petite fille du revers de sa pelle.

Elle sait déjà que l'horreur de cette nuit-là reviendra la hanter. La petite fille connaît suffisamment l'univers des cauchemars pour en avoir la certitude.

En revanche, elle ne sait pas ce que veut le Marchand de Sable. Il sait où elle habite. Il pourrait l'enlever aussi facilement que ses précédentes victimes s'il lui en prenait l'envie. Elle voudrait se persuader qu'elle ne connaît pas ses projets, mais elle s'en doute.

8

Deux jours après la réunion chez Petra, le journal signale une nouvelle disparition. Un homme de vingt-quatre ans, cette fois. Ronald Pevencey, coiffeur dans l'un des salons branchés de Queen. Cela fait une semaine qu'il n'est pas venu travailler. Alertée, la police a trouvé entrouverte la porte de l'appartement qu'il occupe, au premier étage d'un immeuble. En l'absence de traces d'effraction ou de lutte, les enquêteurs en ont déduit que Ronald avait ouvert la porte à son visiteur.

Ce sont surtout les réflexions que Pevencey a pu faire en présence de ses collègues la veille de sa disparition qui inquiètent les autorités. Le coiffeur était persuadé d'être suivi depuis plusieurs semaines. L'un de ses collègues le soupçonne d'avoir su à qui il avait affaire.

— Il avait envie d'en parler sans *pouvoir* en parler, aurait déclaré le confident du disparu.

Tout au long de l'article écrit par mon vieux copain de beuverie Tim Earheart, le porte-parole de la police s'efforce de tordre le cou à l'idée qu'un tueur en série se balade dans la nature. D'abord, rien ne permet de penser que Carole Ulrich et Ronald Pevencey aient été assassinés. Ils ont très bien pu partir en vacances au débotté. Dépression *post-partum*, envie soudaine de crack, ce sont des choses qui arrivent...

L'article souligne le fait que les deux disparus sont très différents. Un coiffeur d'un côté, une mère au foyer de l'autre. Pas le même âge, pas le même milieu social. Carole n'avait jamais mis les pieds dans le salon où travaillait

Ronald. Seul point commun, ils vivaient à quelques rues l'un de l'autre. Tout près de chez nous.

Si Pevencey et Ulrich ont été tués, il y a fort à parier que ce n'est pas de la même façon. Les tueurs en série opèrent de manière constante, ainsi que le souligne la police. Une erreur d'aiguillage dans leur tête les entraîne à vouloir s'en prendre indéfiniment à la même victime. Dans le cas présent, les deux disparus vivaient dans la même ville, rien de plus.

Malgré tout, je suis certain qu'ils ont été victimes du même prédateur. Je suis également sûr qu'ils sont morts. En dépit de toutes les théories des psychiatres et des criminologues, il me semble que l'inattendu est un mobile aussi puissant qu'un autre, au moins dans certains cas. Qui nous dit que ce n'est pas justement ce que cherche le coupable? Le fait de ne pas savoir ce qui fait agir un meurtrier le rend d'autant plus dangereux. Et plus difficile à appréhender.

Ce ne sont pourtant pas les motivations hypothétiques du tueur qui achèvent de me convaincre. Je suis persuadé que l'ombre qui m'a suivi l'autre soir est la même qui suivait Ronald Pevencey et Carole Ulrich. Le méchant des cauchemars de mon fils vient d'entrer dans les miens.

Je donne sa matinée à Emma et j'emmène moi-même Sam à la garderie, en me retournant tous les cent mètres. Sam ne me demande pas pourquoi je m'arrête à tout bout de champ. Il se contente de tenir ma main gantée dans sa petite moufle, même lorsque nous arrivons en vue de ses copains, près de l'aire de jeux. En temps ordinaire, il m'aurait déjà lâché pour aller les rejoindre.

— À tout à l'heure! me crie-t-il.

Je vais lui dire la même chose quand un « je t'aime » inattendu sort de ma bouche. Mais tout est permis, aujourd'hui.

— Moi aussi, répond Sam en me donnant une petite tape sur le coude avant de franchir le seuil de la garderie.

Un carton débordant de cassettes vidéo m'attend au bureau. Des exhibitions de monstres pour le câble, des émissions échangistes, des vidéos racoleuses de morts en direct réunies sous des titres tels que *Tombés d'un immeuble !* ou encore *Ces animaux qui tuent !* C'est en soulevant le carton que je découvre le plus ennuyeux, un post-it de la directrice de la rédaction. *Passez me voir.* Jamais elle ne m'a adressé un message aussi bavard.

Son bureau est un box en verre situé à l'autre extrémité de la salle de rédaction, mais ce n'est pas pour cette raison que nos contacts sont aussi limités. Elle est du genre à préférer les notes de service, les réunions de direction et les déjeuners avec les annonceurs au contact direct avec les êtres humains placés sous sa coupe. Elle réussit si bien dans son job qu'on la prétend courtisée par les chasseurs de têtes des grandes chaînes de télé américaines. Et elle a vingt-huit ans.

Jusqu'à preuve du contraire, elle a droit de vie et de mort sur le personnel au *National Star* et je rejoins son box vitré – et blindé, à en croire la rumeur –, parfaitement conscient qu'elle vire plus facilement qu'elle n'embauche.

— Patrick. Asseyez-vous, ordonne-t-elle en me voyant arriver, sur le ton d'un maître à son chien.

Je lui obéis et elle lève l'index sans même poser les yeux sur moi afin de m'enjoindre de ne pas interrompre le cours de ses pensées au beau milieu d'une phrase. Je la regarde taper les mots qu'elle cherchait – *une source de revenus symbiotique* – et enfoncer une dernière touche en faisant apparaître la plage tahitienne qui lui sert d'économiseur d'écran.

— Vous devez bien vous douter de la raison de cette convocation, m'annonce-t-elle en posant les yeux sur moi.

Elle me détaille de la tête aux pieds. Le résultat n'est manifestement pas à mon avantage, ainsi que j'aurais pu m'en douter.

— Non, je n'en ai aucune idée.

— J'ai reçu une plainte à votre sujet.

— De la part d'un lecteur ?

La directrice de la rédaction m'adresse un sourire.

— Non, pas de la part d'un lecteur. Une vraie plainte.

— Vraie comment?

Elle lève les yeux vers le plafond. Signe qu'il s'agit de quelqu'un de haut placé. Si haut placé qu'elle n'ose pas prononcer son nom.

— Nous devons faire attention à nos actifs. Nos marques. Quand l'une d'entre elles est attaquée de l'intérieur...

Elle laisse sa phrase en suspens, comme si la conclusion était trop déplaisante pour être précisée.

— Vous voulez parler de mon papier sur *MegaStar*!

— Un papier hargneux, qui en a dérangé plus d'un.

— Pas vous, apparemment.

— Ne croyez pas ça.

— Si je comprends bien, c'est grave.

— Je me passerais aisément de certains coups de téléphone émanant de personnes haut placées.

— Je dois appeler mon avocat?

— Vous avez un avocat?

— Non.

Elle repousse une mèche rebelle qui lui barrait le front. Un geste fugace, clairement féminin, qui la rend presque aimable à mes yeux, même si cela me coûte de le reconnaître.

— Je me suis bien fait comprendre?

Eu égard à l'échange qui a précédé, la question pourrait prêter à sourire si je ne m'entendais pas répondre par l'affirmative.

Je m'autorise un crochet par le bureau de Tim Earheart en regagnant mon box. Je ne m'attends pas vraiment à le trouver à son poste, sachant qu'il préfère généralement travailler dans ce bunker graisseux et puant que l'on appelle la salle fumeurs. Tim ne se considère pas comme un fumeur, mais il serait capable d'avaler ses cigarettes si on lui interdisait de les fumer quand il boucle un papier. Ce qui est probablement le cas aujourd'hui, alors que circule l'hypothèse qu'un tueur en série court les rues. Je le trouve pourtant à sa table, en train de jeter stylo, carnet, dictaphone et appareil numérique dans le sac à dos fièrement rapporté d'Afghanistan, avec le trou laissé par la balle qui l'a traversé. Un accessoire qui lui aurait valu, à l'entendre, de nombreux « résultats auprès des stagiaires ».

— Elle t'a viré ? me demande-t-il.

La question traditionnelle chaque fois que l'un d'entre nous sort du bureau de la directrice de la rédaction.

— Pas encore. Où vas-tu ?

— Ward's Island. Ils ont retrouvé l'un des disparus.

— Lequel ?

— La femme, Carole Ulrich. En une dizaine de morceaux, éparpillés sur trente mètres de plage.

— Seigneur !

— Oui, monsieur. Il y a plus rigolo.

— On sait qui a fait ça ?

— À l'heure qu'il est, ils disent qu'ils ne négligent aucune piste. En clair, ça veut dire qu'ils ne savent rien.

— Il l'a *coupée en morceaux* ?

— Il. Elle. Ils.

— Qui serait capable d'un truc pareil ?

— Quelqu'un de dangereux.

— C'est dingue.

— Pas forcément. Je viens de raccrocher avec le profileur de la criminelle. Il pense qu'exposer le corps de cette façon a une signification. Une espèce de faire-part.

— Pour dire quoi ?

— Comment veux-tu que je sache ? Un truc du genre : « Je suis là, les gars. Essayez de m'attraper, bande de connards. »

Tim enfile les bretelles de son sac à dos. Je remarque une lueur d'excitation dans son regard malgré ses lunettes d'aviateur.

— Elle vivait près de chez toi, non ?

— Sam l'a reconnue. Elle avait un gamin de son âge, ils jouent dans le même square.

— Ça fout la trouille.

— Je ne te le fais pas dire.

— Je vais là-bas, je prends le ferry. Tu veux venir?

— Je ne voudrais pas t'embêter.

— Tu trouveras peut-être de quoi alimenter ton roman.

— Ce n'est pas un roman dans ce genre-là.

Tout en lui disant ça, je me demande quel genre de roman j'écrirais, si j'en étais capable.

Le soleil est déjà couché lorsque je quitte le journal un peu après 17 heures. Les feux des voitures prises dans les embouteillages forment un serpent rouge dans la nuit. Les nouveaux restaurants qui se sont installés dans les anciens entrepôts textiles regorgent déjà de convives en costume, en train de piocher à coups de fourchette l'équivalent de quinze jours de remboursement de ma maison pour goûter les dernières élucubrations culinaires de chefs à la mode. En attendant, que vont manger les Rush ce soir? Au programme, *saag paneer* et poulet rôti, sauce semi-piquante, achetés au passage chez Gandhi, le traiteur indien préféré de Sam.

C'est à cause du menu de ce soir que je le vois.

Il y a foule chez Gandhi, comme d'habitude, entre ceux qui mangent dans des containers en polystyrène à l'une des deux tables et ceux qui attendent qu'on appelle leur numéro, debout, avant de rentrer chez eux. L'atmosphère est embuée du fait des gamelles de curry sur le feu, des pommes de terre cuisant dans l'eau bouillante, des clients. Les vitrines qui donnent sur Queen dégouttent de condensation, transformant en masse floue et compacte la foule des piétons qui déambulent devant le restaurant.

C'est mon tour. Je me faufile au milieu des autres, mes instincts claustrophobes faisant naître un soupçon de panique dans ma poitrine. L'un de ces moments d'affolement qui me saisissent plusieurs fois par jour quand je circule en ville, et dont je me débarrasse presque toujours en m'incitant moi-même à tenir bon. Contente-toi d'agir – *règle ta commande, prends ton sachet plastique, fais demi-tour, marche* – et tout ira bien.

87

Je m'arrête à la porte afin de sortir mes gants de la poche de ma veste tout en jetant un regard machinal à travers la vitre embuée.

Je distingue à peine une ombre au milieu des autres silhouettes, mais je sais que c'est lui.

De l'autre côté de la rue. Immobile au milieu des piétons qui se croisent, les dominant de la tête.

Je pousse la porte et le décor qui m'entoure retrouve toute sa netteté, mais William me tourne le dos et s'éloigne dans la foule, vers l'est.

Je n'ai pas bien vu son visage, mais je l'ai reconnu à sa *présence*. Il irradie une force menaçante qui me fait reculer machinalement d'un pas. Je me retiens à la porte pour ne pas perdre l'équilibre. Même lorsqu'il disparaît au coin de la rue, la densité du sillage qu'il laisse derrière lui m'empêche de bouger. Comme si l'air s'était transformé en un liquide noir et visqueux, irrespirable.

Quelqu'un pousse la porte derrière moi et je m'écarte en murmurant quelques mots d'excuse. Autour de moi, les voitures avancent au pas, et les piétons se pressent pour rentrer chez eux sans s'apercevoir de rien. William ne leur fait aucun effet. Peut-être n'a-t-il jamais été là. Simple hallucination après une journée sinistre et violente, le tout sur un estomac affamé.

Mais ce n'est là qu'un alibi rationnel pour m'obliger à sortir de ma torpeur. Ce que j'ai vu, ce que j'ai senti, n'est nullement le produit de mon imagination. Je ne suis même pas sûr d'être capable d'imagination.

William me regardait bel et bien. Cela signifie que William me suit.

Il y aurait une autre possibilité, bien sûr.

Un jour, avec le recul, je saurai que ce soir, devant chez Gandhi, un sachet plastique à la main, j'ai fait le premier pas qui m'a conduit à la folie.

Sam et moi dînons aux chandelles, avec l'argenterie et les verres à vin reçus en cadeau de mariage, pour le plaisir.

De vraies assiettes pour le curry, des verres en cristal pour la bière et le soda. Nous discutons de choses et d'autres. Les petits caïds qui font la loi à la garderie. Un gamin dont le visage, à la suite d'une allergie, est devenu « tout rouge et tout gonflé, comme un bouton géant » avant d'être conduit à l'hôpital en ambulance.

Je m'efforce d'apaiser les craintes de Sam tout en me débattant avec mes propres angoisses. Le coup de semonce de la directrice de la rédaction. La photo de Carole Ulrich à la télévision, cette femme qui ressemble à Tamara. Son corps retrouvé coupé en morceaux sur une plage. De fil en aiguille, je repense aux difficultés géopolitiques du monde actuel. Les tours jumelles. Les cellules terroristes infiltrées, les cibles de substitution, les ennuis qui nous attendent déjà dans les grottes d'Afghanistan. Notre petit coin de planète qui s'enrichit au détriment de sa sécurité.

Peu à peu, les préoccupations de Sam et ce qu'elles m'inspirent finissent par se confondre et nous en arrivons à la même conclusion. *Même ici. Le mal est capable de nous débusquer, même ici.*

J'évite bien évidemment de dire à Sam que j'ai vu William sur le trottoir d'en face en rentrant à la maison. Je me rends compte brusquement que ce n'est pas le seul secret que j'aie pour lui. Depuis que je participe à l'atelier de Conrad White, je ne lui ai pas parlé du cercle de Kensington. Cela n'intéresse pas Sam. Ces mardis soir où Emma le garde pendant que son papa fait un truc de grand ne valent pas le temps d'une explication.

Je m'aperçois à présent des efforts qu'il me faut fournir, de la concentration mentale qui m'est nécessaire pour lui épargner le sujet. Ce cercle d'écriture est devenu quelque chose de secret. Et, comme tous les secrets, il sert autant à protéger qu'à dissimuler.

9

Le mardi suivant, j'arrive en avance au cercle, décidé à m'entretenir en tête à tête avec Conrad White. Je sais l'appât de la flatterie irrésistible. Personnellement, en tout cas, j'ai toujours trouvé la flatterie irrésistible les rares fois où elle a frappé à ma porte.

— Je suis heureux que ça vous ait plu, me répond le vieil homme lorsque je lui vante les mérites de *Jarvis et Wellesley*. C'est une œuvre qui m'a coûté cher.

— À cause de la polémique.

— Entre autres, poursuit-il en sondant mon regard, à la recherche de ce que je peux en savoir. Je mentirais en disant que j'ai été content de devoir m'expatrier, mais je voulais parler avant tout de ce que m'a coûté le fait d'écrire ce livre.

— Je veux bien croire que ce soit pénible. Je veux dire, de traduire le vécu en narration.

— Ça ne devrait pas l'être. Le livre a jailli avec la facilité d'une confession. C'est là que je me suis trompé. Je n'aurais jamais dû tout raconter. J'aurais dû en garder une partie pour plus tard. Se mettre à nu d'un seul coup n'est pas la meilleure façon de se construire une carrière littéraire.

Conrad White dispose les sièges en cercle en prévision de la réunion. Une tâche anodine qui le laisse essoufflé. Il m'arrête d'un geste lorsque je fais mine de l'aider.

— D'une certaine manière, vous devez être content d'en avoir fini.

La banalité de ma remarque devrait susciter son adhésion immédiate, mais ce n'est pas le cas. Je vois ses jambes se raidir, comme s'il s'attendait à recevoir un coup. Ou à en donner un.

— D'en avoir fini avec quoi ?

— Vous voyez ce que je veux dire. En avoir fini avec tout ce cirque, avec ces querelles de cour d'école. Cette ambiguïté entre succès et oubli, éloges et attaques. Les prétendus avantages attachés à la gloire.

— Vous vous trompez. Je donnerais n'importe quoi pour me retrouver à nouveau au centre de toutes les attentions. Au même titre que vous aspirez très certainement à vous y trouver un jour.

Je m'apprête à le détromper – comment peut-il prétendre savoir de quoi j'ai envie ? – lorsqu'il se laisse tomber sur un fauteuil en poussant un violent soupir.

— Dites-moi, me demande-t-il en exhibant ses incisives jaunies par la nicotine, soucieux de passer à autre chose. Ces réunions vous apportent-elles quelque chose ?

— Je trouve ça très intéressant.

— J'ai cru comprendre, d'après vos textes, que vous êtes critique de profession.

— Je suis payé pour regarder la télévision.

— Allons bon. Et que vous inspirent vos sordides facultés critiques à l'endroit de vos camarades ?

Les lèvres de Conrad White s'écartent en un sourire appuyé. La question, volontairement drôle, est une feinte. Elle n'en a pas moins valeur de test.

— Curieux mélange. Ce qui est somme toute normal. Mais plusieurs textes sortent du lot.

— Plusieurs ?

— Non. Pas plusieurs.

Conrad White se penche vers moi. Son sourire s'est effacé si vite que je me demande si je ne l'ai pas rêvé.

— On ne peut jamais savoir qui l'aura.

— Qui aura quoi ?

— La chose qui vous pousse à revenir ici tous les mardis, alors que vous savez très bien que ni moi ni personne ne pourra jamais vous aider. La raison qui vous pousse à venir me trouver ce soir.

— Quelle raison?

— Vous avez envie de savoir si quelqu'un d'autre est impliqué de la même façon que vous.

— Désolé, je ne vous comprends pas.

— Il n'y a pas d'autre richesse vitale que celle du récit. En dépit de quoi nous passons le plus clair de notre temps à brasser de l'air, à nous gargariser de thèmes, de symboles, de contextes politiques, de considérations structurelles. Pourquoi?

Le vieil homme retrouve son sourire.

— Tout simplement parce que ça nous évite de penser aux défauts de notre récit, continue-t-il. Nous évitons de considérer les histoires comme de *vraies* histoires pour la même raison que celle qui nous empêche de réfléchir à l'inéluctabilité de la mort. Parce que c'est désagréable. Parce que ça fait mal.

— L'histoire d'Angela parle précisément de la mort.

— Comme toutes les histoires de fantômes.

— À votre avis, quelle est la part du réel dans son récit?

— Il serait sans doute plus adéquat de vous demander dans quelle mesure *vous* le rendez réel.

— Ça ne dépend pas de moi.

— Vous êtes sûr?

— Il s'agit de son récit, pas du mien.

— C'est vous qui le dites.

— Je vous parlais d'Angela.

— Vraiment? J'étais persuadé que nous parlions de vous.

Je mentirais en disant que je ne suis pas désarçonné par le fait que Conrad White ait deviné mon implication dans l'histoire d'Angela. Je le savais intelligent, mais je ne m'attendais pas à ce qu'il déploie sa lucidité à m'analyser, à décortiquer le groupe bariolé de réfugiés du livre que nous formons. Il a compris que je bluffais depuis le début, tout comme il sait qu'Angela possède cette « richesse vitale » dont il parle. Vitale pour les gens comme moi ou comme lui, en tout cas. Les bouffeurs de pop-corn, les téléphages, les dévoreurs de livres de poche. Le public des insatiables.

On frappe à la porte. Conrad White se lève. Je reconnais la voix tout excitée de Len qui lui fait part d'une découverte capitale pour son histoire apocalyptique de zombis (« J'ai choisi d'installer l'intrigue dans une prison, parce que, quand les morts se lèveront, les détenus seront les seuls êtres encore vivants *à l'intérieur* de l'enceinte, alors que la société qui les a jugés restera de l'autre côté ! »), puis arrive Ivan, qui se glisse entre eux et s'installe en face de moi. Je lui adresse un petit signe de tête, mais il m'ignore complètement depuis notre conversation de l'autre soir à l'entrée du métro, ce qui me laisse tout le loisir d'examiner ses mains, posées sur ses genoux. Des mains trop grosses pour ses poignets, des mains qui donnent l'impression d'avoir été prélevées sur un cadavre volé. Je repense à ce que m'a confié Ivan, accusé par les autres d'avoir fait du mal. Avec ses mains, il n'aurait aucune difficulté à faire du mal à autrui. Des mains capables de faire mal toutes seules.

Les autres membres du cercle arrivent ensemble. Petra s'assied à côté de Len et l'écoute poliment lui expliquer comment décapiter les morts vivants. Angela contourne Evelyne et Conrad et vient s'asseoir à côté de moi. Nous échangeons un sourire en guise de salut. Cela me permet de bien la regarder. Dans la pénombre, à la lueur des bougies, les visages sont flous à moins d'un mètre, mais elle se trouve suffisamment près pour que je puisse la voir plus ou moins comme elle est. Ce n'est pas telle ou telle caractéristique qui me frappe chez elle, mais la conviction désarmante qu'elle me *voit* infiniment mieux que je ne la devine. Je ne suis pas en présence d'un être rêveur, traumatisé ou timide, mais de quelqu'un qui *m'étudie*.

William est le dernier à nous rejoindre. Je m'oblige à lui accorder davantage qu'un simple coup d'œil, histoire de confirmer ou d'infirmer l'impression que c'était bien lui qui m'observait depuis le trottoir d'en face, l'autre soir chez

Gandhi. Une chose est certaine, il a le bon gabarit. Tout est inquiétant chez lui. La façon dont il occupe l'espace, dont il absorbe la lumière, dont il respire. Je n'arrive pas à être certain que ce soit bien lui. Sa barbe a encore poussé, la forme de son crâne est définitivement perdue dans la broussaille de sa pilosité. Contrairement à Angela, je ne découvre rien dans ses yeux. Quand le regard d'Angela est scrutateur, le sien est vide. Il n'y a chez lui pas plus de compassion que chez les zombis de Len.

William prend le dernier fauteuil. Tout le monde s'écarte de quelques centimètres. L'instinct du troupeau conscient de la présence d'un loup en son sein.

Il s'agit de l'avant-dernière réunion, et Conrad White voudrait que nous ayons le temps de lire le plus de textes possible. Il donne le signal du départ à Ivan, qui nous entraîne dans les tunnels de la ville où son rat observe les humains sur les quais du métro avec le dégoût qui était le sien lorsqu'il avait encore forme humaine et qu'il regardait les rongeurs grouiller entre les rails. Evelyne ramène son étudiante amatrice de profs dans la petite maison familiale où elle en profite pour prendre un bain de minuit avant de se retrouver symboliquement sur une île, nue, « baptisée par le clair de lune ». Le drame conjugal de Petra prend un tour nouveau alors que l'héroïne s'enhardit à contacter un avocat spécialisé dans les procédures de divorce. Quant à moi, j'assure le minimum syndical avec les aventures de mon critique télé dans les méandres de ses frustrations.

La suivante est Angela. Mon dictaphone une fois en route, je *sens* sa lecture davantage que je ne l'écoute. C'est comme si je me trouvais en elle, nous sommes à la fois différents et intimement mêlés, à la façon de siamois. Cette fois, j'éprouve un sentiment entièrement nouveau et une énergie électrisante traverse les quelques centimètres qui nous séparent. Je la ressens avec une intensité purement physique. Une attraction au sens littéral du terme. Je voudrais m'approcher de sa bouche, lire les pages noircies de son journal en même temps qu'elle, joue contre joue. Je dois faire un effort pour ne pas me laisser avaler par elle.

C'est au tour de William qui, une fois n'est pas coutume, a apporté un texte. Nous ne tardons pas à le regretter.

De sa voix neutre, il entame le récit de « cet été où quelque chose s'est cassé » dans la vie d'un garçon qui habitait « le quartier le plus pauvre d'une ville pauvre ». Évitant un père qui boit et une mère qui « fait ce qu'elle appelle son "boulot" dans sa chambre », le jeune garçon sans ami erre dans les rues poussiéreuses, écartelé entre l'ennui et la colère, comme « étouffé par quelque chose de lourd dont il ne parvient pas à se débarrasser ».

Un jour, le garçon s'en prend au chat de la voisine, l'emporte dans une cabane au fond d'un terrain vague et l'écorche vivant. Les cris de l'animal ressemblent « aux sons qu'il émettrait lui-même s'il le pouvait. Mais il n'a jamais crié ou pleuré de sa vie. Une chose de plus qui lui manque, lui qui manque de tout ». Le chat enterré, le garçon écoute la voisine appeler son chat dans la nuit et comprend qu'« il a trouvé sa vocation. Il est au clair désormais avec ce qu'il sait faire ».

Le reste de l'histoire, rédigé dans la même langue terne, voit le garçon passer du chat au chien et du chien au cheval trouvé dans une écurie à l'entrée de la ville, et dont il veut s'assurer qu'il contient bien « de la colle, puisqu'il a entendu dire qu'on faisait de la colle avec les chevaux ».

Conrad White enfreint son propre règlement en interrompant William en pleine lecture.

— Merci. Je suis désolé, mais nous sommes pressés par le temps, ment le vieil homme en ramenant d'une main tremblante le peu de cheveux qui lui restent sur le haut du crâne. Nous aurons peut-être l'occasion d'écouter la suite du texte de William lors de notre dernière rencontre.

William replie ses feuilles en quatre et les glisse dans la poche de son jean. Il nous regarde les uns après les autres, mais tout le monde se lève et lui tourne le dos. Je crois bien être le seul à ne pas bouger. Sans jurer l'avoir vu changer d'expression, je suis certain que c'est William qui m'observait depuis le trottoir d'en face l'autre soir. Je reconnais l'aura de cruauté qui l'enveloppe à cet instant précis. Un calme qui exprime l'absence de tout chez lui, à l'image du garçon de son histoire.

La réunion achevée, Len me rappelle ma promesse de l'accompagner à la séance de lecture qui doit suivre le lancement de cette revue littéraire dans un bar de College Street. En chemin, alors qu'il me précède de sa démarche traînante, pressé d'arriver suffisamment tôt pour avoir une bonne place, Len me demande si j'ai remarqué qu'il se passait quelque chose entre Evelyne et Conrad White.

— Quelque chose?

— Ils n'arrêtent pas de se dire des trucs à l'oreille. D'échanger des coups d'œil.

— Non, je n'avais pas remarqué.

— À ton avis, avec qui elle est maintenant?

— Avec qui elle sort, tu veux dire?

— Réponds-moi.

— Avec Conrad?

— Je trouve ça assez dégueu.

— Ils ont au moins quarante ans de différence.

— Dégueu, je te dis.

— Qu'en sais-tu, après tout?

— Je n'en sais rien du tout, mais un atelier d'écriture sans un petit parfum de scandale, ce n'est pas un atelier d'écriture.

La séance de lecture se déroule au premier étage d'un restaurant mexicain, une pièce lambrissée tout en longueur qui sent la sciure et les haricots frits. À l'entrée, Len et moi achetons chacun un exemplaire de *Jus de crâne*, le fanzine qui donne droit aux consommations à moitié prix.

— Il n'y a pas grand monde.

— N'oublie pas cette histoire de tueur en série, me répond Len. Les gens préfèrent rester chez eux et commander de la pizza.

— De quoi est-ce que tu parles?

Len pose sur moi un regard apitoyé.

— Le coiffeur disparu, laisse-t-il tomber.

— Ronald Pevencey?

— La police a retrouvé son corps cet après-midi dans une benne à ordures de Chinatown. Coupé en morceaux. Comme la bonne femme de Ward's Island. Du coup, ils pensent avoir affaire au même type. Deux, c'est le début d'une série, d'où l'expression tueur en série. Et c'est mauvais pour le business.

— Dans ce cas, il va falloir mettre les bouchées doubles, dis-je en commandant la première tournée.

Le type chargé de présenter la soirée commence par remercier les premiers arrivants. Mais avant de céder la place aux lecteurs, il souhaite féliciter l'une des plumes de *Jus de crâne*, Roseline Canon, une jeune femme effacée assise au premier rang au milieu d'une bande de jeunes gens discrets. Apparemment, elle a appris le matin même que le manuscrit de son premier roman venait d'être accepté par un éditeur new-yorkais. Guerre d'enchères avec la concurrence, droits mondiaux, droits cinématographiques.

— Et comme une bonne nouvelle n'arrive jamais seule, il se trouve qu'elle a vingt-quatre ans aujourd'hui! Bon anniversaire, Roseline!

Le présentateur recule d'un pas et applaudit en regardant Roseline d'un air béat.

Quelque chose de surprenant se produit aussitôt.

Une baisse brutale de la pression atmosphérique, comme à l'approche d'un orage. À l'exception du présentateur qui applaudit, tout le monde retient son souffle. L'assistance est pétrifiée par un même désir. Quels que soient leur âge, leur tenue, leur genre, les présents sont tous réunis par la même envie d'écrire. Mais à cet instant précis, tous aimeraient se trouver dans la peau de Roseline. Un éclair de jalousie suffisamment puissant pour modifier l'alchimie de la soirée.

Et tandis que nos mains acceptent enfin d'applaudir, fusent de toutes parts des sifflets et des encouragements méritoires.

— Ouah! Génial, remarque Len.

— Tu parles d'un ouah. Je l'étranglerais volontiers, oui.

D'un geste à l'adresse du barman, je commande les bières suivantes. À compter de maintenant, j'accompagne mes chopes de petits verres de bourbon. Cela facilite un peu la suite, tandis que s'enchaînent les poèmes flatulents, les nouvelles érotiques homosexuelles et les histoires de parents abhorrés. J'éprouve parfois un certain plaisir à l'écoute de quelques-uns de ces textes. J'admire surtout le courage des auteurs qui ont glissé un papier à leur nom dans le chapeau du présentateur et se lancent sans hésitation lorsqu'on les appelle sur l'estrade en contreplaqué. Bons ou mauvais, ils ont écrit ces textes, un exploit dont je ne puis moi-même me targuer.

On finit par appeler Roseline Canon au micro. En habituée de ce genre de soirée, elle monte sur scène avec une nonchalance étudiée, feignant d'être perdue dans des pensées profondes alors qu'elle se demande juste si elle est présentable, comme tout le monde.

Elle entame un long murmure et je me promets de rentrer chez moi quand elle aura fini. Les bons sentiments dus à l'alcool commencent à se dissiper, ils ne tarderont pas à céder la place à l'amertume. Je prends un dernier verre, au cas où je croiserais la route du tueur. Autant ne rien sentir. Quel genre de couteau utilise-t-il pour dépecer ses victimes? Un truc électrique, peut-être. Ou alors il est très costaud. Que faisait le monstre d'Angela, déjà? Il réduisait les gens en fractions.

Je m'apprête à prévenir Len que je m'en vais quand je m'aperçois que la moitié de l'assistance me regarde.

— Désolé de te réveiller, s'excuse Len en me posant la main sur le bras. Mais tu ronflais.

Je suis dans mon box au *National Star* le lendemain matin lorsque Tim Earheart m'apporte un café. Le quatrième de la journée, et il est à peine 10 heures. Dans l'état où je suis, ce n'est pas du luxe. Les bières et les Wild Turkey de la veille m'ont donné une sérieuse gueule de bois, doublée d'une bouche en carton. Deux gorgées brûlantes suffisent à peine à me faire comprendre ce que dit Tim.

— Viens, allons fumer une cigarette, répète-t-il en regardant par-dessus son épaule afin de s'assurer que personne n'écoute.

— Je ne fume pas.

— Je te donnerai une cigarette.

— J'ai arrêté. Plus ou moins. Je croyais que tu savais...

Tim lève la main et je suis à la limite de croire qu'il va me frapper quand il se penche vers moi.

— Je voudrais te dire un truc loin des oreilles indiscrètes, me chuchote-t-il avant de s'éloigner en direction de l'escalier principal.

Le sous-sol du *National Star* abrite deux catégories de dinosaures : les fumeurs et les documentalistes. C'est là que sont entreposés les numéros antérieurs à l'ère électronique, au milieu d'un bric-à-brac invraisemblable dans lequel se trouve, dit-on, la tête réduite du fondateur du journal. Si l'on excepte une poignée de chercheurs, les seuls êtres qui hantent encore ces lieux sont les ultimes accros à la nicotine. Leur nombre est en diminution constante, même chez les journalistes. De nos jours, les gamins qui sortent des écoles ont plus d'affinités avec le yoga et l'eau d'Évian qu'avec la flasque et le paquet de cigarettes.

Cela fait donc de la salle fumeurs l'un des derniers asiles au journal pour ceux qui veulent discuter tranquillement. Comme prévu, Tim et moi nous retrouvons en tête à tête quand je referme la porte, l'estomac contracté par l'atmosphère cancérigène du lieu.

— Ils ne veulent pas la publier. Ces connards refusent de la publier ! éclate-t-il, un double nuage de fumée lui sortant des naseaux.

— Qu'est-ce qu'ils refusent de publier ?

— La note.

Tim est monomaniaque. Pour qu'il soit dans un tel état, il ne peut s'agir que de l'enquête qu'il traite. En l'occurrence, les meurtres de Carole Ulrich et de Ronald Pevencey.

— On l'a trouvée près du corps de la femme, poursuit Tim. D'un *morceau* de son corps. Sa tête, pour être plus précis. Une note soigneusement tapée à l'intention de celui qui la retrouverait.

— La note en question, c'est toi qui l'as ?

— Malheureusement non. L'un des flics qui se trouvait sur place m'en a indiqué le contenu. Il n'était pas censé m'en parler, mais il l'a fait quand même.

— Et tu t'es empressé de le raconter à nos chers patrons.

— En pensant que ça ferait la une. Je me demande bien ce qu'il leur faut. Quoi qu'il en soit, la police en a eu vent et les flics nous ont suppliés à genoux de ne rien dire. Pour ne pas gêner l'enquête en cours, risquer la vie de nouvelles victimes, empêcher une arrestation éventuelle, le bla-bla habituel. Bref, ils nous demandent de garder ça sous silence pendant quelques jours et la direction se couche.

— On sait qui a écrit cette note ?

— Elle n'est pas *signée*, mais c'est clair comme de l'eau de roche.

Tim termine sa cigarette, écrase le mégot sous sa semelle et met la suivante à la bouche avant même que j'aie eu le temps de lui répondre.

— Elle dit quoi, cette note ?

— C'est pour ça que je t'en parle. J'ai besoin de tes lumières en littérature.

— N'exagère pas. On a affaire à un tueur en série, pas à James Joyce.

Tim fait un pas en avant. Ses cheveux sont auréolés de fumée.

— C'est un *poème*, m'annonce-t-il.

La porte s'ouvre et un vieux de la vieille du service des sports pénètre dans la pièce. Il nous décoche un regard mauvais et allume une cigarette. Tim me fait signe de ne rien dire en tirant la languette imaginaire d'une fermeture éclair sur sa bouche. Je suis à la porte lorsqu'il m'agrippe le poignet et me glisse quelque chose dans la main.

— Passe-moi un coup de fil pour les places du prochain match des Leafs, me souffle-t-il avec un clin d'œil complice.

Il s'agit d'une carte de visite. Je reconnais l'écriture de Tim au dos. Je relis le texte à plusieurs reprises dans mon box, puis je déchire la carte en confettis que je laisse tomber dans le broyeur.

> *Je suis le sol sous vos semelles*
> *L'inconnu obscur des ruelles*
> *Je vis au Royaume de l'Illusoire*
> *Fermez les yeux, vous me verrez un soir*

J'ai connu des poèmes plus brillants. Quatre vers, deux rimes, un rythme digne d'une comptine. C'est peut-être le but de la manœuvre. Étant donné les circonstances pour le moins sinistres dans lesquelles on l'a découvert, ce poème enfantin n'en est que plus inquiétant. Le genre de truc qu'il suffit de lire une fois pour ne plus pouvoir s'en débarrasser. Quelques vers à retenir, plus qu'à admirer.

Que nous disent-ils sur leur auteur? *Primo*, ils ont été commis par celui qui a coupé Carole Ulrich en morceaux. La création d'un côté, la destruction de l'autre. Le Créateur et le Destructeur. *Quelqu'un de dangereux*, ainsi que l'a deviné Tim Earheart.

Secundo, le meurtrier a envie qu'on lise son poème. Il aurait pu l'écrire pour lui seul, mais il a préféré le déposer à côté du corps de sa victime. Comme tout auteur, il a besoin d'un public. Pour nous dire quelque chose. Pour qu'on se penche sur son poème comme je le fais en ce moment. Pour qu'on le comprenne.

Tertio, ces quatre vers signalent une certaine intelligence. Le fait même d'écrire un poème place le tueur un cran au-dessus d'un boucher de quartier. La composition, tout d'abord. Sa rythmique ne doit rien au hasard. Son côté macabre suffirait à insuffler la peur même si ces vers n'avaient pas été retrouvés près d'un corps mutilé.

Et puis il y a les mots eux-mêmes.

Le premier vers expose la raison d'être du poème : son auteur cherche à se présenter. Il est le sol sous nos semelles. En d'autres termes, il est partout. Le vers suivant confirme le caractère menaçant et hostile du personnage, cet « inconnu obscur des ruelles ». Bien évidemment, le mot « ruelle » fait écho en moi puisqu'il me rappelle l'épisode de l'autre nuit, lorsque j'ai voulu échapper à un péril qui n'a sans doute jamais existé. Les « ruelles » n'en sont pas moins synonymes de peur et l'auteur nous fait clairement comprendre que c'est là qu'il nous attend.

Le troisième vers apporte une touche fantaisiste et inquiétante à la fois. Tout en vivant dans le « Royaume de l'Illusoire », il a la capacité de se matérialiser sous nos semelles. Il est à la fois réel et illusoire. Et donc capable de changer de forme.

La dernière ligne vient renforcer le tout. Les indices qu'il aurait pu laisser ne nous seront d'aucune utilité, c'est dans nos rêves que nous le découvrirons. Des rêves bien réels. Que nous le voulions ou non, nous faisons tous partie du même rêve. Le *sien*.

C'est seulement en rentrant chez moi qu'une autre interprétation me vient à l'esprit. L'expression est faible, je manque d'en tomber à la renverse et il me faut m'asseoir au bord du trottoir, la tête entre les jambes, pour ne pas m'évanouir.

Le temps de recouvrer mes sens et je murmure quelques mots dans le micro de mon dictaphone, prostré au bord du trottoir, les pieds à quelques centimètres des voitures.

Transcription de la bande

12 mars 2003

[bruits de circulation]

Je suis le sol sous vos semelles.

Celui qui a retrouvé le poème se trouvait à Ward's Island. Sur la plage. C'est-à-dire sur du *sable*.

[aparté]

Oh putain merde !

[un gamin en arrière-plan]

T'as vu l'autre alcoolo ? Il risque de…

[bruits de klaxon]

… si y fait pas gaffe !

[rires en arrière-plan]

Fermez les yeux, vous me verrez un soir.

D'accord. Pour savoir qui c'est, il faut fermer les yeux. Mais qui nous ferme les yeux le soir ? *Le Marchand de Sable…*

10

Histoire d'Angela
Transcription de la bande n° 3

La semaine suivante, le collège ouvre de nouveau ses portes bien que la deuxième petite fille disparue n'ait pas été retrouvée et qu'aucun indice n'ait permis d'identifier l'auteur de ce que le responsable de la police locale appelle « des crimes haïssables » – un adjectif que la petite fille n'a jamais entendu et qu'elle écrit dans sa tête « haï sable » en pensant au Marchand de Sable. Au même moment, Edra tombe malade et doit être conduite à l'hôpital, à deux cents kilomètres de là, afin d'y être opérée. La vésicule. Rien de grave, a assuré Jacob. Edra se passera fort bien de vésicule. Dans ce cas, s'est demandé la petite fille, pourquoi Dieu nous a-t-il affublés d'une vésicule ?

Edra entre à l'hôpital le vendredi, laissant Jacob et la petite fille seuls à la ferme jusqu'à son retour le dimanche, si tout va bien. Le vieil homme et la petite fille ont donc le week-end devant eux.

La petite fille a beau être ravie d'avoir Jacob pour elle toute seule, elle éprouve une inquiétude sourde à l'idée que leur trio s'est réduit à un duo. Elle se demande si le lien invisible qui faisait d'eux une famille n'avait pas également le pouvoir d'éloigner d'eux le monstre capable de choses monstrueuses. Le départ d'Edra a pu ouvrir une brèche. Pour le bien de ses parents d'adoption, la petite fille a su garder pour elle son terrible secret. Elle a enterré un corps en pleine nuit, au risque de se laisser emporter par les cauchemars qui ont suivi, mais elle ne sait pas si elle aura la force de fermer la porte au nez du Marchand de Sable si elle s'ouvre par malheur.

Son angoisse ne tarde pas à se lire dans ses yeux et ses gestes. Elle tente bien de dissimuler son fardeau, mais sa peine est trop lourde. Jacob la connaît trop pour ne pas s'en apercevoir. Et lorsqu'il demande à la petite fille ce qui la mine, elle fond en larmes à la simple évocation de sa peur.

Elle lui raconte presque tout. Que le monstre capable de choses monstrueuses de ses rêves a fini par se matérialiser. Qu'elle le croit capable d'avoir enlevé les deux petites filles parce qu'elles avaient le même âge et lui ressemblaient.

Cependant, elle ne lui dit pas ce qu'elle a découvert dans la grange, où elle a enterré sa macabre découverte.

La petite fille achève son récit et Jacob reste silencieux pendant très longtemps. Lorsqu'il trouve enfin les mots qu'il cherchait, la petite fille espère qu'il lui expliquera pourquoi elle se trompe. Sa surprise est d'autant plus grande d'entendre le vieil homme lui confier :

— Moi aussi, je l'ai vu.

La petite fille a du mal à en croire ses oreilles. À quoi ressemblait-il ? Où Jacob l'a-t-il vu ?

— Il est aussi indescriptible que le vent, répond le vieil homme. J'ai senti sa présence autour de la maison, comme s'il savait sa proie à l'intérieur et qu'il se savait incapable d'entrer. Pour le moment.

La petite fille propose d'aller le trouver. Si c'est elle que veut le Marchand de Sable, pourquoi attendre qu'il s'en prenne à une autre ? Ou bien, pis encore, à Jacob et Edra ?

— Tu ne dois pas dire ça, l'implore Jacob. Jamais. Tu m'entends ? Moi vivant, jamais il ne te prendra. Et même lorsque j'aurai disparu, il te faudra lui résister. Promets-le-moi.

La petite fille promet. Mais que peuvent-ils faire ? La petite fille ne voit pas comment ils pourraient lui échapper. Comment peut-on tuer quelque chose qui est déjà mort ?

— Je ne sais pas s'il est vivant ou mort, mais je crois savoir qui il est.

Jacob attrape la petite fille par les épaules comme s'il voulait l'empêcher de s'écrouler.

— C'est ton père, lui annonce-t-il.

Après avoir compris que Jacob ne viendrait pas la chercher le dimanche, Edra a quitté l'hôpital en taxi et trouvé la ferme déserte. La porte donnant sur l'arrière était grande ouverte, sans que l'on puisse savoir si quelqu'un s'était introduit dans la maison, ou bien alors s'en était enfui. Depuis vingt-quatre heures, toute la région est enterrée sous un mètre de neige, un blizzard de novembre ayant annoncé l'arrivée de l'hiver. Les traces de pas ont été recouvertes, le paysage est comme sculpté en congères effilées.

Lorsque la police arrive, Edra, affolée, les supplie de retrouver la petite fille. Ils n'ont pas à chercher bien loin et la découvrent recroquevillée dans le box le plus éloigné, au fond de la grange. Le regard vitreux, bleue de froid, toute tremblante. Souffrant d'hypothermie pour avoir passé la nuit dehors alors que le thermomètre tombait en deçà de moins vingt.

La police lui demande où se trouve Jacob. Pour toute réponse, elle sombre dans l'inconscience, entre la vie et la mort. On lui retire trois doigts de pied noircis par le gel et l'on sonde son cerveau afin de savoir quelle partie aurait pu souffrir du manque d'oxygène.

Mais la petite fille ne meurt pas.

Lorsqu'elle reprend connaissance le lendemain, elle refuse de parler à quiconque sauf à Edra et se révèle incapable d'évoquer les événements des jours précédents. Edra fait tout pour la protéger des questions des enquêteurs, oubliant l'angoisse qui la ronge au sujet de Jacob pour mieux protéger la petite fille. La police doit poursuivre seule ses recherches.

La camionnette de Jacob n'a pas quitté la cour de la ferme du week-end, aucune trace de lutte n'a été relevée, ni aucune lettre de suicide. Il ne reste plus qu'à entamer les recherches dans les immenses forêts qui bordent les champs.

La neige complique la tâche des policiers. Depuis l'hélicoptère qui survole la région, c'est tout juste si l'on aperçoit les arbres sous leur manteau blanc. Les chiens ont à peine fait cent mètres en plein bois qu'ils s'enfoncent jusqu'à la truffe et doivent être évacués. Au quatrième jour, l'opération de secours laisse place à une simple enquête. Quand bien même on retrouverait Jacob dans ces forêts gigantesques, il serait mort depuis longtemps.

Il faudra deux semaines de redoux et la fonte d'une partie de la neige pour que le corps de Jacob soit enfin découvert, à six kilomètres de la ferme. Face contre terre, les bras en croix. Il ne porte aucune trace de blessure, à l'exception des écorchures au visage et aux mains, reçues lors de sa course au milieu des bois. Il est en chaussettes et porte des vêtements d'intérieur, ses bottes et son manteau ayant été retrouvés à leur emplacement habituel dans la maison. Il est mort de froid après s'être effondré d'épuisement. Le médecin légiste est surpris qu'un homme aussi âgé que Jacob ait pu s'enfoncer aussi loin dans les bois, après avoir parcouru six kilomètres en plein blizzard. Seule la panique a pu le pousser à une telle extrémité.

La situation dépasse de beaucoup les compétences du légiste et des enquêteurs. Jacob était-il poursuivi, ou bien poursuivait-il quelqu'un? Quel prédateur ou quelle proie ont bien pu le pousser à affronter la première tempête de neige de l'hiver dans un tel accoutrement, au point de courir jusqu'à mourir d'épuisement?

La police s'accorde à reconnaître que, si Jacob est mort assassiné, le crime aura été parfait, sans suspect, ni témoin ni indice, la neige ayant tout recouvert. Quant à l'arme du crime, il semble s'agir du froid.

Seule la petite fille sait sans doute ce qui s'est passé, mais elle refuse obstinément de répondre aux questions qu'on lui pose.

À en croire les médecins, un traumatisme émotionnel majeur prive un enfant de sa langue aussi sûrement que la lame la plus affûtée. Jamais elle ne dira quoi que ce soit, concluent-ils. Autant interroger les arbres de la forêt.

La petite fille entend tout ce qui se dit à son sujet, mais on aurait pu tout autant la croire sourde. Elle a compris que certaines choses relèvent de l'indicible. Elle a surtout trouvé un autre moyen que la parole pour raconter son expérience. Elle l'écrira. Plus tard, lorsqu'elle sera grande et indépendante, elle racontera la vérité, ne serait-ce que pour elle-même.

Une vérité désormais consignée ici, dans les pages de ce livre.

Elle sait déjà comment débutera l'histoire.

Il était une fois une petite fille hantée par un fantôme...

11

« La ville a peur », titre le *National Star* du lendemain. La formule n'est en rien galvaudée. De mon point de vue, en tout cas. L'article s'attarde sur les angoisses de « l'homme de la rue », se contentant de répéter ce que l'on savait déjà des deux victimes. Aucun lien apparent entre elles, aucun passé criminel, aucune trace d'agression sexuelle, aucune indication de vol sur leurs personnes. Comment croire qu'elles aient été victimes du même assassin ? Suivent les témoignages de gens du quartier, qui confirment leur intention de ne plus sortir le soir tant que « le cinglé qui commet ces atrocités n'aura pas été arrêté ». Je lis l'article jusqu'au bout afin de voir si aucune mention n'est faite du poème découvert près du corps de Carole Ulrich. Mais Tom avait apparemment raison. La direction du journal a choisi de taire l'information.

Le plus troublant est peut-être le détail des descriptions faites par les rares témoins. L'un parle d'un homme chauve bien habillé, de race blanche. D'autres évoquent deux Noirs – l'un avec une dent en or et une casquette des Raiders, l'autre avec une fière allure et des cheveux gris, « un sosie de Denzel Washington ». On évoque également un couple de types frisés qui « pourraient être jumeaux », ou encore une vieille Portugaise en deuil.

— Les gens voient des assassins partout, commente l'un des enquêteurs.

Et alors ? Qui peut affirmer qu'ils n'ont pas croisé le meurtrier dans le métro ?

Ma traversée matinale de la « ville qui a peur » me confirme que les cœurs des trois millions de personnes qui partent travailler battent effectivement plus vite que d'habitude. Les distributeurs de journaux sur mon chemin signalent que les concurrents du *National Star* affichent des articles tout aussi alarmistes. Le tabloïd local, toujours prompt à l'hystérie, a collé l'une à côté de l'autre les photos de Carole Ulrich et de Ronald Pevencey sous le titre « À qui le tour ? ». Une question à laquelle il est difficile d'échapper. Tous ceux qui descendent du tram et sortent du métro croient se reconnaître en voyant ces portraits omniprésents. Ce ne sont pas les visages de mafieux patibulaires ou de caïds de cité, mais des anonymes ordinaires. La plupart d'entre nous ne demandent rien d'autre que d'éviter les ennuis. Nous savons pourtant à quel point ce genre d'assurance est factice. La peur est toujours là, prête à pointer le nez.

Nous avons beau faire profil bas, le Marchand de Sable a parfois le don de nous rattraper.

Le prix Dickie est le deuxième grand prix littéraire canadien. Nous le devons à Richard « Dickie » Barnham, un pasteur presbytérien qui a mis à profit sa retraite pour commettre des mémoires lyriques, tout au long desquels il évoque les mille et une excentricités du quotidien dans son pittoresque presbytère de l'Ontario. Surtout, il a eu l'excellente idée d'empocher 12 millions de dollars en achetant un billet de loterie gagnant un an avant sa mort. À ce jour, on continue de remettre le Dickie chaque année à l'œuvre de fiction qui « reflète le mieux le quotidien des familles canadiennes », avec à la clé une pluie de lauréats aussi ternes qu'ennuyeux. Un cortège interminable d'agriculteurs impavides et de veuves de pêcheurs.

Accessoirement, la remise du prix est l'un des événements de la saison. Être invité à la soirée de gala du Dickie est une preuve d'appartenance à l'élite de la nation, un ticket d'entrée dans le *Who's Who* des grands bourgeois philanthropes, des animateurs de télé et autres barons d'industrie. Le rédacteur en chef du *National Star* ne manquerait l'événement pour rien au monde, ce qui explique en partie que figurent à la une, année après année, la photo du lauréat avec le détail du menu et des tenues arborées ce soir-là par le public féminin.

C'est clairement le genre de reportage que l'on ne me confie plus. Même à l'époque où j'étais critique littéraire en titre, le journal préférait missionner l'une des chroniqueuses de la rubrique mode, mieux à même de reconnaître les célébrités et d'identifier les tenues de créateurs. Cette année, pourtant, l'heureuse élue s'est fait porter pâle quatre heures avant l'heure fatidique. La directrice de la rédaction étant absente, le choix d'un remplaçant de dernière minute est revenu au rédacteur en chef, qui m'a demandé si je pouvais lui rendre ce service, ce que j'ai accepté.

Le badge de presse permet de se rendre à la soirée accompagné. La sagesse aurait voulu que j'y aille seul, que je rédige mon papier et que je sois dans mon lit à minuit. Au lieu de quoi j'appelle Len.

— Tu pourras peut-être trouver le moyen de glisser ton manuscrit à quelqu'un.

— Tu crois ? me répond-il.

— Tous les éditeurs de la ville sont là.

— Je peux essayer avec quelques nouvelles, finit-il par décider. Quelque chose qui ne prenne pas trop de place sous ma veste.

Le temps de louer un smoking, de héler un taxi et de passer prendre Len – qui a également enfilé un smoking, trop petit pour lui d'une longueur et trop étroit d'une bonne taille –, nous arrivons au Royal York à temps pour profiter de la fin du cocktail.

— Regarde ! me glisse Len à notre arrivée dans le salon impérial. C'est Grant Duguay !

De son doigt tendu, il me montre le maître de cérémonie de la soirée. L'animateur de *Canadian MegaStar !*, reconnaissable à son sourire figé de vendeur de voitures d'occasion.

— Lui-même.

— Et là ! Roseline Canon !

— Qui ?

Len me regarde en coin afin de s'assurer que je ne plaisante pas.

— L'autre soir, au lancement de la revue *Jus de crâne*. La fille qui vient de recevoir un demi-million de dollars pour son premier roman.

Len me la désigne et je reconnais effectivement la gamine effacée, occupée à serrer la main de tous les culturocrates et autres pipistrelles qui se précipitent vers elle. Même de loin, je n'ai aucun mal à lire sur ses lèvres les mercis dont elle gratifie avec ferveur tous ceux qui viennent la féliciter. Pris du désir incontrôlable de les imiter, je me rabats sur le premier serveur qui croise ma route.

— Merci, dis-je en prélevant sur son plateau deux verres à cocktail, un pour chaque main.

Nous nous installons à la table de presse avant qu'elle ne soit prise d'assaut par la meute des journaleux, ce qui me permet de caler une bouteille de vin rouge entre mes pieds, au cas où les provisions viendraient à manquer en période de crise. À la tribune, l'animateur de *MegaStar !* explique que, sans les livres, jamais il ne se trouverait là où il est, ce qui n'est probablement pas faux si l'on considère que lire un prompteur n'est probablement pas évident pour un illettré. Et tandis qu'arrivent les premiers plats, chacun des nominés monte sur scène afin d'expliquer longuement la genèse de son œuvre. Avant même d'être venu à bout du tartare de caribou, la bouteille que je garde entre mes pieds est éclusée.

C'est absurde et j'en suis parfaitement conscient. Ce comportement superficiel et injuste ne me ressemble pas. Tout ça parce que je n'ai pas publié de livre. Pas écrit de livre. Aucune idée en tête qui puisse un jour *devenir* un livre. Par souci d'honnêteté, je me dois pourtant de répéter ici la phrase qui me vient à l'esprit, assis à table dans ce smoking qui me démange en observant les héros de la soirée s'incliner sous les applaudissements.

Pourquoi pas moi ?

Le hasard. Le piston. Le sens du marketing. Ils ont sans doute les trois pour eux, mais ce n'est pas tout. Ils possèdent cette capacité d'ordonnancer un récit, avec *un début, un milieu et une fin*. Et moi ? Je n'ai rien de moins que tous les autres. Le bric-à-brac d'une vie ordinaire.

Pour ne plus y penser, je récite à Len le poème de l'assassin. Il ouvre des yeux comme des soucoupes. Dopé, je lui fais part de mon interprétation de ces quatre vers, de l'identité supposée de leur auteur.

— Tu crois qu'il y a un rapport ? me demande-t-il en s'essuyant la lèvre supérieure où perlent des gouttes de transpiration.

— Je crois plutôt à une coïncidence.

— Attends, attends.

Len joue avec ses couverts afin de mieux arranger ses pensées.

— Si tu as raison, ça voudrait dire que celui qui fait ça est l'un des membres du cercle, ou alors qu'il a lu l'histoire d'Angela.

— Pas nécessairement. N'importe qui a pu choisir de se faire appeler le Marchand de Sable. En plus, il ne s'attribue *aucun* nom dans le poème. C'est uniquement une théorie.

— Ma théorie à moi, c'est que c'est William.

— Pas si vite. Ce n'est pas...

— Arrête ! Un type qui étripait des chats et des chevaux pour s'amuser quand il était gamin ? Il est littéralement en train de nous expliquer de quoi il est capable.

— C'est de la fiction, Len.

— La fiction part souvent de la réalité.

— S'il suffisait de raconter les aventures d'un tueur en série pour être soupçonné de meurtre, la police ne saurait plus où donner de la tête.

— Mais quand même. *Quand même*, insiste Len en se mâchonnant la lèvre. Je me demande ce qu'en dirait Angela si...

— Je te défends d'en parler.

Len affiche un air penaud. Pour une fois qu'une véritable histoire d'horreur lui tombe entre les mains, il n'a même pas le droit de s'en servir.

— Je suis sérieux, Len. Je t'ai raconté ça uniquement...

Pourquoi lui ai-je raconté ça ? Les cocktails ont dû aider. Le vin aussi. Je cherchais probablement à me faire mousser. Je travaille dans un vrai journal, donc je *sais* des choses. Mais, au-delà de ces considérations, je pense surtout avoir voulu *amuser* ce gros débile.

— ... parce que je pensais pouvoir te faire confiance.

Il fallait bien que je finisse ma phrase. Len détourne les yeux, manifestement touché par le compliment.

Après le dessert, monsieur *Canadian MegaStar !* annonce le nom du lauréat. Le temps de le consigner dans mon carnet et je n'ai plus qu'à plier bagage.

— Je dois y aller, Len. Il faut encore que je rédige mon papier en vitesse.

Len lorgne la part de cheese-cake au sirop d'érable à laquelle je n'ai pas touché.

— Tu n'en veux pas ?

— Prends-le.

Je lui serre l'épaule en me levant. Len accueille ce geste amical avec un sourire, mais il faut bien reconnaître que si je ne m'étais pas appuyé sur lui, je serais tombé la tête la première dans une assiette de biscuits en forme de castors.

Deux heures plus tard, après avoir tapé mon texte en essayant de maintenir ma concentration grâce aux cocktails du Library Bar où je me suis installé avec mon ordinateur portable, j'appuie sur la touche « Envoi » et je rentre à la maison en titubant. Ce n'est pas facile. Mes vacheries de jambes sont trop paresseuses pour m'obéir. Je m'emmêle les pieds à tout bout de champ, je multiplie les crochets inopinés en direction des parcmètres et des façades. Il me faut une demi-heure pour parcourir deux cents mètres. J'ai au moins la satisfaction de constater que mes bras restent opérationnels puisque je réussis à m'agripper à un réverbère d'une main tout en hélant un taxi de l'autre.

Malgré le froid, j'ouvre ma vitre en grand tandis que le chauffeur passe à toute vitesse devant les boîtes de Richmond Street qui dégorgent leur lot d'hôtesses de télémarketing en sueur, de secrétaires et autres vendeuses qui ont dépensé la moitié de leur salaire hebdomadaire en parking, droits d'entrée et vodkas citron. Le coude à la portière, je me laisse engourdir par l'air glacé. Des bouffées de sommeil m'assaillent par la plante des pieds.

Une voix de journaliste dans le haut-parleur de la plage arrière m'aide à sortir de ma torpeur. Je remonte la vitre pour mieux l'entendre évoquer la nouvelle victime d'une série de meurtres que la police se refuse toujours à attribuer à un seul meurtrier. Comme celui de Carole Ulrich et celui de Ronald Pevencey, le corps a été retrouvé coupé en morceaux. Il s'agit d'une femme, dont les enquêteurs n'ont pas encore révélé l'identité. Pour ajouter au mystère, elle était arrivée de Vancouver la veille seulement. Aucune relation avec les deux premières victimes, la police n'a même pas pu établir qu'elle connaissait quiconque à Toronto.

Et là, à la fin du communiqué, un détail me glace les sangs avec plus d'efficacité que si j'étais ligoté sur le toit du taxi.

Le corps de la victime a été retrouvé dans le square à côté de chez moi. Celui où j'emmène Sam.

Et pas n'importe où dans le square. Au milieu du bac à sable.

— Huit cinquante, m'annonce le chauffeur de taxi.

— Chez moi. Ah oui. Vous donner des sous.

— Normalement, c'est comme ça que ça marche.

Je m'allonge à moitié sur la banquette arrière en grommelant, à la recherche de mon portefeuille, quand le chauffeur me signale qu'un vent de folie souffle sur la ville.

— Les gamins vont à l'école avec des flingues, les flics prennent des bakchichs de tous les côtés, sans parler de toutes ces *drogues*. Toute cette merde qui transforme les gens en *robots*. Des robots prêts à vous enfoncer un couteau dans le ventre pour trois sous.

— Ne m'en parlez pas.

— Et maintenant cette espèce de cinglé d'enculé – sauf vot' respect – qui trouve le moyen de découper trois personnes en trois semaines. Trois semaines ! Y peut pas prendre des vacances, un peu ?

Je lui tends un morceau de papier que je serais bien incapable d'identifier dans le noir, surtout après mon orgie de cocktails. Un billet de vingt dollars ou bien un reçu du teinturier, je ne sais pas. Il a l'air de s'en contenter.

— Ça fait huit ans que je fais les nuits, ajoute le chauffeur pendant que je donne un coup d'épaule dans la portière et que je me déverse sur la chaussée. Eh ben, c'est la première fois que j'ai la trouille.

— Alors faites attention.

Le chauffeur me regarde de la tête aux pieds.

— Ah ouais ? C'est plutôt *vous* qui devriez faire attention.

Je regarde le taxi s'éloigner sur Euclid jusqu'à voir disparaître ses feux arrière. Les flocons de neige restent en suspens à la lueur des réverbères.

L'instant suivant, j'ai la certitude que je ne dois surtout pas me retourner. Pas si j'entends me persuader que je suis tout seul. Je monte sur le trottoir et vacille jusqu'à ma porte avant de m'apercevoir que je marche dans les traces d'un autre.

Des empreintes de bottes. Au moins deux fois ma pointure. Elles traversent le timbre-poste qui me sert de pelouse et rejoignent l'étroit passage qui sépare ma maison de celle du voisin.

C'est tout du moins la piste que je crois suivre. En me retournant, je m'aperçois que mes propres empreintes et celles des bottes sont déjà à demi recouvertes par un film de neige poudreuse.

Je suis le sol sous vos semelles…

Je pourrais sortir mes clés, ouvrir la porte d'entrée et oublier toutes ces idioties, mais quelque chose me pousse à poursuivre mon chemin le long du passage plongé dans l'obscurité. S'il y a danger, je dois l'affronter. Même dans mon état. Même si j'ai peur.

Il fait noir comme dans un four. À part la mince bande de ciel au-dessus de ma tête, les lumières de la ville ne parviennent pas jusqu'ici. Mon cœur bat si fort que j'en ai mal à la poitrine. Mes mains caressent la brique des deux côtés pour éviter que les murs se referment sur moi. Je n'ai qu'une dizaine de mètres à parcourir, mais l'enclos qui me sert de jardin au bout du passage me semble infiniment plus loin. J'ai l'impression de gravir une côte.

Et puis une autre impression, celle que quelqu'un d'autre a effectué le même trajet quelques instants plus tôt. *L'obscur inconnu des ruelles.*

À l'orée du jardin, je longe l'arrière de la maison, dos au mur. Les branches des arbustes vivaces dépassent de la neige comme autant de doigts crochus. Le vieil abri de jardin que je veux abattre depuis des années, appuyé contre le grillage, tient à peine mieux debout que moi.

Je monte en crabe les quelques marches de la terrasse. La porte-fenêtre coulissante est fermée. À l'intérieur, l'écran de la télé éclaire le salon. Un publireportage vante les mérites d'une machine à découper la viande en dés. Peut-être est-ce à cause de l'alcool, ou bien alors le côté rassurant des images qui défilent, mais je reste un moment sans bouger, à observer l'intérieur de ma propre maison. Les meubles dépareillés, le tapis usé, les rayonnages qui débordent. Comme s'il s'agissait du salon d'un inconnu. Ce qui est quasiment le cas.

À ceci près qu'il y a quelqu'un dans la pièce.

Sam. Assoupi, une bande dessinée des *Fantastiques* ouverte sur les genoux. Emma a dû lui donner la permission de m'attendre avant d'aller se coucher dans la chambre d'amis. Je regarde mon fils et je lis de l'inquiétude dans sa position, la preuve qu'il a voulu lutter contre le sommeil. Contre les cauchemars. Mon cœur se serre.

Je retire mes mains de la porte-fenêtre contre laquelle je m'appuyais. Je recule d'un pas, je fouille mes poches à la

117

recherche de mes clés. À l'instant où je les trouve, je découvre autre chose qui me pétrifie sur place.

Deux autres mains, au-dessus des miennes, imprimées sur la vitre de la porte-fenêtre. Visibles maintenant que j'ai fait un pas en arrière et que la buée de ma respiration les a figées sur le verre. Dix doigts et deux paumes, deux mains plus grandes que les miennes de plusieurs centimètres.

Il était là.

Il observait l'intérieur du salon, exactement comme moi, à la recherche d'un point d'entrée. Il a posé les yeux sur la silhouette endormie de mon fils.

Cette fois, je retire mes mains en effaçant délibérément les empreintes de l'autre. Une nouvelle trace disparue, une intuition mal placée. Une invention de mon imagination dépourvue d'imaginaire.

Des explications qui auraient le mérite de sembler rationnelles si elles n'avaient pas le défaut d'être difficiles à croire.

— Je serais curieuse de savoir à quoi vous pensiez en écrivant ces lignes.

La directrice de la rédaction affiche effectivement un semblant de mine curieuse.

La scène se déroule le lendemain matin. La directrice de la rédaction a étalé sur son bureau la une du *National Star* sur laquelle s'affiche mon papier, en marge de l'article principal : « La pédanterie paie parfois. »

— Vous voulez parler du titre ? J'ai toujours eu un faible pour les allitérations.

— Je veux parler de l'article lui-même.

— Je me suis dit qu'il fallait quelque chose de vivant.

La directrice de la rédaction baisse les yeux et lit à voix haute les phrases qu'elle a surlignées.

— « La cérémonie marque une pause, interrompue par les toussotements d'un public qu'étouffe manifestement l'hypocrisie ambiante. » « Il aurait été plus avisé d'accorder le prix au jury, dont les membres ont trouvé le courage de lire les œuvres des auteurs retenus. » « La médiocrité réunie des dix derniers lauréats du Dickie n'avait rien à envier à celle de ce pitoyable animateur de télévision vantant les mérites de la lecture. » Et ainsi de suite.

Ma patronne relève la tête.

— Quelque chose de *vivant*, Patrick ?

Je cherche désespérément le moyen de m'excuser. Je suis *sincèrement* désolé et les raisons ne manquent pas de lui prouver ma bonne foi. Mon deuil qui laisse progressivement place à un sentiment infiniment pire. Mon incapacité à écrire. Le monstre qui me traque.

— Je ne suis pas moi-même en ce moment.

— Ah bon ?

— J'ai l'impression de perdre les pédales, mais j'ai un petit garçon et je suis le seul à pouvoir...

— Si je comprends bien, m'interrompt-elle en tapotant l'article du doigt, ceci est un appel à l'aide.

— Oui, d'une certaine manière.

Elle décroche son téléphone.

— Qui appelez-vous ?

— La sécurité.

— Inutile.

— Je sais bien, mais l'idée de vous faire reconduire jusqu'à l'entrée de l'immeuble n'est pas pour me déplaire.

— La messe est dite, si je comprends bien.

— Tout à fait.

— Ça changerait quelque chose si je vous disais que je suis désolé ?

— Rien du tout, réplique-t-elle en levant le doigt pour me faire taire. Oui, j'aurais voulu que vous mettiez Patrick Rush dehors. Exactement, tout accès au bâtiment lui est définitivement interdit. Merci.

La directrice de la rédaction repose le téléphone et m'adresse un sourire qui n'en est pas un. Ses canines vengeresses me font clairement comprendre qu'elle aimerait m'étriper.

— Alors, Patrick. Comment se porte votre petite famille ?

12

Même avec tout le temps libre dont je dispose à présent, mon ultime contribution au cercle n'est guère plus reluisante que les précédentes. En quatre jours de chômage total, c'est tout juste si j'ai réussi à pondre une liste de courses plus ou moins transformée en phrases. Patrick fait la sieste. Patrick passe chez le teinturier récupérer du linge oublié depuis longtemps. Patrick fait réchauffer une soupe en boîte pour le déjeuner. Si j'avais choisi comme décor la dernière guerre ou la Dépression et si j'en avais fait quatre cents pages, j'aurais eu mes chances pour le Dickie.

Cela ne m'empêche pas de me rendre à Kensington le cœur battant alors que l'hiver commence à manifester des signes de faiblesse par cette belle fin d'après-midi de mars, où le thermomètre semble enfin décidé à remonter au-dessus de moins quinze. Un double express avalé en chemin m'a redonné une bouffée d'espoir. Un sursaut à la caféine qui me rappelle l'existence de quelques éléments positifs.

Tout d'abord, Sam a pris mon renvoi aussi bien qu'on pouvait l'espérer de la part d'un enfant de quatre ans. Il n'entend rien à l'argent. Ou aux remboursements de prêts. Ou aux difficultés auxquelles sont confrontés les auteurs au chômage. Il n'en est pas moins convaincu que son vieux papa sera capable de tirer un ou deux lapins de son chapeau s'il veut bien s'en donner la peine.

L'autre bonne nouvelle est que j'ai plus ou moins réussi à m'ôter de la tête les théories échafaudées au sujet du Marchand de Sable. Mon éloignement des salles de rédaction et des scoops sinistres de Tim Earheart a fait retomber ma paranoïa à un niveau acceptable. À la lumière du jour, les preuves que je croyais tenir du rapport entre le récit d'Angela et les meurtres de Carole Ulrich, Ronald Pevencey et l'inconnue de Vancouver ne tiennent guère la route. J'ai été chercher midi à quatorze heures dans mon analyse de ces quatre vers. Ce corps retrouvé sur une plage, cet autre dans un bac à sable, les empreintes de mains sur la vitre, tout ça n'a aucun sens. Des morceaux de bric et de broc mis bout à bout par un raisonnement douteux, sans parler des interrogations qui demeurent. Quelle raison pourrait bien pousser l'un des membres du cercle de Kensington à assassiner sauvagement des inconnus ? Et quand bien même le Marchand de Sable serait sorti du journal d'Angela, pourquoi s'en prendrait-il à moi ?

L'ultime réunion a lieu ce soir. Lorsque nous laisserons pour la dernière fois derrière nous les courants d'air de l'appartement de Conrad White, chacun repartira de son côté, s'évanouira dans la ville et reprendra sa place parmi la foule des aspirants écrivains, des poètes anonymes et des chroniqueurs cachés. Tout ce qui alimentait mes fantasmes depuis qu'Angela a entamé le récit de la petite fille disparaîtra définitivement. Et j'en serai ravi. J'apprécie les histoires de fantômes, comme n'importe qui d'autre, mais il faut savoir revenir sur terre le moment venu, reprendre pied dans un monde où les ombres sont seulement des ombres, où l'obscurité n'est que l'absence de lumière.

C'est la dernière fois que nous faisons le tour du cercle et j'avoue, à mon grand étonnement, que nous avons progressé par rapport à notre point de départ. Le rat d'Ivan, par exemple, s'est étoffé au point de prendre une épaisseur. Il émane des différents textes une mélancolie que je n'ai pas le souvenir d'avoir perçue lors des premières lectures. Même les récits d'horreur de Len, à force de révisions, paraissent moins répétitifs. Leur auteur a fini par comprendre qu'il n'était pas indispensable que le cerveau de *chacune* des victimes soit extrait à la petite cuillère pour que le lecteur mesure les motivations profondes des zombis.

Je profite des lectures pour observer attentivement Conrad White, à la recherche d'indices susceptibles de me confirmer la réalité de sa relation avec Evelyne. Mais le vieil homme se contente de poser sur elle le même regard bienveillant dont il nous gratifie tous. Peut-être est-ce elle qui est attirée par lui. Je doute qu'Evelyne soit son genre. J'imaginais plus volontiers la « fille parfaite » de *Jarvis et Wellesley* sous les traits d'une créature douce, fluette et innocente – même si cette innocence était feinte. Quelqu'un capable de ressentir davantage que de penser. Quelqu'un comme Angela.

Si Conrad White porte une attention particulière à l'un des membres du cercle ce soir-là, c'est d'ailleurs bien à elle. Je le surprends même en train de l'observer au milieu de la lecture de Len, alors qu'elle est de profil et qu'il peut la regarder sans qu'elle s'en doute. Je ne décèle aucune concupiscence dans son regard. Il reconnaît chez elle quelque chose qu'il a déjà vu, ou au moins imaginé, et il en est le premier surpris. Peut-être même est-il effrayé.

L'instant d'après, il me surprend en train de le fixer.

C'est à ce moment-là que je crois lire quelque chose dans ses yeux. Sans pouvoir en être certain, surtout dans cette semi-obscurité. Mais, à la seconde où nos regards se croisent, je devine que le Marchand de Sable a investi son univers, comme il a investi le mien.

C'est au tour d'Angela. Elle s'excuse de ne rien avoir apporté de nouveau cette semaine. Un soupir de déception monte collectivement de notre petite assemblée, suivi de remarques plus ou moins drôles sur le fait que nous ne saurons jamais comment est mort Jacob, ce qui s'est passé le week-end où Edra était hospitalisée, qui était le Marchand de Sable. Conrad White lui demande si elle a changé quoi que ce soit au reste du texte et elle lui avoue qu'elle n'a pas eu le temps. C'est ce qu'elle prétend, en tout cas. Si on me demandait mon avis, je dirais qu'elle n'a jamais eu l'intention d'y changer quoi que ce soit. Elle n'est pas venue là pour améliorer son style, mais uniquement pour partager cette histoire avec d'autres. Sans un public, la petite fille, Edra, Jacob et le monstre capable de choses monstrueuses ne seraient que des mots inertes sur le papier. Désormais, ils vivent en chacun de nous.

Après cet épisode, nous essayons de gagner quelques précieuses minutes en accumulant les commentaires, en demandant une nouvelle pause cigarette, mais il reste encore assez de temps pour le texte de William. Il occupe le fauteuil le plus proche de la porte, légèrement à l'écart du cercle, et nous avons cru pouvoir oublier sa présence. Mais quand Conrad White le sollicite, il se penche en avant, ses yeux se mettent à briller à la lueur des bougies et c'est comme s'il surgissait brusquement du rideau rouge d'une scène imaginaire.

Son texte est brutal comme de juste, mais du moins a-t-il le mérite d'être court. Une nouvelle page tirée de l'été sanglant de son écorcheur de chats. Cette fois, le jeune garçon a pris l'habitude de regarder sa mère « en plein boulot », à travers la fenêtre de sa chambre. Il voit « ce que lui font les hommes lorsqu'ils la chevauchent, le pantalon sur les chevilles, comme des animaux ». Le garçon n'éprouve ni honte ni dégoût, mais une sensation de clarté, « la découverte d'une vérité longtemps dissimulée sous le même mensonge ». Si nous sommes tous des animaux, conclut le garçon, quelle différence y a-t-il entre égorger un chien et faire subir le même sort aux visiteurs de sa mère ? D'ailleurs, quelle différence y aurait-il à faire la même chose à sa mère ?

Cette réflexion théorique mérite d'être passée au banc d'essai par le jeune garçon, convaincu d'être « un savant, un astronaute, le découvreur d'une vérité que personne n'a jamais vue ou envisagée ». Fort de sa conviction que nous sommes tous animés par les mêmes pulsions, il nous voit comme des « fourmis qu'on s'amuse à écraser sur le chemin ». Il entend en apporter la preuve en commettant « quelque chose qu'on lui a toujours dit être très mal ». À condition que son acte ne le change pas et ne change rien dans le monde, il aurait raison. Cette perspective « l'excite autant que les autres garçons à l'école quand ils embrassent une fille, mais ce n'est pas du tout à ça qu'il pense ».

William s'enfonce dans son fauteuil et la lueur qui dansait dans ses prunelles s'éteint brusquement. Son histoire s'arrête là. C'est à mon tour de réagir le premier et malgré ma capacité coutumière à enfiler les platitudes, je reste muet pour une fois. En désespoir de cause, je me lance après un long silence.

— Tout ça me semble très premier degré.

— C'est-à-dire ?

— C'est-à-dire proche du réel.

— Quel réel ?

— Un réel comme maintenant.

— Que fait-il ensuite ? s'interpose une voix féminine.

Nous nous tournons tous vers Angela. Elle cherche à percer le trou noir dans lequel s'est enfoncé William.

— Le jeune garçon ? Il finit par tenter… son expérience ?

À ce moment-là, William émet un bruit que nous regrettons tous d'avoir entendu. Il rit.

— Montre-moi d'abord ton histoire, laisse-t-il tomber.

La réunion terminée, Conrad White nous propose de nous rendre tous ensemble dans « quelque auberge locale » afin de célébrer dignement l'événement. Nous jetons notre dévolu sur Grossman's Tavern, un petit club de blues de Spadina Road dans lequel je ne suis plus retourné depuis l'époque où j'étais étudiant. L'endroit n'a guère changé. Un orchestre coincé au fond et le ruban rouge des trams que l'on voit passer de l'autre côté de la vitre. Le temps de réunir plusieurs tables et nous commandons un pichet de bière, tous un peu embarrassés à l'idée de parler de nous-mêmes et non plus de nos écrits, deux choses bien différentes malgré certaines similarités évidentes.

La bière aide les langues à se délier. Tout comme l'absence de William, qui s'est éloigné dans la direction opposée au pied de l'immeuble de Conrad White. Je suis incapable d'imaginer la façon dont il pourrait se comporter en société. Mangerait-il le pop-corn rance que nous apporte la serveuse? Parviendrait-il à trouver l'orifice de sa bouche au milieu de sa barbe au moment de porter un demi à ses lèvres? Il est encore plus difficile de se figurer ce qu'il dirait lors de la discussion qui s'installe tout naturellement sur les meurtres.

Je me pose la question lorsque Len interrompt mes pensées d'une voix qui couvre difficilement le solo du guitariste, emprunté note pour note à T-Bone Walker.

— Patrick, raconte-leur ta théorie.

— Pardon?

— Le poème. Dis-leur ce que tu m'as raconté. Au sujet du Marchand de Sable.

Les autres membres du cercle ont tourné la tête dans ma direction. Quant à Len, il s'agite sur sa chaise comme un singe à l'heure de recevoir sa banane.

— C'est un secret, Len.

— *C'était* un secret. Tu n'as pas lu le journal ce matin? Je croyais que tu travaillais là-bas.

— Plus maintenant.

— Ah. Ouah. Désolé. J'aimais bien les trucs du Zappeur Fou.

— Tu m'en vois très touché.

— Le poème, celui qu'ils ont retrouvé près du corps de cette Mme Ulrich. Eh ben, ils l'ont publié ce matin.

Je n'ai pas ouvert le *National Star* depuis le jour où je me suis fait virer, de sorte que je n'ai pas pu assister au triomphe de Tim Earheart. Cela signifie deux choses. *Primo*, mon pote aura décidé de fêter ça quelque part et il doit être soûl comme un cochon à l'heure qu'il est. *Secundo*, la police n'est pas plus avancée que le jour où elle a demandé à la direction du journal de ne pas mentionner ce poème.

— Alors ? Cette théorie au sujet du Marchand de Sable ? interroge Petra en se tournant dans ma direction avant de regarder Angela qui pose sur moi un regard dérangeant.

— Ce n'est rien du tout.

— Allez ! C'est génial ! insiste Len.

Je m'entête dans mon refus. Et puis Angela se penche en avant et pose sa main ouverte sur la table, comme pour m'inviter à y glisser la mienne.

— Je vous en prie, Patrick. Ça nous ferait plaisir à tous.

Alors je lui raconte. Je leur raconte.

Mon interprétation du Marchand de Sable paraît encore plus ridicule lorsqu'elle est criée à tue-tête dans un bar, les membres du cercle penchés vers moi en un petit groupe aussi comique qu'incongru. L'absurdité même de la situation me facilite la tâche, d'autant que j'ai pleinement conscience de la faiblesse de mon raisonnement.

L'ennui, c'est que les autres ne sont pas de cet avis. À les voir, il ne fait aucun doute qu'ils entretiennent les mêmes soupçons depuis quelques semaines. Ils croient autant que moi à l'existence du Marchand de Sable.

Mon explication terminée, je m'éclipse pour appeler Sam. Je tombe sur lui alors qu'Emma s'apprête à le mettre au lit. (Je lui souhaite de faire de beaux rêves et il me réclame des pancakes pour le petit déjeuner.) De retour à la table du cercle, je m'aperçois que la conversation hésite entre les problèmes domestiques – Petra n'en revient pas du prix que lui a demandé le plombier pour changer le robinet de son jacuzzi – et le sport – Ivan voudrait que l'équipe des Leafs se débarrasse de ce gros joueur russe qui patine très mal. Les pichets de bière défilent, entrecoupés de pauses cigarettes sur le trottoir. Je finis par commander une tournée générale de bourbon et me vois contraint de boire les verres d'Angela et de Len en m'apercevant qu'elle n'a pas touché au sien et qu'il ne boit pas d'alcool – je m'en souvenais parfaitement, vous pensez bien, mais c'était un moyen comme un autre de descendre impunément une double dose.

La suite devient très floue, mais certains détails méritent d'être mentionnés.

À un moment, je me retrouve seul avec Len au bout de la table. À l'autre extrémité, Conrad White et Evelyne, quasiment joue contre joue, chuchotent. Len avait peut-être raison. Ils échangent néanmoins leurs secrets d'un air grave qui cadre mal avec l'idée que je me suis toujours faite du flirt. Non pas que je sois expert en la matière.

Je me verse un verre en les observant lorsque Len s'adresse à moi d'un air tout aussi mystérieux.

— On m'a suivi hier soir. Je crois que c'était qui tu sais.

— Tu l'as *vu*?

— J'ai senti sa présence. Sa... sa voracité. Tu vois ce que je veux dire.

— Pas vraiment, non. Tu prends trop au sérieux ma théorie sur ce poème. C'est des conneries. Je disais ça pour rire.

— Tu ne disais pas du tout ça pour rire. En tout cas, j'ai senti sa présence. C'était bien lui.

— Lui? Qui ça, lui?

— Le loup-garou.

— Regarde-moi, Len.

— Je ne sais pas ce que c'était, mais c'était pas quelqu'un de normal comme toi et moi.

— Tu veux parler de William?

— J'aurais pu me dire que c'était William, mais uniquement parce qu'il est capable de changer de forme. C'est pour ça qu'ils n'ont pas de témoins. Réfléchis un peu. Personne ne sait à quoi ressemble le loup-garou parce qu'il prend la forme de ce qui te fait le plus peur.

Je dois bien reconnaître que ce dernier rebondissement ne me laisse pas aussi froid que j'aurais voulu paraître. La suite fait définitivement tomber mon masque de sérénité.

— Et je ne suis pas le seul.

— Tu as raconté aux autres ce que tu viens de me dire?

— Non, c'est eux qui m'en ont parlé.

— Et alors?

— Petra a vu quelqu'un dans son jardin y a deux jours, poursuit Len. La semaine dernière, Ivan ramenait son métro au dépôt à la fin de son service. Il roulait vite, les stations étaient toutes fermées, les quais déserts, quand il a vu d'un seul coup un type tout seul qui faisait mine de sauter. Sauf qu'il ne pouvait pas y avoir quelqu'un, d'accord? C'était la nuit, les stations étaient fermées. Le type en question n'était pas de la sécurité ou de la maintenance, il ne portait pas de veste fluo. En passant à sa hauteur, Ivan a essayé de voir son visage, et tu sais ce qu'il m'a dit? *Le type n'en avait pas.*

— Tu devrais arrêter de lire *Les Contes de la crypte*.

Je ponctue ma réponse par un rire forcé tandis que les autres reprennent place autour de la table après être sortis fumer. Len s'apprête à poursuivre, mais je saisis une cigarette dans le paquet qu'Evelyne a posé sur la table et je sors sur le trottoir avant qu'il ait eu le temps d'ouvrir la bouche.

Ce n'est qu'une fois dehors, en allumant la cigarette d'une main tremblante, que je prends le temps de réfléchir aux implications de ce que je viens d'apprendre. Soit Len est cinglé, soit il dit la vérité. Au mieux, l'histoire du Marchand de Sable nous fait voir des fantômes à tous les coins de rue. Au pire, il existe vraiment.

L'impression soudaine de ne plus être seul sur le trottoir fait dérailler le cours de mes pensées. Debout au coin de la rue, Petra parle avec véhémence dans son portable. Elle est déjà sortie tout à l'heure avec les autres fumeurs. C'est d'autant plus curieux qu'elle ne fume pas, et la voilà de nouveau dans le froid alors qu'elle se plaint fréquemment d'être frileuse. Elle ne m'a pas vu.

Une Lincoln s'arrête à sa hauteur. Une énorme Continental noire avec chauffeur, de celles qu'affectionnent les barons de la finance et les princes de l'industrie pour se rendre au bureau, au restaurant, chez leur maîtresse, à l'opéra, chez eux. Celle-ci est venue pour Petra.

Elle referme son portable d'un geste sec et la portière arrière s'ouvre de l'intérieur. J'aperçois un chauffeur en livrée noire derrière le volant. Petra s'entretient quelques instants avec un passager que je distingue mal en lançant des coups d'œil furtifs en direction du club, puis l'inconnu installé sur la banquette arrière semble lui donner un ordre. Cette fois, elle monte à bord de la limousine qui s'éloigne rapidement dans les petites rues de Chinatown, avec l'assurance d'un requin qui aurait avalé tout cru un petit poisson.

La façon dont Petra est partie sans dire au revoir à personne est pour le moins curieuse. Je m'étonne surtout de l'avoir vue monter dans la Lincoln, comme si elle n'avait pas le choix.

La soirée d'adieu du cercle de Kensington se termine comme on pouvait s'y attendre. On boit encore, on échange les derniers potins, on recommande aux autres les derniers bons livres qu'on a lus. Notre groupe se réduit peu à peu à mesure que les uns et les autres s'en vont en disant qu'ils doivent se lever le lendemain. Récemment relevé de mes obligations professionnelles, je reste, bien évidemment, vidant à moi seul les pichets de bière qui se succèdent toujours. Mes adieux s'éternisent tellement que je suis surpris, en fin de compte, de me retrouver seul avec Angela.

— J'ai l'impression qu'on va faire la fermeture, dis-je en lui proposant le fond du dernier pichet, mais elle pose la main sur son verre en signe de refus.

— Je crois que je vais rentrer.

— Attendez. J'avais une question à vous poser.

Je lui ai dit ça sans même savoir ce que je vais lui demander. Le fait de me retrouver brusquement seul avec elle m'excite et me fait bégayer tout à la fois.

— Votre histoire. Je la trouve... remarquable. Je veux dire, je la trouve super. Vraiment super.

— Je croyais que vous aviez une question à me poser.

— Je cherche à gagner du temps. Mon psy m'a dit un jour qu'on devenait alcoolique quand on commençait à boire tout seul. Inutile de vous dire, je ne suis jamais retourné le voir.

— Je peux vous demander quelque chose, Patrick ?

— Allez-y.

— Pourquoi étiez-vous le seul du groupe à ne pas écrire d'histoire ?

— Le manque d'imagination, je suppose.

— Vous auriez pu raconter votre vie.

— Je donne peut-être l'impression d'avoir une existence passionnante, mais derrière cette façade mystérieuse se cache quelqu'un de très ennuyeux, je vous assure.

— L'ennui n'existe pas. Il suffit de gratter suffisamment profond.

— Ça vous va bien de dire ça.

— Pourquoi ?

— Votre journal. Même s'il ne vous est arrivé que le dixième, vous avez des kilomètres d'avance sur moi.

— Vous semblez décrire les choses en terme de rivalité.

— Pourquoi, ce n'est pas le cas ?

Ce grincement dans ma voix ressemble à s'y méprendre à du dépit. J'ai beau m'éclaircir la gorge, il refuse de s'en aller, ce qui ne m'empêche pas de continuer.

— La plupart des grands écrivains ont vécu quelque chose de fort. Quelque chose d'extraordinaire. Pas moi. La mort d'un proche, oui. Le manque de chance. Mais rien qui sorte de l'ordinaire. Ce qui est idéal si vous cherchez uniquement à éviter les ennuis. Nettement moins bien si vous rêvez de devenir un créateur.

— Chacun d'entre nous porte en lui un secret.

— Il y a des exceptions.

— Il n'y aurait donc rien de surprenant, rien d'inhabituel chez vous, c'est ça ?

— Exactement. Je suis entièrement transparent. À cent pour cent.

C'est à qui fera baisser les yeux de l'autre. Angela ne se contente pas de m'observer, elle sonde mon âme.

— Je vous crois, déclare-t-elle enfin avant de vider sa bière. À la vôtre. En espérant qu'il vous arrive quelque chose un jour.

Il est tard. Le groupe de blues est en train de remballer et le barman multiplie les regards dans notre direction. Mais il y a chez Angela une sorte d'intensité voilée qui me pousse à rester, la prémonition d'aspérités invisibles qu'elle semble me mettre au défi de découvrir. Cela me ramène à tout ce que j'aurais voulu savoir. Des questions qui me trottent inconsciemment dans la tête depuis la première séance de lecture du cercle de Kensington. En désespoir de cause, je trouve la force d'en poser une.

— La petite fille de l'histoire. C'est vraiment vous ?

La serveuse emporte nos verres vides, puis elle revient et nettoie la table au vinaigre. Angela se lève.

— Vous avez déjà rêvé que vous étiez en train de tomber ? me demande-t-elle. Vous tournoyez dans l'espace, le sol se rapproche, mais vous êtes incapable de vous réveiller.

— Oui.

— La personne qui tombe dans votre rêve, est-ce vraiment vous ?

Angela affiche l'ombre d'un sourire.

Elle enfile son manteau et s'en va. Par la fenêtre, je la vois passer sur le trottoir sans m'adresser un regard. De l'endroit où je suis assis, je ne vois que le haut de son corps et elle flotte dans la nuit comme une apparition. Une femme, tête baissée dans le vent, à la fois visible et invisible. Lorsqu'elle finit par disparaître, je serais bien incapable de dire si elle a vraiment existé.

DEUXIÈME PARTIE

LE MARCHAND DE SABLE

13

MAI 2007, JOUR DE LA FÊTE DE LA REINE

C'est ma quatrième interview en cinq heures et je ne suis plus vraiment certain de m'exprimer de façon cohérente. D'abord, un journaliste du *New Yorker* censé brosser un portrait en quinze feuillets. Ensuite, une équipe de télé suédoise pour un documentaire, puis un reporter envoyé par *USA Today* qui souhaite avoir un avant-goût de mon prochain roman.

— J'ai décidé de prendre ma retraite.

J'ai beau insister, le type m'adresse un petit sourire entendu, l'air de dire : *Je sais ce que c'est. Dans le métier, on n'aime jamais abattre ses cartes trop tôt.*

Et maintenant un gamin envoyé par le *National Star*. À la minute où il s'assied en face de moi sans croiser mon regard, je sais qu'il a décidé de me descendre dans son papier. Il a la main molle, la lèvre et les joues humides de transpiration. Je me souviens vaguement de lui, un secrétaire de rédaction qui avait honte d'être originaire de Swift Current, un trou du Saskatchewan.

— Bien, commence-t-il en mettant en marche son dictaphone. Votre livre figure en bonne place dans la liste des best-sellers du *Times* de Londres depuis sa sortie. On parle d'une adaptation prochaine au cinéma avec des acteurs connus et vous êtes resté six semaines dans les meilleures ventes du *New York Times*. Ça faisait partie de votre plan depuis le début ?

— Mon plan ?

— Vous avez bien tenu compte du marché en écrivant ce livre, non ?

— Je ne me suis pas vraiment posé la question de…

— C'est bon. Pas la peine d'être sur la défensive. Je n'ai personnellement rien contre les romans de gare.

— Je loue votre magnanimité.

— Ce que je veux dire, ce livre… vous ne l'avez tout de même pas écrit sérieusement ?

— Pas le moins du monde. Je n'ai jamais été sérieux de ma vie.

Le gamin ricane et referme son carnet.

— Vous pensez vraiment *mériter* tout ce qui vous arrive ? Vous pensez vraiment que ce que vous avez fait…

Il s'interrompt et jette mon livre sur la table comme si c'était une merde.

— Vous n'allez pas me dire que ce truc-là possède la moindre vertu littéraire ?

Je le vois continuer à articuler, mais aucun son ne sort de sa bouche. Il rougit, son front se plisse, il se livre à des efforts surhumains pour trouver une formule lapidaire. Quant à moi, je fronce les sourcils en faisant semblant de fouiller dans ma mémoire. Soudain, mon visage s'illumine et je claque des doigts.

— Swift Current !

— Quoi ?

— Je cherchais depuis tout à l'heure d'où venait votre accent. Je viens de trouver : Swift Current ! Vous en avez de la chance, d'avoir grandi dans un endroit pareil, avec une vie culturelle aussi intense.

Je reconnais que le gamin est bien élevé. Il a déjà la main sur la poignée de la porte quand il s'aperçoit qu'il a oublié son dictaphone. Il revient sur ses pas, je lui tends l'appareil encore allumé et il a la courtoisie de me remercier.

Pour être tout à fait sincère, il a eu raison de me demander si je méritais un tel succès. La réponse est non. Et tandis que l'attachée de presse qui m'a cornaqué toute la journée en limousine, d'interviews en signatures en passant par un talk-show, remplit d'eau gazeuse mon verre et celui de Sam, je ne ressens que le vide propre au vampire, celui d'un être dont l'immortalité a fait l'objet d'un troc monstrueux.

— Tu as le trac, papa ? me demande Sam.

J'ai davantage honte qu'autre chose. J'ai honte et je m'en veux.

— Un peu.

— C'est ta dernière lecture, non ?

— Oui.

— Moi aussi, j'aurais le trac, à ta place.

Nous regardons tous les deux Toronto défiler de l'autre côté de la vitre. Un Toronto à la fois familier et inattendu. La ville d'Amérique du Nord par excellence. N'importe laquelle. À ceci près que nous sommes ici chez nous. La limousine glisse le long des façades en verre des buildings et traverse les voies de chemin de fer en poursuivant sa route vers Harbourfront, où je suis censé donner une lecture de mon premier roman. Un roman au succès bien embarrassant. Un roman signé Patrick Rush.

Cela fait quatre ans que le cercle de Kensington a conclu ses travaux. À l'époque, j'étais le seul à n'avoir aucune histoire à raconter parmi notre petit groupe d'écrivains en herbe. Je n'ai fréquenté aucun autre atelier d'écriture depuis. Mon rêve d'écrire s'était évanoui à jamais. Et j'en étais heureux. Libéré. Croyez-moi, c'est une vraie bénédiction de pouvoir se débarrasser d'un fardeau impossible, en dépit des cicatrices qui restent.

Voilà pourtant où j'en suis. Je suis invité dans des pays inconnus où mon livre a été traduit. Je mange et je bois à la table de romanciers célèbres – de *collègues*, devrais-je dire – dont j'ai lu les œuvres et que j'ai toujours admirés de loin. On me paie pour donner mon opinion dans des publications qui se contentaient jusqu'alors de m'envoyer de la publicité. Il faut bien le reconnaître, ce qui m'arrive est « surréel », ainsi que je l'ai moi-même écrit dans un autoportrait publié par *Vanity Fair*.

Aujourd'hui encore, à l'occasion de ce grand retour dans ma ville, alors que mes rêves les plus fous se sont réalisés, je suis conscient que rien de ce qui m'arrive n'est vrai.

— Nous y sommes presque, monsieur Rush, m'annonce l'attachée de presse.

Elle paraît inquiète. Je m'enfonce de plus en plus dans ce qu'elle croit être le refuge de ma créativité. Le ruminement de l'artiste. Je devrais peut-être tout lui dire. Tout lui avouer, là, dans cette limousine aux allures de confessionnal. Je crois même que je le ferais si Sam n'était pas là. Je lui dirais que mes silences n'ont rien à voir avec le ronronnement de l'imagination. La vérité, c'est que je cherche à ravaler ma honte pour tenir jusqu'au dernier sourire, jusqu'au dernier merci, jusqu'à la dernière signature sur la page de garde d'un roman qui porte mon nom alors qu'il ne m'appartient pas.

Une fois dans la salle, on m'offre de l'eau minérale et des fruits frais, on m'accorde le droit d'aller me laver les mains. J'apprends que la salle sera comble, on me demande si j'accepte de répondre aux questions du public après ma lecture. Les gens veulent savoir ce qu'on ressent lorsqu'on obtient un tel succès avec un premier roman. Je hoche la tête d'un air compréhensif. Moi aussi j'aimerais savoir quel effet cela procure.

Je traverse les coulisses plongées dans l'obscurité. Quelqu'un me chuchote de faire attention à la marche. Je me glisse à travers l'ouverture du rideau rouge, seul, et je découvre ma place au premier rang. L'attachée de presse, assise à côté de Sam, me fait signe de les rejoindre, comme si elle craignait de me voir faire demi-tour et disparaître.

L'organisateur de la rencontre monte à la tribune et commence par remercier les sponsors et les généreux donateurs qui ont rendu la chose possible, puis se lance en rapportant une anecdote amusante au sujet d'un échange qu'il vient d'avoir dans les coulisses avec l'auteur. Je ris à l'unisson du public en me disant que ce serait vraiment formidable si l'invité exquis dont il nous dresse le portrait existait vraiment. Si c'était moi.

Je me retrouve brusquement sur un terrain mouvant. Je voudrais que Tamara soit là. Une bouffée de chagrin m'étouffe.

— Mesdames et messieurs, sans plus attendre, j'ai l'immense plaisir de vous présenter notre ami et concitoyen Patrick Rush, qui va vous lire des extraits de son extraordinaire premier roman, *Le Marchand de Sable va passer*!

Applaudissements. Je me protège les yeux des mains afin d'échapper aux projecteurs, comme pour mieux protester contre ces débordements d'affection. Je lutte pour ne pas vomir sur le premier rang.

Silence. Raclements de gorge. Lunettes.

Début.

Il était une fois une petite fille hantée par un fantôme...

14

Une enveloppe ordinaire postée de Toronto. À l'intérieur, une coupure de journal. Pas de lettre. Un article découpé dans le *Whitley Register*, l'hebdomadaire d'une petite ville du nord de l'Ontario. Une tête d'épingle sur la colonne vertébrale du lac Supérieur.

L'article porte la date du vendredi 24 août 2003.

DEUX MORTS SUR LA TRANSCANADIENNE
Un écrivain et sa compagne tués dans un « accident »
de la route
par Carl Luben, de la rédaction

Whitley, Ont. – Deux personnes ont trouvé la mort tôt mardi matin lorsque leur véhicule s'est encastré dans les parois rocheuses de la Transcanadienne, à une vingtaine de minutes de Whitley.

Conrad White, 69 ans, et Angela Whitmore, d'âge inconnu, sont morts sur le coup entre 1 heure et 3 heures du matin lorsque leur véhicule a quitté la route pour des raisons indéterminées. À l'heure où nous mettons sous presse, on ignore encore d'où était originaire Mlle Whitmore, mais il semble que M. White résidait à Toronto. Les raisons qui avaient poussé le couple à se rendre dans la région de Whitley n'ont pu être établies.

M. White était l'auteur de *Jarvis et Wellesley*, une œuvre controversée qui avait fait couler beaucoup d'encre au moment de sa publication, en 1972. Après avoir passé de nombreuses années en Europe, il n'était rentré que récemment au Canada.

Pour le moment, la police n'a pas été en mesure d'entrer en contact avec la famille d'Angela Whitmore, les divers documents retrouvés dans la voiture n'ayant pas permis de localiser ses proches. Les personnes susceptibles d'apporter des informations sur elle sont invitées à prendre contact avec les services de police de l'Ontario.

La police n'a pu établir les causes précises de l'accident. « C'est assez étrange », déclarait le brigadier Dennis Peet sur les lieux mêmes du drame. « Aucun autre véhicule ne se trouvait sur place au moment des faits et nous n'avons retrouvé aucune trace de freinage, ce qui rend peu probable l'hypothèse d'une sortie de route due à une voiture venant en sens inverse ou à un animal qui aurait traversé la route. »

De l'avis des enquêteurs, la voiture roulait à plus de 140 km/h au moment du drame. La vitesse du véhicule, tout comme le fait que la route était droite à l'endroit de l'accident, semble exclure la possibilité que la conductrice, Mlle Whitmore, se soit endormie au volant.

« La seule chose dont on est sûrs, avec un accident de ce genre, c'est qu'on ne saura jamais ce qui s'est passé », concluait le brigadier Peet.

Avant même de penser aux deux victimes, je me suis demandé qui avait bien pu m'envoyer cette coupure de presse. Un membre du cercle, probablement. Qui d'autre savait que je connaissais Conrad White et Angela ? Mais pourquoi avoir gardé l'anonymat ? Petra a pu se croire obligée de me mettre au courant sans vouloir que je vienne sonner à sa porte. Ou alors Evelyne, soucieuse de ne pas envoyer un courrier ringard. Le plus probable de tous était encore Len. Je le voyais bien apprendre la nouvelle en furetant sur Internet et entretenir le mystère en oubliant de mettre son nom sur l'enveloppe.

Comme toujours lorsqu'il s'agissait du cercle, les explications rationnelles finissaient inévitablement par déboucher sur des théories plus inquiétantes. En clair, sur William. À peine avais-je pensé à lui que d'autres questions se posaient. Que pouvaient bien fabriquer Conrad White et Angela dans ce trou paumé ? Pourquoi Angela roulait-elle aussi vite ? De là à penser que William était non seulement l'expéditeur de l'enveloppe, mais également l'auteur de l'accident, il n'y avait qu'un pas.

Ce n'est que plus tard, alors que j'étais seul dans la crypte, que la mort de Conrad et d'Angela m'a bouleversé. Abandonnant un *Time* vieux de trois mois sur lequel je n'arrivais pas à me concentrer, je me suis aperçu que mon cœur battait à tout rompre et que j'avais la nuque trempée de sueur. Un mouvement de panique. Soudain étouffant. Le genre de crise qui m'arrivait souvent depuis la mort de Tamara. Sauf que je connaissais à peine les deux personnes dont la mort me bouleversait.

Ce n'était pas tout à fait vrai.

Car c'était la mort d'Angela qui m'empêchait de respirer. L'auteur d'une histoire dont je ne connaîtrais jamais la fin.

Après la soirée à la Grossman's Tavern, l'assassin que j'appelais le Marchand de Sable s'était arrêté de tuer. Jamais la police n'avait résolu les meurtres de Carole Ulrich, de Ronald Pevencey et de l'inconnue de Vancouver, dont on avait fini par apprendre qu'elle se nommait Jane Whirter. Malgré une prime de cinquante mille dollars et une poignée de communiqués insistant sur les efforts des enquêteurs, la police avait fini par reconnaître qu'elle n'avait aucune piste, et encore moins de suspect. On supposait le meurtrier parti ailleurs.

Pourtant, je ne pouvais pas m'ôter de la tête que les meurtres étaient liés au cercle d'une façon ou d'une autre. La séduction égoïste de la coïncidence qui permet de s'approprier les tragédies plus globales en se demandant ce que l'on faisait lorsque s'écroulaient les tours jumelles, lorsque Kennedy était assassiné, ou lorsqu'un tueur en serie découpait quelqu'un en morceaux dans le square au coin de la rue.

J'avais beau savoir tout ça, je ne pouvais me résoudre à croire que le Marchand de Sable avait pris sa retraite. Les

ombres que je distinguais parfois du coin de l'œil deve-
naient le *quelque chose* de la coïncidence. Une rémanence
du destin.

Quelques semaines après la dernière réunion du cercle,
j'ai aperçu Ivan sur Yonge Street. Debout sur le trottoir, il
semblait ne pas savoir où aller. Derrière lui, le fronton du
Zanzibar clignotait dans une débauche de néons tour-
noyants, et j'ai traversé la rue.

— Ivan, l'ai-je salué en lui posant la main sur le coude.

Il m'a regardé comme si j'étais un flic en planque, prêt à
lui mettre la main au collet.

— Vous vous souvenez de moi, Ivan?

Visiblement, non.

— Patrick. Du cercle. Le cercle d'*écriture.*

Ivan a lancé un regard par-dessus mon épaule. En direction de l'entrée du Zanzibar.

— Vous avez le temps de prendre un verre? a-t-il
proposé.

Laissant derrière nous la lumière du jour, nous nous
sommes installés dans un coin. Plusieurs danseuses répé-
taient leurs acrobaties le long de la barre verticale, d'autres
ajustaient leurs implants devant les glaces fumées ou s'ap-
pliquaient de la lotion sur le corps.

J'ai commencé par lui poser quelques questions sur ses
textes (« J'ai deux ou trois idées qui traînent »), sur son
boulot (« Toujours les mêmes rails, toujours les mêmes tunnels »), et puis un long silence s'est installé. Je m'attendais à
ce qu'il me pose des questions similaires, mais ça n'a pas
été le cas. Sur le moment, j'ai attribué son mutisme au
décor ambiant. Avec le recul, je crois que j'avais tort. Il
s'agissait d'une gêne comparable à celle qui avait accompagné notre première discussion, en sortant de chez Petra.
C'était la solitude qui le rendait muet.

Je me suis excusé, prétextant une envie d'aller aux toilettes, et Ivan a eu la mauvaise idée de me suivre. C'est seulement au moment où nous étions l'un à côté de l'autre
face aux urinoirs qu'il s'est mis à parler.

Les discussions entre mecs, la queue à la main, se résument généralement à peu de chose. Des sujets qui ne mangent pas de pain, comme les atouts de la fille qui sert au bar ou encore les derniers résultats de votre équipe de hockey favorite. Il est nettement plus rare d'avouer à son voisin qu'on n'ose plus voir personne depuis qu'on a été accusé de tuer sa nièce quatorze ans plus tôt, comme me l'a chuchoté Ivan ce jour-là.

— Elle s'appelait Pam. L'aînée de ma sœur, a-t-il commencé. Elle avait cinq ans. Le père était parti un an plus tôt. Un sac à merde. Julie, ma sœur, travaillait pendant la journée, et vu que je fais les nuits, elle me demandait régulièrement de venir garder Pam chez elle. Pas de problème. Une gamine comme j'aurais aimé en avoir si jamais j'avais des gosses. Ce qui ne risque pas d'arriver. Bref, j'étais chez Julie ce jour-là et Pam me demande si elle peut descendre à la cave chercher des jouets. En la voyant partir en courant dans le couloir et se précipiter dans l'escalier, je me suis dit : « C'est la dernière fois que tu la vois vivante. » Je sais bien, on pense ça tout le temps quand on garde un gosse. Mais cette fois-là, j'ai pensé : « Ce coup-là c'est la bonne, la petite Pam va se tuer », et l'idée a persisté plus longtemps que d'habitude. Assez pour l'entendre rater la marche. Je traverse le palier, j'allume la lumière. Elle est par terre. Couverte de sang. Elle est tombée sur un truc, un râteau que quelqu'un avait laissé traîner. Un râteau d'autrefois, comme un peigne, avec des dents métalliques. *Dans le mauvais sens.* Mais ce n'est pas tout. Julie a cru que c'était moi. C'était ma seule famille. La police a mené son enquête sans rien pouvoir prouver, ils me soupçonnaient mais ils ont fini par laisser tomber. Depuis, Julie ne me parle plus. Je ne sais même pas où elle vit aujourd'hui. La fin d'une vie. De *deux* vies. C'est comme ça. Sauf que je suis toujours là.

Il se secoue, referme sa braguette, s'en va sans se laver les mains.

Le temps que je retourne à la table et Ivan commandait une tournée. J'ai dit à la serveuse que je ne voulais rien.

— Bon, alors à un de ces jours.

Je ne suis pas sûr qu'Ivan m'ait entendu, il regardait fixement les filles frotter leur corps huileux sur la barre.

Avant de sortir, je me suis retourné et je lui ai adressé un petit signe de la main, mais il n'a pas bougé. J'ai remarqué qu'il ne regardait pas les danseuses, mais le plafond, ou plutôt le vide, ses mains blanches inertes le long du corps.

Len, le seul à qui j'avais donné mon numéro après nos réunions, m'a appelé une fois. Il voulait me proposer de se voir pour « parler boutique » et j'ai accepté, pour une raison ou pour une autre. Peut-être parce que j'étais plus seul que je ne le croyais.

Je lui ai donné rendez-vous au Starbucks du coin de la rue et j'ai compris que j'avais eu tort à l'instant où sa silhouette épaisse s'est encadrée dans l'entrée. Non pas que les choses se sont mal passées. On a discuté des efforts qu'il avait fournis pour dépasser le stade des romans d'horreur et devenir un écrivain « pour de bon ». Il avait envoyé plusieurs nouvelles à diverses revues littéraires et se réjouissait d'avoir reçu « des lettres de rejet assez encourageantes ».

C'est ce même jour que Len m'a rapporté les potins qui couraient au sujet de Petra. Son ex-mari, Léonard Dunn, avait été arrêté pour escroquerie, chantage et tentative d'extorsion. On soupçonnait surtout M. Dunn d'entretenir des liens étroits avec le milieu. Len et moi avons plaisanté sur le fait que l'immense maison de Petra avait été construite avec de l'argent blanchi, mais j'ai préféré garder pour moi la scène survenue le dernier soir devant chez Grossman, lorsque j'avais vu Petra monter à contrecœur dans une Lincoln noire.

Rien d'autre. Ni lui ni moi n'avons fait allusion à William, Angela et les autres – c'était avant que je sois au courant de l'accident survenu près de Whitley. C'est tout juste si nous avons évoqué les méfaits du Marchand de Sable. Len m'avait pourtant donné l'impression d'être aussi peu convaincu que moi qu'il ne ferait jamais plus parler de lui, comme semblait le croire la police.

Sur le trottoir, nous nous étions promis de nous revoir rapidement, mais aucun de nous deux n'avait vraiment envie d'y croire. En fait, il aura fallu plusieurs années et des circonstances étrangères à toute notion d'amitié pour qu'on se retrouve…

Dans les interviews, je prétends toujours avoir entamé l'écriture du *Marchand de Sable va passer* lorsque mon indemnité de licenciement du *National Star* a fini par s'épuiser, mais ce n'est pas tout à fait exact. Si le fait d'écrire se déroule en partie dans la tête, loin de tout stylo ou clavier, j'ai commencé très tôt à combler les trous dans le récit d'Angela.

Dès la fin des travaux du cercle, au cours des semaines pénibles pendant lesquelles j'étais assailli d'avis de relance de la banque et de courriers d'huissiers, je cherchais inconsciemment à imaginer les actions passées et futures de la petite fille, de Jacob, d'Edra et du monstre capable de choses monstrueuses.

Je ne dirais pas que ces divagations m'apportaient du réconfort. Il serait plus juste d'affirmer que le récit d'Angela me permettait de survivre. Par égard pour mon fils, j'avais besoin de me plonger dans une histoire d'horreur imaginaire afin de mieux échapper à l'horreur de notre quotidien. Malgré la présence de Sam, j'étais seul. Nous avions déjà perdu Tamara. Comment lui avouer qu'on allait perdre la maison et que papa perdait la boule ?

J'ai compris que le Marchand de Sable pouvait me sauver. Il me fournissait un but, quelque chose qui m'appartenait.

Mais j'avais tort. Le Marchand de Sable avait son propre programme et il n'attendait que mon bon vouloir pour prendre son envol.

15

J'ai volé l'histoire d'Angela, c'est vrai. Mais ce n'était pas un roman. J'ai repris ses personnages, sa trame, son décor, imité son style et même recopié des pages entières des lectures que j'avais enregistrées, mais si l'on s'en tient au volume global du texte, le gros du *Marchand de Sable va passer* m'appartient.

Il m'a fallu nourrir l'intrigue, j'ai bien été obligé de faire office de *créateur* pour écrire un roman de plusieurs centaines de pages avec le peu dont je disposais. Il manquait notamment au livre ce qu'Angela n'avait pas fourni elle-même : une fin.

Après des mois et des mois passés à gratter des idées sur des fiches dont la plupart finissaient à la poubelle, j'ai finalement réussi à imaginer quelques circonvolutions personnelles dont je vous ferai grâce ici.

Disons que j'ai décidé d'en faire une histoire de fantômes.

J'ai bien conscience d'avoir commis un plagiat. Je n'ai jamais cru un seul instant que j'avais apporté suffisamment d'éléments au *Marchand de Sable va passer* pour qu'il devienne une œuvre strictement personnelle. Je me suis absous de ce crime en me disant qu'il s'agissait d'une simple distraction, de rien d'autre. D'une sorte de thérapie pendant les heures où Sam dormait, où la télé crachait ses miasmes habituels, où les phrases de mes romans préférés flottaient dans le désordre devant mes yeux.

Même le livre terminé, jamais je n'ai voulu me présenter comme son seul auteur. En partie parce que ce n'était pas le cas, mais également pour une autre raison.

J'ai toujours envisagé l'écriture de ce roman comme une sorte d'échange entre Angela et moi. J'ai lu des dizaines d'interviews dans lesquelles de véritables écrivains expliquent travailler en présence d'un public, d'un lecteur idéal capable de comprendre leurs intentions. Dans mon cas, il s'agissait d'Angela. C'étaient ses yeux qui couraient sur l'écran à mesure que le texte s'y imprimait. Le spectre d'Angela ne m'a jamais quitté tant que s'écrivait notre histoire de fantômes.

Et puis je me suis demandé un jour si notre livre était si mauvais que ça. Celui que j'avais écrit avec Angela. Sauf qu'Angela était morte.

Qu'allaient bien pouvoir penser *les autres* de notre œuvre commune ?

Ce n'est même pas ce raisonnement douteux qui m'a perdu. Mon erreur a été d'imprimer plusieurs tirages du texte, de les glisser dans des enveloppes et de les envoyer, *par curiosité*, aux principaux agents littéraires new-yorkais.

Une erreur fatale.

16

À l'image de beaucoup de romanciers, je fournis la même réponse banale à tous ceux qui m'interrogent sur mes motivations : « J'ai toujours voulu écrire. » Ce n'est pas tout à fait vrai. Je voulais écrire, oui, mais je souhaitais plus encore être un *écrivain*. Le texte ne prenait un sens que s'il était publié. J'avais envie de devenir un nom sur une couverture, d'appartenir à la confrérie de ceux qui figurent par ordre alphabétique sur les rayonnages des librairies et des bibliothèques. Les génies, les géants et les oubliés. Les vivants et les morts.

Jusqu'au jour où mon désir le plus cher a été de ne plus en faire partie.

Ce à quoi j'avais attaché tant d'importance est peu à peu devenu un fardeau, une invention dont le seul but était de compliquer une vérité pourtant cruellement simple. *La vie est une vacherie, et puis un jour on meurt*, comme on lisait autrefois sur certains T-shirts.

Je me contenterais volontiers de tenir mon volant de père à deux mains, avec son lot de barbecues le week-end, de vacances organisées, de westerns et autres Hitchcock loués en DVD. Je n'éprouverais plus le besoin de dire *quelque chose*, de me tenir à l'écart de la masse, à la fois isolé et furieux. J'intégrerais au contraire la grande famille de mes sœurs et frères de consommation. Libre de ne plus continuer à se chercher.

Il m'arrive de me promener avec Sam, de lui lire une histoire, ou bien encore de préparer des œufs brouillés et de m'arrêter en plein milieu de ma balade, de ma lecture, de ma préparation culinaire, pétrifié d'amour. J'essaie de me contrôler pour son propre bien. Même à son âge, on possède un sens aigu de la pudeur et j'ai conscience d'être à côté de la plaque quand je lui dis d'une voix tremblante à quel point il est formidable, à quel point il ressemble à sa mère et tout le reste. Cela ne m'empêche pas de le faire. De temps en temps.

Ce sont des plaisirs tels que ceux-là que le *Marchand de Sable va passer* m'a ôtés. Toute l'attention accordée à l'auteur d'un premier roman à succès – les rencontres dans les salles paroissiales, les interviews de quarante secondes sur les grandes radios (« Alors, Pat, génial votre bouquin. Vraiment. Mais, entre nous, votre favori pour le Super Bowl ? »), voire quelques invitations à coucher (poliment refusées) émanant d'animatrices de clubs de livres ou de Sylvia Plath[1] de campus – s'est trouvée gâchée par l'absence et l'éloignement de mon fils.

— T'es *où*, papa ?

Je me souviens de cette question de Sam, un soir au téléphone, en pleine campagne de promotion, alors que je n'avais pas le moral.

— Je suis à Kansas City.

— C'est où ?

— Je ne sais pas très bien. Au Kansas, je crois bien.

— Comme le Magicien d'Oz.

— Exactement. Dorothy, le chien Toto, « Over The Rainbow ».

Sam n'a rien répondu pendant un long moment.

— Papa ?

— Oui ?

— Tu te souviens quand Dorothy claque trois fois des talons. Tu te *souviens* ? Tu te souviens de ce qu'elle dit ? « On n'est vraiment bien que chez soi. »

---

1. Poétesse et écrivain américaine (1932-1963), parangon de la sensibilité féminine aux yeux des féministes dans les pays anglo-saxons. *(N.d.T.)*

Le fait que le *Marchand de Sable va passer* ne soit pas vraiment de moi n'a pas aidé. Chaque fois que paraissait un compte rendu flatteur, que s'allongeait la file d'attente de mes admirateurs dans une librairie ou que je recevais une lettre de lycéen affirmant à quel point j'étais *balèze*, j'entendais dans ma tête la voix enregistrée d'Angela chez Conrad White et la satisfaction du moment s'évanouissait aussitôt.

Il y avait aussi la peur que quelqu'un découvre le pot aux roses. Je n'avais revu aucun des membres du cercle de Kensington depuis la sortie du *Marchand de Sable va passer*, mais l'un d'entre eux pouvait très bien tomber sur le livre, reconnaître l'histoire d'Angela et s'empresser d'en parler à la presse. Pis encore, Evelyne ou Len pouvaient venir frapper à ma porte et me demander de l'argent en échange de leur silence. Ou alors William. Je savais déjà que j'accepterais de payer. Je n'avais pas agi correctement. Il ne me viendrait pas à l'idée de le nier. Mais j'étais coupable d'un crime sans victime et il suffisait que quatre personnes gardent le silence pour continuer à vivre en paix mon existence d'imposteur.

Dès mon retour à Toronto après la tournée de promotion, je me suis précipité sur le courrier qui s'était accumulé sur mon bureau dans la crypte, m'attendant à découvrir une lettre de chantage dans la pile, mais il n'y avait que les factures habituelles.

La vie a repris son cours normal, quel que soit le degré de normalité que nous allions désormais partager avec Sam. Nous avons regardé beaucoup de films. Nous avons fréquenté les petits restaurants du quartier, assis au comptoir l'un à côté de l'autre. Pendant un temps, nous avons vécu une période de vacances dont nous n'avions jamais rêvé.

J'avais constamment la hantise de tomber sur quelqu'un du cercle. Toronto est une grande ville, mais pas suffisamment grande pour éviter de croiser les gens qu'on voudrait ne jamais revoir. J'étais convaincu de me faire prendre un jour ou l'autre.

Je portais des casquettes de base-ball et des lunettes noires chaque fois que je sortais. Je prenais des rues de traverse. J'évitais de croiser le regard des passants. J'aurais pu me croire de nouveau poursuivi par le Marchand de Sable. Chaque recoin semblait prêt à m'avaler, sans que je puisse deviner ce qui m'attendait dans les entrailles de la terre.

17

Je lève les yeux de la page que j'étais en train de lire. Je fronce les sourcils sous l'effet des projecteurs. Des grains de poussière tournoient dans la lumière crue, tels des atomes en orbite. S'il y a des gens dans la salle, je n'ai aucun moyen de le savoir. Ils ont peut-être décidé de s'enfuir, dégoûtés, en découvrant que je n'étais pas celui que je prétendais être. Ou alors ils ont decidé d'attendre que la police vienne me passer les menottes.

En fait, ils se contentent d'attendre. D'attendre le mot que réclament tous ceux qui viennent d'entendre l'histoire d'Angela pour dissiper le sort qui les a envoûtés.

— Merci.

Un papillonnement qui strie la lumière jaune, celui de centaines de mains qui applaudissent.

Sam est là, sur le bord de la scène, qui sourit à son père avec soulagement.

Je le prends dans mes bras et l'embrasse.

— C'est terminé, lui dis-je dans un murmure.

Malgré les regards de ceux qui nous observent, il me rend mon baiser.

— Il est temps de rejoindre la table où je vous ai installé pour la signature, m'annonce l'attachée de presse en me prenant par le coude.

Je repose Sam, que le chauffeur doit raccompagner à la maison au volant de la limousine, et me laisse guider par l'attachée de presse. Le temps de franchir une petite porte et je découvre une pièce brillamment éclairée au fond de laquelle se dresse une table avec un stylo plume, une bouteille d'eau et une rose dans un vase. Deux jeunes types se tiennent derrière une caisse, entourés de piles impressionnantes du roman. J'ai vu et revu cette couverture des centaines de fois, j'ai passé ma vie à épeler le nom de famille qui s'y étale, mais j'ai l'impression de les découvrir pour la première fois.

Les portes de l'auditorium s'ouvrent à l'instant où je franchis le cordon de velours censé canaliser la foule des chasseurs d'autographes. Toutes ces rangées soigneusement alignées m'évoquent le parcours des bovins à l'abattoir.

Et ils arrivent. Sans parler de foule – après tout, ce sont des *lecteurs*, ultimes défenseurs de la civilisation avec leurs jupes à fleurs, leurs pantalons de velours à grosses côtes et leurs sacs à main de toile –, ils manifestent une certaine impatience et jouent des coudes pour mieux acheter leur édition originale, me la faire dédicacer et repartir le plus rapidement possible avant que le parking se trouve embouteillé.

À quoi ressemblerait ma tâche si le livre était vraiment le mien ? Je soupçonne qu'elle serait diantrement agréable. Une rencontre au sommet entre deux espèces en voie de disparition, l'auteur et le lecteur, acteurs complices d'un même mouvement de résistance secret. Servie avec les flirts et encouragements de rigueur. Au lieu de quoi j'ai trouvé mon rythme de croisière. Tête baissée, je coupe court à toute tentative de conversation. Je n'ai envie que d'une chose, rentrer chez moi. Retrouver Sam avant qu'Emma l'ait mis au lit. Avec peut-être assez de temps pour lui lire une histoire.

Un nouvel exemplaire du livre glisse jusqu'à moi, ouvert sur la page de garde. Stylo levé, j'attends.

— Écrivez ce que vous voulez à condition d'éviter les formules toutes faites du style « Cordialement ».

Une voix de femme, à la fois culottée et moqueuse, dépourvue pourtant de cette rondeur indispensable aux mots lorsqu'ils ne sont pas porteurs de sous-entendus méchants.

Je lève la tête, le livre se referme avec un soupir.

Angela. Angela qui me toise avec un sourire carnivore. La même Angela, mais différente. Tailleur-pantalon, coupe de cheveux élaborée. Sûre d'elle, florissante, sexy. La sœur aînée d'Angela. Celle qui n'est pas morte dans un accident de voiture en compagnie d'un vieil auteur salace et qui n'a jamais vu l'intérêt qu'il pouvait y avoir à écrire des romans.

Vous êtes morte.

La phrase a failli jaillir d'elle-même.

— Comment, vous ne me demandez pas si je continue à écrire ? s'étonne une Angela bien vivante.

— Vous continuez à écrire ?

— Pas avec autant de succès que vous, apparemment.

L'attachée de presse s'approche d'un pas. La femme qui fait la queue juste derrière Angela avance de quelques centimètres. Des toux appuyées s'élèvent des rangs. Quelqu'un marque son impatience de la pointe d'une Birkenstock.

Angela reste aimable, mais son attitude a changé. Son sourire s'est raidi.

— Vous avez… ?

Elle donne l'impression d'avoir oublié ce qu'elle voulait dire. Elle se penche vers moi.

— Vous avez revu les autres ?

— Quelques-uns, par hasard.

Angela médite ma réponse, comme s'il s'agissait d'une énigme. Derrière elle, la femme avance d'un pas. C'est tout juste si elle ne pose pas une tête de plus en plus rouge sur l'épaule d'Angela.

— Peut-être pourriez-vous discuter avec M. Rush *après* la séance de dédicace, suggère l'attachée de presse en mettant toute la grâce possible dans cet avertissement.

— Il me semble…

Angela s'arrête de nouveau. Je me demande si elle va passer à l'attaque. Me gifler. Me brandir sous le nez une plainte en justice. Mais ce n'est pas ça. La suite de sa phrase me montre qu'elle n'est pas fâchée. Elle a peur.

— Il me semble… Il se passe quelque chose.

L'attachée de presse tente de se glisser entre Angela et la table.

— Puis-je vous aider? demande-t-elle en faisant mine de la prendre par le bras.

Angela recule d'un pas.

— Je suis désolée. Vraiment désolée, murmure-t-elle en poussant le livre dans ma direction. Juste le temps de demander une dédicace.

La file entière s'impatiente. La personne suivante s'est placée à côté d'Angela et son acte de rébellion menace de rompre l'équilibre général en faisant naître une seconde file. Effrayée à l'idée d'un tel bouleversement, l'attachée de presse soulève la couverture du livre et me présente la page de garde.

— Voici, annonce-t-elle.

Je signe. Rien que ma signature, dans un premier temps. De peur de paraître désespérément impersonnel, je gribouille une ligne au-dessus de mon nom.

Aux vivants

— Je vous souhaite une bonne lecture, dis-je en tendant le livre à Angela.

Elle s'en saisit, tout en continuant à me regarder fixement.

— Le titre m'intrigue au plus haut point.

La femme en Birkenstock n'en peut plus. Elle laisse tomber son exemplaire du livre qui s'écrase sur la table. Au bruit, toute la file sursaute.

Au même instant, Angela agrippe l'avant de la table de sa main libre et murmure quelques mots dans ma direction. Je me lève de ma chaise pour l'entendre.

— Il faut que je vous parle, me glisse-t-elle en écartant la paume de la main afin que je saisisse la carte qui s'y trouve.

D'un mouvement brusque, elle repousse l'attachée de presse qui tente de la diriger vers la sortie, s'éloigne d'un pas mal assuré et disparaît.

— Ça m'a beaucoup plu, déclare la femme en Birkenstock lorsque je parviens enfin à prendre d'une main
encore tremblante le livre qu'elle me tend. Mais je n'ai pas
totalement adhéré à la fin.

TROISIÈME PARTIE

LES VOLEURS D'HISTOIRES

18

ÉTÉ 2007

Je n'irai pas jusqu'à prétendre que le climat est le principal atout de Toronto. Pas si l'on aime que les saisons soient un enchaînement logique de périodes transitoires. La ville connaît de longs mois d'une chaleur équatoriale et une période, plus longue encore, d'un froid intense et douloureux, le tout séparé par deux intermèdes de trois journées agréables qui portent le nom de printemps et d'automne.

Ce matin, par exemple, mon radio-réveil me tire du lit en annonçant la quatrième canicule de l'année alors que nous venons tout juste d'inaugurer le mois de juin. Des « centres de rafraîchissement d'urgence » ont été installés dans les lieux publics afin que les SDF puissent s'écrouler tranquillement sur les dalles de marbre des édifices municipaux jusqu'à la tombée de la nuit. On conseille à la population de ne pas sortir, de ne pas laisser le soleil entrer en contact avec la peau, de ne pas bouger, de ne pas respirer. Autant d'avertissements caducs, naturellement, puisque les gens sont bien obligés de travailler et, pis encore, *d'aller* travailler. Après avoir déposé Sam au centre aéré, je remonte Queen, la poitrine marbrée de traînées de sueur, en regardant d'un air sombre les passagers des tramways qui prennent leur mal en patience dans les embouteillages.

Je tourne sur College et longe une rangée de maisons victoriennes, toutes ceintes de barrières protégeant des pelouses microscopiques que l'on pourrait tondre à la pince à épiler. Je m'efforce de rester sous la protection des arbres, mais la chaleur n'est pas la seule raison qui ralentit mon pas. J'ai rendez-vous avec Angela.

La carte qu'elle m'a glissée dans la main lors de la signature de Harbourfront était vierge, à l'exception d'un numéro de téléphone portable, griffonné à la hâte, sous lequel était écrit *Appelez-moi*. Je n'avais aucune envie de le faire, pleinement conscient que rester en contact avec une femme que j'avais gravement lésée et qui, à en croire le journal, ne faisait plus partie du monde des vivants, ne pouvait rien m'apporter de bon.

À présent, alors que je zigzague sur le trottoir comme un alcoolique, les jambes cotonneuses sous l'effet de la chaleur, je me demande pourquoi j'ai appelé. Sans doute ai-je réagi à la même impulsion qui m'a poussé à enfoncer la touche « Enregistrer » la première fois que j'ai entendu Angela lire, à retourner par la suite aux réunions du cercle alors qu'elles ne m'étaient d'aucune utilité. Je suis victime de la malédiction ancestrale dont sont affligés les curieux, les fouineurs, les lecteurs compulsifs.

J'ai besoin de savoir.

Nous sommes convenus de nous retrouver au Kalendar, un café disposant d'une terrasse. Au moment de prendre la dernière table libre – à moitié protégée seulement par le vélum –, je regrette de ne pas avoir choisi une cave. Comme je suis le premier, je m'attribue d'office la place à l'ombre. Par la suite, lorsque le soleil aura tourné et que ses rayons me bombarderont la tempe tandis que le siège opposé baignera dans une pénombre salutaire, je comprendrai mon erreur. Pour l'heure, je veille à commander une très sage eau minérale, bien décidé à garder la maîtrise des événements.

Lorsqu'une jeune femme s'approche avec un sourire timide sous ses lunettes noires d'agent secret, je crois tout d'abord qu'il s'agit d'une fan. Depuis quelques mois, il n'est pas rare que des inconnus m'abordent afin d'échanger quelques mots au sujet du *Marchand de Sable va passer*.

Certains se cramponnent, principalement les personnes seules, celles qui ont un coup dans le nez, ou encore les cinglés. Je me demande de quelle catégorie relève celle-ci lorsqu'elle s'installe à ma table. Je m'apprête à lui dire que j'attends quelqu'un lorsque ses traits changent : un léger tremblement au niveau des pommettes et je m'aperçois que je n'ai pas affaire à une inconnue.

— C'est vrai qu'on ne s'est jamais vus en plein jour, commence Angela en m'observant.

Je regrette de ne pas avoir pensé à prendre des lunettes de soleil, moi aussi.

— C'est juste. C'est la première fois.

— Vous avez changé.

— Un coup de chaud, rien de plus.

Elle pose les yeux sur mon eau minérale.

— Et si on buvait quelque chose de plus consistant ?

— Je vous attendais.

Le temps que le serveur verse une rasade de vodka dans mon verre et pose un verre de vin blanc devant Angela et la conversation s'engage sur ses activités de ces dernières années. Après divers petits boulots administratifs, elle a éprouvé le besoin de changer. Elle s'est inscrite à des cours du soir et a décroché un diplôme de juriste qui lui a permis de trouver un emploi dans un cabinet de Bay Street. Aujourd'hui, elle vole cette heure en ma compagnie sur son temps de travail, prétextant un rendez-vous chez le dentiste.

— C'est pour ça que je m'autorise quelques verres, explique-t-elle en portant à ses lèvres son vin blanc. Tout le monde croira que je ressors shootée de chez le dentiste.

Le serveur s'approche. Angela commande une salade et je fais de même – mais trop nerveux pour avaler quoi que ce soit, je me contenterai de boire. Le serveur s'éloigne et Angela me regarde. Le même regard inquisiteur que j'avais déjà remarqué à plusieurs reprises à l'époque du cercle. Inutile de me lever et de rentrer chez moi, de tourner la tête ou de me précipiter vers les toilettes afin

163

de me passer les poignets sous l'eau froide – toutes solutions que j'envisage. Elle en sait déjà trop. Elle connaît la nature de mon crime. Ce n'est pas tout. Qu'a-t-elle murmuré lorsqu'elle m'est apparue l'autre jour, ressuscitée d'entre les morts ?

Il se passe quelque chose.

En attendant, le soleil, le plaisir rare de déjeuner dehors et le premier flou dû à l'alcool nous entraînent à bavarder comme deux inconnus lors d'un premier rendez-vous étrangement prometteur. Angela donne même l'impression d'être heureuse de se trouver là. On dirait une prisonnière en cavale, surprise d'avoir parcouru autant de chemin sans se faire prendre.

On pose les salades devant nous. Des nids de trévise, de betteraves et de pois chiches à l'allure insolemment écolo. Le genre de truc sur lequel je m'empresserais de jeter ma serviette en temps ordinaire et auquel jamais je ne goûterais. Mais le sentiment d'impunité qui s'est brusquement emparé de moi me redonne l'appétit et je plonge ma fourchette dans l'assiette. Elle arrive à ma bouche lorsque Angela prononce les mots que je croyais proscrits.

— J'ai lu votre roman.

J'en fais tomber ma fourchette.

— Euh… oui, bien sûr. Et vous avez dû remarquer que je vous avais… emprunté certains détails.

— Vous m'avez piqué mon histoire.

— La chose est plus ou moins discutable, dans la mesure où la construction…

— Patrick.

— … a nécessité un certain nombre d'aménagements, sans parler des éléments originaux qu'il m'a fallu…

— Vous m'avez piqué mon *histoire*.

Vacherie de lunettes de soleil. Impossible de savoir si c'est vraiment grave. Si je vais subir une bordée d'accusations fielleuses, si elle va me jeter le contenu de son verre de vin à la figure, ou pis. Empaler ma main sur la table avec son couteau. Me lancer le nom de son avocat.

— C'est vrai. Je vous ai piqué votre histoire.

Il faut bien que je le reconnaisse. Je n'ai pas le choix. En revanche, rien ne m'oblige à lui dire ce que je lui avoue ensuite. Un besoin irrépressible, déclenché par le fait de me retrouver à moins d'un mètre de ma victime.

— Je voulais écrire un roman, mais je n'avais pas d'idée. Alors je vous ai entendue chez Conrad et je ne pensais plus qu'à ça. J'étais obsédé par votre journal, votre nouvelle, quel que soit le nom que vous lui donnez. Ma femme était morte depuis pas mal de temps déjà – *putain*, voilà que ça me reprend – et j'avais besoin d'un dérivatif dans ma vie. J'avais besoin d'une thérapie. Alors j'ai décidé d'écrire. Et quand j'ai appris votre accident de voiture, je me suis dit... je me suis dit que cette histoire était désormais la *nôtre*, et plus uniquement la *vôtre*. Mais j'avais tort. J'avais complètement tort. Alors maintenant... *maintenant*? Maintenant, je suis désolé. Vraiment, vraiment désolé.

Les gens commencent à se retourner autour de nous. Ils me voient me moucher dans la serviette que je viens de récupérer subrepticement sous les couverts à la table voisine.

— Vous savez quoi? finit-elle par déclarer. J'ai trouvé ça plutôt rassurant.

— Rassurant?!!

— Oui. Ça m'a rassuré sur vous. D'un seul coup, vous êtes devenu beaucoup plus intéressant qu'avant.

— Vous voulez dire... ce que j'ai écrit?

— Non, ce que vous avez *fait*.

Ma surprise l'incite à poursuivre.

— Parmi les membres du cercle, vous étiez le seul à ne pas proposer d'histoire. La plupart des gens sont au moins persuadés d'en avoir une à raconter, mais vous étiez convaincu du contraire depuis le début. Alors qu'est-ce que vous faites? Vous me piquez la mienne, vous y ajoutez une fin, vous la publiez et vous vous empressez de le regretter! C'est presque une *tragédie*.

Elle avale une première feuille de salade. Lorsque le serveur vient s'assurer que tout va bien – il m'adresse un regard faussement inquiet, voyant en moi un type pas très normal avec un début de coup de soleil au front –, Angela en profite pour recommander à boire. Elle ne parle ni de châtiment, ni de dédommagement, ni d'humiliation publique. Elle se contente de manger sa salade et de boire son vin blanc, comme si elle avait dit tout ce qu'elle avait à dire sur le sujet.

Son repas terminé, elle se cale sur sa chaise et me fixe de nouveau. Ma présence semble lui rappeler quelque chose.

— À mon tour de vous fournir une explication, me déclare-t-elle.

— Vous n'y êtes pas obligée.

— Peut-être pas, mais il faut tout de même que je vous explique pourquoi je ne suis pas morte.

Elle me raconte comment elle a appris par hasard que Conrad avait trouvé la mort dans un accident de voiture en compagnie d'une fille que tout le monde a prise pour elle. Angela voyait Conrad de temps en temps à l'époque. « Il suivait mon travail très attentivement. » Un jour, elle a oublié son sac à main dans sa voiture. Ce qui explique l'erreur de la police au moment de l'identification du corps. Le corps de la jeune femme était gravement mutilé, rien ne permettait de la différencier des photos figurant sur les papiers d'Angela. La victime présumée, Angela Whitmore, avait beaucoup bougé au cours des années précédentes, accumulant les petits boulots, et les enquêteurs ne se sont pas acharnés à découvrir sa dernière adresse en date. Conrad White avait la réputation de fréquenter des femmes nettement plus jeunes que lui, on a pensé qu'il s'était embarqué dans un périple sordide à la *Lolita* avec Angela avant de trouver la mort sur une route perdue de l'Ontario.

Son récit achevé, je vois Angela changer de comportement. Elle se cache des passants, se dissimule derrière ses cheveux. Son aisance de tout à l'heure cède la place à une gêne manifeste.

— Mais alors, si ce n'était pas vous dans la voiture, qui était-ce ?

Angela agrippe le rebord de la table avec une telle force que ses phalanges blêmissent.

— Personne ne sait vraiment, souffle-t-elle. Mais je suis persuadée qu'il s'agissait d'Evelyne.

— Evelyne ?!!

— Ils traînaient souvent ensemble à l'époque du cercle. Et elle a continué à le voir ensuite.

— Vous l'avez *suivie*?

— C'est plutôt *elle* qui me suivait.

Angela lève son verre, mais elle le repose aussitôt d'une main tremblante.

— Je suis également passée par là. Au début, j'étais sensible à l'intérêt que Conrad manifestait pour moi. Et puis les choses ont tourné bizarrement et j'ai arrêté d'y aller. Mais avant ça, je croisais régulièrement Evelyne. Je ne restais jamais longtemps quand elle passait. J'avais cru comprendre que ma présence la dérangeait.

— Vous avez une idée de ce qui la poussait à le voir?

— Pas vraiment. Ça restait secret, en tout cas. On aurait dit qu'ils travaillaient ensemble sur un quelconque projet.

— C'est ce qui vous fait penser qu'il s'agissait d'elle, dans la voiture.

— Je me suis également renseignée. Après la parution d'un article dans le journal local...

— L'article que vous m'avez envoyé.

Angela relève la tête.

— Je ne vous ai jamais rien envoyé.

— Quelqu'un m'a pourtant envoyé cet article par la poste.

— Moi aussi, j'ai appris l'accident de cette façon-là.

Je voudrais en savoir davantage – car si ce n'est pas elle qui m'a expédié l'article, qui s'en est chargé ? –, mais je ne veux pas courir le risque de la voir se refermer comme une huître. Elle regarde déjà sa montre, se demandant combien de temps il lui reste.

— Vous avez donc cherché à en savoir plus.

— Parce que je pensais qu'il s'agissait d'Evelyne, sans en être sûre. Jusqu'à ce qu'un article mentionne la présence d'un tatouage sur le corps de la femme. Un corbeau.

— Je me souviens. Elle en avait un au poignet.

— J'aurais dû me manifester. Evelyne doit avoir de la famille, ils se demandent sûrement ce qu'elle est devenue.

— Pourquoi n'avoir rien dit?

— Au début, j'ai pensé que c'était une occasion rêvée de… je ne sais pas… de me *perdre*. De disparaître. De recommencer à zéro. Vous comprenez?

— Il n'est pas trop tard. Vous pourriez très bien aller trouver la police et leur dire la vérité.

— Impossible.

— Mais vous n'avez rien fait de mal.

— Ce n'est pas ça.

— J'ai du mal à comprendre. Quelqu'un meurt sous votre identité et vous laissez les gens qui l'aiment croire qu'elle se trouve quelque part? Qu'elle est encore en vie? Je ne suis pas en train de vous faire la morale, je suis mal placé pour ça. Mais vous faites du mal à des gens qui ne vous ont rien fait.

Angela ôte ses lunettes noires. Ses yeux courent dans tous les sens. Elle arrive presque à masquer sa panique, mais son regard la trahit.

— À la suite de l'accident, j'ai vécu sous d'autres identités, m'explique-t-elle. J'ai déménagé, changé de look, de boulot. C'est comme si j'avais disparu. Je devais *absolument* disparaître.

— Pourquoi?

— Parce que j'étais poursuivie.

Le serveur, posté à l'autre bout du patio, nous observe depuis quelques instants. Il s'approche et nous demande si nous désirons des cafés ou des desserts.

— L'addition, s'il vous plaît, lui répond Angela en ouvrant brusquement son sac.

— Je vous en prie. C'est pour moi.

Je l'arrête d'un geste si inepte qu'un petit rire contrit sort de ma bouche. Mais Angela est trop agitée pour savourer l'humour du moment.

— Écoutez, Patrick. Je ne crois pas que j'aurai l'occasion de vous revoir, alors autant vous le dire tout de suite.

Elle plisse les paupières à cause du soleil qui nous dérange à présent tous les deux. L'espace d'un instant, je me demande si elle a oublié la raison pour laquelle elle tenait tant à me voir. Mais ce n'est pas ce qui l'arrête. Elle cherche ses mots, tout simplement.

— Faites attention.

— Attention à quoi?

— Il se contentait de nous observer. Mais maintenant... maintenant, ce n'est plus pareil.

Le serveur nous apporte la note et reste planté là. Il attend que je sorte ma carte. Je la pose sur le plateau et il s'éloigne à contrecœur. Angela en a profité pour se lever.

— Attendez. Juste une seconde. De qui parlez-vous en disant « il »?

— Vous croyez peut-être que vous êtes le seul?

— De quoi parlez-vous?

— Du Marchand de Sable, me réplique-t-elle avant de disparaître derrière ses lunettes noires. Il est revenu.

19

Le lendemain matin, je refuse de repenser à ce déjeuner avec Angela, sinon pour me souvenir qu'elle n'a pas l'intention de m'intenter un procès. C'est déjà un bon point. Quant au reste… Je m'efforce de ne pas y songer.

J'ai besoin de rituels. De nouvelles habitudes dans lesquelles Sam et moi pourrions nous embarquer, jusqu'à créer une routine pour les jours à venir. À commencer par la nourriture. En lieu et place des repas improvisés grâce auxquels nous survivons – plats à emporter, conserves achetées à l'épicerie du coin de la rue, bonbons acidulés –, je commence par faire de véritables provisions en compagnie de mon fils.

Nous nous rendons en voiture au supermarché situé dans le quartier du port, au milieu des quais et des entrepôts transformés en appartements et en boîtes de nuit. C'est là que nous nous approvisionnons. Je devrais dire *approvisionnions*, parce que nous n'y sommes pas allés depuis un moment.

Mais rien n'a changé : les pyramides de produits frais, les entrées surgelées, des allées entières réservées aux gens qui n'ont pas de problèmes de fins de mois, cette surabondance indécente propre à l'Amérique du Nord. Avec Sam, nous glissons nos achats dans le panier en déambulant entre les rayons.

Je l'explique à Sam.

— C'est à cause de ça que le reste du monde nous déteste.

Il me regarde et hoche gravement la tête, comme si nous avions pensé la même chose exactement au même moment.

Plus tard, de retour dans la crypte, je m'installe à mon bureau avant de m'apercevoir que je n'ai rien à faire. Ni pige, ni nouveau roman, ni chronique à écrire avant le bouclage. Il me reste une heure à tuer avant le déjeuner et j'allume l'ordinateur afin de m'autoriser un instant de masturbation virtuelle : je cherche mon nom sur Google.

Comme toujours, la première référence est celle de mon site officiel. Créé sous l'égide du département marketing de mon éditeur, www.patrick.rush.com dispose d'une rubrique « Vos réactions » qu'il m'arrive de consulter. Elle permet à deux catégories radicalement opposées de se défouler : les fans indécrottables et les détracteurs assassins. Ces derniers ont un faible pour les tirades dévastatrices qui polluent le site le temps que le webmaster y mette bon ordre. Ce matin, un commentaire infiniment plus dérangeant m'attend sur l'écran.

Il ne s'agit ni d'un allumé aux propos incohérents, ni d'un chieur venu me reprocher une virgule, ni d'un lecteur déçu exigeant qu'on le rembourse, mais d'un mot accusateur.

Voleur

Le correspondant n'a pas laissé de nom, à part le pseudo choisi pour accéder au blog : levraimarchanddesable.

Il pourrait s'agir d'une simple coïncidence, mais je suis certain qu'il s'agit de quelqu'un qui *sait*.

Je m'empresse de répondre, ce qui m'oblige à m'inventer un nom : abruti29.

Pourquoi avoir peur de vous identifier ?

En relisant ma question, je la trouve trop transparente et surtout trop sage pour un blog. Je la traduis aussitôt en langage Internet.

Espèce de connard, ta peur 2 mettre ton nom ?????

171

Nettement mieux.

J'appuie sur « Envoi ». Je me cale dans mon fauteuil, sûr qu'une telle invective rabattra le caquet de levraimarchand-desable. Mais sa réponse s'affiche presque aussitôt.

C'est moi qui vais t'apprendre la peur.

À bien y réfléchir, la résurrection d'Angela ne m'a pas surpris outre mesure. Est-ce la rançon pour avoir passé tant de temps à écrire les aventures d'un fantôme ? J'ai fini par m'habituer à croiser la route des morts.

Ou peut-être pas.

Cet après-midi, pendant que Sam peint avec les doigts, répète une pièce ou écrit des poèmes au centre aéré de Trinity Bellwoods, je vais jusque Bloor Street acheter un livre. Ce n'est pas parce que je suis incapable d'écrire que je dois m'arrêter de lire. Je cherche le genre de truc dont on discute dans les dîners – au cas où je serais invité à un dîner. La fonte de la calotte glaciaire, par exemple, ou l'émergence du nucléaire dans certains États voyous. Des sujets légers.

J'entre chez Book City en essayant de me persuader que mon envie de passer une journée normale n'a pas été bouleversée par ma rencontre virtuelle avec levraimarchanddesable. Je sens monter en moi une bouffée rassurante en apercevant les piles de nouveautés et ceux qui les feuillettent. C'est là, au milieu de ces fureteurs anonymes, que se trouve ma place. Peut-être pourrai-je la reprendre un jour, lorsque j'aurai retrouvé mon statut de badaud à lunettes au lieu de me croire poursuivi, comme Angela.

J'arrive presque à y croire lorsque je le vois.

Je contourne la section *Romans/Nouvelles parutions* et je me dirige vers l'étal *Essais & documents/Tout le monde en parle*. Je me cache derrière un ouvrage quelconque afin de surveiller discrètement les alentours et je remarque tout de suite un type avec mon roman entre les mains. De profil, à contre-jour, le soleil de Bloor Street derrière lui. Il a ouvert *Le Marchand de Sable va passer* aux alentours de la page cent et affiche une grimace de désapprobation. Conrad White. Mon maître en écriture. Pas très heureux du résultat en découvrant le livre de son plus mauvais élève.

Il tourne brusquement la tête et pose instantanément sur moi un regard vide. Ses traits s'animent, de grosses rides traversent son teint blafard. Un air de reproche si vif qu'on dirait un animal montrant les dents.

Je mets une seconde avant de me souvenir qu'il est mort.

Je me cogne contre une pile de guides de voyage, qui s'écroulent. Je m'étale au milieu des ouvrages éparpillés et peine à me remettre debout en glissant sur les couvertures pelliculées.

— Mon Dieu, vous vous êtes fait mal? s'inquiète un vendeur en quittant précipitamment sa caisse.

— Non, ça va aller. Je suis vraiment désolé... je suis prêt... à vous rembourser... les dégâts...

J'en bégaie tout en cherchant des yeux l'endroit où se tenait Conrad White un instant plus tôt.

Il n'y a plus personne. Le livre qu'il tenait entre les mains se trouve tout en haut d'une pile, de travers.

Le vendeur m'a reconnu. Après avoir poliment refusé sa proposition de lire le roman qu'il est en train d'écrire (« Ce qu'il me faudrait, c'est des contacts dans la profession »), je quitte la librairie en catimini, aussitôt assailli par la canicule. Les étudiants étrangers et les hippies de l'Annex passent à côté de moi sans me voir tandis que je cherche à m'orienter, un peu perdu, planté sur le trottoir. Je tiens à la main un sachet contenant le premier truc que j'ai trouvé à la caisse et que je me suis senti obligé d'acheter, un cahier relié. Le vendeur a cru que j'en avais besoin pour travailler mon prochain roman.

— Il n'y aura pas de prochain roman, ai-je lâché sans réfléchir.

Sur le chemin du centre aéré, je me demande si le fait de voir des fantômes est le signe d'une maladie grave. La

173

conséquence d'un chagrin inconsolable métamorphosé en psychose. Un syndrome de stress post-traumatique, qui sait – comment qualifier autrement la perte successive de sa femme et de son métier, avant de voir son unique ambition souillée à jamais ? Je devrais peut-être voir un psy. À moins qu'il ne soit trop tard.

Le vieil homme avait pourtant l'air bien réel, tout près, sans ce flou caractéristique censé auréoler les apparitions. Il s'agissait de Conrad. Mort, mais bel et bien là.

Le temps de retrouver la fraîcheur relative des arbres de Trinity Bellwoods et je décide que, quitte à perdre la tête, autant n'en parler à personne. Sam a déjà perdu sa mère, mieux vaut un père fou que pas de père du tout.

Debout près de la barrière provisoire installée autour de l'espace qui sert de centre aéré, je regarde Sam en train de lire un livre dans la cabine de pilotage d'un avion en bois de récupération. Il lève les yeux et m'aperçoit. Je lui fais signe, mais il ne me répond pas. Je suis pourtant certain qu'il m'a vu et je me demande un instant si je n'ai pas rêvé en croyant le voir dans cet avion. Soudain, je comprends : mon fils arrive à l'âge où la présence des parents devient gênante. Il ne veut pas que les autres gamins voient son père en train de lui adresser de grands gestes, son sachet ridicule à la main.

Il me fournit une autre explication lorsque nous reprenons ensemble le chemin de la maison. Sam ne m'a pas fait signe parce qu'il a vu un drôle de bonhomme en train de le regarder de l'autre côté de la barrière.

— Mais c'était moi !

— Mais non, papa. Pas toi. Je parle de l'autre bonhomme, derrière toi.

— Mais il n'y avait personne derrière moi.

— Tu t'es retourné ?

— De quoi as-tu envie, pour le dîner ?

— Tu t'es retourné ? Tu as vu…

— Il y a du poulet, des lasagnes, des tacos en boîte. Je te laisse le choix du supplice.

— D'accord. Alors des hamburgers. Ceux du fast-food.

— Mais on a fait des tas de courses ce matin.

— C'est toi qui m'as demandé ce que je voulais.

Après le dîner, j'écoute le répondeur. Trois appels d'agences de télémarketing, quelqu'un qui a raccroché, deux inconnus qui me demandent de bien vouloir transmettre leur manuscrit à mon agent et Tim Earheart qui veut savoir si « le grand romancier » a envie de se « bourrer la gueule » avec lui un de ces soirs. Et enfin Petra Dunn, la divorcée du cercle qui vit à Rosedale. Désolée de me déranger, mais elle a quelque chose d'important à me dire.

Je note son numéro tout en décidant de ne pas la rappeler ce soir. J'ai envie de me coucher tôt après avoir mis Sam au lit, de lire deux ou trois paragraphes d'un ouvrage quelconque et de sombrer dans un sommeil sans rêve, comme d'habitude. Mais il y a un hic : au lieu d'acheter un livre à lire cet après-midi, j'ai acheté un livre à *écrire*.

Je n'ai nullement l'intention de rompre la promesse que je me suis faite, mais je me dis que ça ne me coûte rien de prendre des notes. Armé d'un stylo et du cahier, je me glisse entre les draps et je commence à gribouiller. Je commence par prendre note des événements survenus depuis la réapparition d'Angela le jour de la signature, puis je remonte au début des réunions du cercle, à ma rencontre avec l'histoire du Marchand de Sable, aux quelques semaines pendant lesquelles se sont déroulés les meurtres il y a quatre ans. Je n'écris rien de concret, je me contente de dresser la liste des faits, de mes impressions. Si j'ai provoqué une ire divine en volant une histoire qui ne m'appartenait pas, je vois mal comment une chronique aussi banale de ma propre existence pourrait offenser quiconque.

Une fois de plus, j'ai tort.

J'entends un bruit au rez-de-chaussée, qui me tire de l'état de somnolence intermédiaire dans lequel on se trouve quand on s'assoupit sans même s'en apercevoir. Un boum. Suivi d'un écho, une milliseconde plus tard, confirmant qu'il s'agit d'autre chose que d'un simple bruit nocturne, du genre parquet qui craque ou souris qui cavale. Je commence par me dire qu'un oiseau n'a pas vu la porte-fenêtre à cause de la nuit. Une explication plausible sans le bruit qui suit. Le grincement caractéristique d'ongles sur une vitre.

J'enfile un caleçon et un T-shirt prélevés sur la pile posée près du lit et m'assure que tout va bien dans la chambre de Sam. Il dort. Je referme doucement sa porte et me dirige à pas de loup vers l'escalier, entouré des soupirs habituels de toutes les vieilles maisons. Un grondement de tonnerre dans le lointain.

Au rez-de-chaussée, tout a l'air normal. Et alors? Si quelqu'un avait eu l'intention de s'introduire chez nous pour nous faire du mal, il ne se serait pas amusé à renverser les tables ou à casser les miroirs sur son chemin. Je trouve néanmoins rassurant d'apercevoir les baskets de Sam sagement rangées l'une à côté de l'autre sur le paillasson, la pile de lettres à mettre au courrier demain sur la dernière marche de l'escalier.

Je gagne silencieusement le salon. De l'endroit où je me trouve, j'aperçois une partie de la porte coulissante donnant sur le jardin. Dehors, une pluie épaisse et grasse s'est mise à tomber, accompagnée d'un crépitement sourd sur le toit.

Soudain, la pluie se transforme en gouttes argentées.

Les détecteurs de mouvements que j'ai fait installer la semaine dernière dans le jardin viennent d'allumer les lumières extérieures. Ce n'est pas la pluie – ils sont conçus pour ne pas en tenir compte – ou une branche qui se balance – il n'y a pas de vent. Il s'agit de quelque chose de suffisamment gros pour être détecté. Quelque chose qui bouge dans le jardin. Quelque chose d'invisible.

Je cours à la cuisine, j'extrais une paire de ciseaux du billot de boucher et je les brandis devant moi en me précipitant vers la porte coulissante. Les lumières s'éteignent au même moment. Trois secondes de plein jour. Pourquoi diable ai-je demandé à l'installateur de régler la minuterie sur trois secondes ? Trop court pour effrayer un raton laveur, encore moins un cambrioleur. Je me souviens : je ne voulais pas risquer de réveiller les voisins, sans penser que c'est précisément le but de ce genre d'appareil.

Je déverrouille la porte-fenêtre et je l'ouvre. Les ciseaux en avant, prêt à empaler la pluie.

Sous l'effet de l'averse, le coton du T-shirt se colle instantanément sur ma peau. Je fais le tour de la terrasse, à l'extrémité de laquelle se trouvent les détecteurs de mouvements. Le jardin est instantanément baigné de lumière, transformant les ombres indéfinies en détail d'une précision absolue : la pelouse toute sèche, les plates-bandes pleines de mauvaises herbes le long du grillage, la vieille cabane brinquebalante au fond du jardin. Rien d'autre. Tout est normal.

Trois secondes et les lumières s'éteignent, enveloppant le jardin dans l'obscurité.

D'un mouvement du bras, je déclenche de nouveau le détecteur. Rien n'a bougé. Le rideau de pluie, les silhouettes des maisons voisines.

J'ai fait mon devoir. Il est 2 heures du matin et tout va bien. L'heure de rentrer, de me sécher avec une serviette et de compter les moutons.

Mais ce n'est pas ce que je fais.

Sans même y réfléchir, je lève le bras au-dessus duquel pointent les ciseaux et les lumières se rallument.

Il y a quelqu'un dans le jardin.

Un inconnu appuyé contre le grillage du fond, près de la vieille cabane. Le visage caché par les branches du saule de mon voisin. Deux bras ballants, à l'extrémité desquels pendent des mains gantées.

Les lumières s'éteignent.

Sans Sam pour lequel je m'inquiète, jamais je ne trouverais la force de lever de nouveau le bras. Mon fils, qui dort dans sa chambre. Qui compte sur moi pour éloigner le loup-garou. C'est la pensée de Sam qui rallume les lumières.

Mais le jardin est vide. Un coin de terre triste et mal entretenu avec son vieil abri aux fenêtres constellées de toiles d'araignées. Il n'y a plus personne contre le grillage du fond. S'il a jamais été là, le monstre capable de choses monstrueuses a disparu.

20

Après avoir déjeuné avec Angela, après avoir vu un fantôme en train de lire mon roman, après avoir aperçu un monstre dans mon jardin, on pourrait croire que je serais à l'heure qu'il est en train de faire mes bagages, prêt à changer de fuseau horaire avec Sam. Les événements de ces derniers jours ont au contraire répondu à une question vieille comme le monde : qu'est-ce qui peut bien pousser le héros d'un film d'horreur à retourner une dernière fois dans la maison hantée, même lorsque les spectateurs lui hurlent : « Va-t'en ! Monte dans ta voiture et ne t'arrête pas ! », hypnotisés par l'écran ? Mais personne n'a conscience d'être mêlé à un film d'horreur jusqu'à ce qu'il soit trop tard. Même lorsque les frontières entre le réel et l'imaginaire commencent à s'effriter, personne n'accepte de croire qu'il fera bientôt partie des victimes puisque chacun d'entre nous croit au contraire être le héros, celui qui s'en tirera. Personne ne peut se résoudre à faire de la figuration dans le film de sa propre vie.

En outre, ce n'est pas ma maison qui est hantée. C'est moi.

Lorsque j'ai appelé Petra, elle n'a pas eu l'air de savoir qui j'étais et j'ai dû répéter mon nom.

— Patrick Rush. Du cercle d'écriture. C'est vous qui m'avez appelé.

— Ah oui. Je me demandais si vous accepteriez de passer me voir cet après-midi ?

— Si ça ne vous ennuie pas, j'aurais souhaité savoir de quoi il s'agit.

— 17 heures, ça vous irait?

— Écoutez, je ne sais pas si...

— Parfait! Alors à tout à l'heure.

Elle a raccroché.

J'ai suffisamment l'habitude des gens qui veulent donner le change en faisant semblant de s'adresser à quelqu'un d'autre au téléphone – après tout, je suis un ami de Tim Earheart, l'un des meilleurs spécialistes de la gestion d'affaires simultanées dans le monde de la presse. Mais à condition qu'elle n'ait pas été seule, quelle raison pourrait avoir Petra de vouloir cacher mon identité à quelqu'un?

La station de métro de Rosedale me rappelle la conversation que j'ai eue ici même avec Ivan. Je me demande s'il continue à conduire des métros, à coucher par écrit le récit de ses métamorphoses imaginaires, s'il est toujours aussi seul, taraudé par son terrible secret. Si ça se trouve, il pilotait la rame qui m'a conduit ici. Malgré le soleil brûlant, cette pensée me donne la chair de poule. Pas tant à cause d'Ivan, mais si Angela et Petra ont éprouvé le besoin de me voir, je ne devrais pas tarder à recevoir des nouvelles d'Ivan et de Len. Qui me dit que le suivant ne sera pas William?

— Patrick?

Je me retourne et découvre Petra en train de faire du jogging sur place. Elle a des chaussures de sport toutes neuves, les cheveux tirés sous une casquette des Yankees.

— J'aime autant vous dire, je ne suis pas dans une forme olympique.

— Désolée, répond-elle en s'arrêtant de sautiller. Comme je cours en général vers ces heures-là, je me suis dit que je passerais vous chercher. C'était plus simple que de se voir à la maison.

— Pourquoi, nous n'allons pas chez vous?

— Si ça ne vous dérange pas.

Elle me lance un regard implorant, comme si j'avais l'intention de refuser et de la traîner de force chez elle. J'ai déjà vu chez d'autres l'expression que je lis sur son visage, mais jamais chez une femme divorcée de la bonne société.

180

Plutôt chez les femmes battues que l'on croise devant les foyers d'accueil du centre-ville.

— Où m'emmenez-vous ?

— On pourrait aller du côté du petit vallon. C'est là que je cours, d'habitude. Il y a de l'ombre et il y fait plus frais.

— C'est surtout plus tranquille.

— Vous avez raison.

Je lui fais signe de me montrer le chemin et elle s'engage sur la passerelle qui enjambe les voies. Tout en marchant, elle multiplie les coups d'œil par-dessus son épaule. N'importe qui peut nous voir. Les gens qui sortent de la station de métro, les automobilistes qui circulent sur Yonge, les occupants des propriétés surplombant le vallon, dont les fenêtres sont perdues au milieu des arbres. Petra n'en avance que plus vite.

Arrivée à l'autre extrémité de la passerelle, elle s'enfonce sur un sentier perdu entre les bosquets et je la perds de vue pendant quelques minutes. Mais lorsque je débouche près d'une haie de framboisiers sauvages au fond du ravin, elle est là qui m'attend.

— J'ai oublié de vous remercier d'être venu, me déclare-t-elle.

— À entendre le son de votre voix, je n'avais pas vraiment le choix.

— Ce n'est pas uniquement pour moi.

Petra avance sur le sentier et je la suis jusqu'à un endroit où le vallon s'élargit, laissant place à une végétation plus touffue. On ne voit plus personne à plusieurs centaines de mètres à la ronde et Petra se retourne. Son visage trahit brusquement son inquiétude, comme si elle ne s'attendait pas à ce que je l'aie suivie.

— Je n'ai pas beaucoup de temps devant moi, annonce-t-elle. J'ai un programme très strict et les gens s'aperçoivent tout de suite quand je change mes habitudes.

— Les gens ? Quels gens ?

— Les gens autour de moi, réplique-t-elle sans autre précision.

Les mains sur les hanches, elle se penche légèrement en avant et reprend longuement sa respiration, comme si elle venait de finir le jogging qu'elle n'a même pas commencé.

— Quelqu'un me suit, poursuit-elle enfin.

— Vous savez de qui il s'agit ?

— Le même qui nous surveille tous.

— Tous ?

— Le cercle. Certains d'entre nous, en tout cas. Len, Ivan, Angela.

— Vous leur avez parlé ?

— Len m'a contactée. C'est lui qui m'a parlé des autres.

La discussion dure depuis moins d'une minute et j'ai l'impression d'être là depuis une éternité. Sans doute parce qu'il me faut fournir un effort pour dissimuler mon étonnement.

— Vous êtes en train de me dire qu'il s'agit du Marchand de Sable, c'est ça ?

J'ai volontairement adopté un air dubitatif.

— J'y ai pensé, effectivement.

— C'est complètement dingue.

— Vous voulez dire que vous ne l'avez jamais vu ?

— Je l'ai vu, au contraire. C'est bien ça qui est complètement dingue.

Petra surveille les alentours. Elle calcule dans sa tête le temps qu'il lui reste si elle veut rentrer chez elle à l'heure habituelle, trempée de sueur.

— J'imagine que vous avez lu mon livre ?

— *Votre* livre ?

— D'accord. Le livre qui porte mon nom.

— Je l'ai feuilleté deux ou trois fois en librairie, mais je n'en veux à aucun prix.

Petra a soudain l'air perdu. À mon tour de trouver les mots pour la retenir encore quelques instants.

— Qui se trouvait dans la limousine qui vous a prise chez Grossman, le dernier soir ?

— Je ne vois pas en quoi ça vous regarde.

— Après ce que vous venez de me confier, je pense que ça me regarde.

Petra hésite un instant à s'en aller. Et puis elle fait un pas dans ma direction.

— Dans le cadre de ses affaires, mon ex-mari était en relation avec un milieu un peu particulier.

— À en juger par votre maison, les affaires en question marchaient plutôt bien.

— Elles marchent toujours bien.

— C'était donc lui dans la limousine?

— C'était Romain. Romain Gaborek, l'associé de mon mari. Son *ancien* associé.

— L'un de vos amis.

— Mon petit ami. Façon de parler. C'est pour lui que j'ai quitté mon mari, mais mon mari n'en sait rien. Si Léonard savait que je vois Romain, ça provoquerait des étincelles.

— Il est du genre jaloux.

— Léonard considère que les gens lui appartiennent.

— Si ça se trouve, c'est lui que vous avez vu rôder près de chez vous.

— Peut-être. Il l'a sûrement fait à un moment, mais je vous parle de quelqu'un d'autre.

— Qu'en savez-vous?

— Ce type-là... il n'est pas normal.

Un bruit s'élève des broussailles. Petra sursaute violemment en levant les mains. Elle comprend son erreur, mais on la sent tendue.

— Pourquoi le Marchand de Sable reviendrait-il aujourd'hui? Quelle raison aurait-il de revenir?

— À votre avis? répond-elle.

— À cause de mon roman.

— Le vôtre. Le sien. Allez savoir.

Comme obéissant à un signal invisible, Petra exécute un demi-tour et s'élance sur le sentier en petites foulées avant d'accélérer, bras et jambes en pleine action. Elle s'enfonce dans l'ombre moite et disparaît au premier tournant en courant de toutes ses forces.

Le ciel orangé de cette fin d'après-midi plombée par la pollution a laissé place au crépuscule. À cette heure, les hommes en costume et les femmes en tailleur ont sagement retrouvé la fraîcheur de leurs appartements climatisés tandis que les autres, enfin débarrassés du soleil, émergent des ruelles qui puent la pisse. Près de chez moi, sur quelques centaines de mètres, Queen sert de refuge à une faune de fous et de drogués. Ce soir, la mesure bat tous les records avec l'afflux d'une nuée de *visiteurs*. Des paumés transformés en touristes, désireux de goûter aux plaisirs de la grande ville. Une beauté édentée titube jusqu'à moi et s'énerve quand je refuse de lui donner une pièce.

— Mais putain ! Je suis en vacances ! râle-t-elle.

Nous sommes donc tous les deux dans le même cas puisque je ne travaille plus. La tournée de promotion de mon livre achevée, j'ai simplement décidé de ne plus rien faire. Peut-être était-ce une erreur. Peut-être ces dernières semaines d'inactivité ont-elles laissé un vide que se sont empressés de combler des éléments indésirables. Comment expliquer autrement le retour du cercle de Kensington dans ma vie ?

J'ai tout de même un boulot. Le but que je me suis fixé à la mort de Tamara : élever Sam. Être un bon père. Lui inculquer mes rares qualités en lui cachant la masse de mes défauts.

Aujourd'hui, il me faut le protéger au lieu de l'éduquer. Fini les vacances. Cette vacherie de roman a déclenché une vraie saloperie, et je me retrouve au même point que la petite fille de l'histoire qui tentait d'éloigner le péril de ceux qu'elle aimait. Si jamais le danger se concrétise, je dois veiller à ce qu'il me touche, moi, pas Sam.

Je m'engage sur Euclid avec l'impression qu'un détail cloche, une fois de plus. Pas de bande jaune pour délimiter une scène de crime, nul poursuivant qui me pousse à courir jusqu'à ma porte, mais un léger vertige, une soudaine envie de vomir. La sensation que j'associe désormais à *sa* présence.

Où est Sam ?

Il est à la maison avec Emma. Sam va bien.

Mais alors, pourquoi courir ? Pourquoi ai-je glissé les clés de mon trousseau entre mes doigts, prêt à frapper ? Pourquoi, ma maison en vue, y a-t-il une silhouette plantée derrière la fenêtre ?

Il me regarde venir sans bouger. Il me voit glisser la clé dans la serrure et ouvrir la porte.

L'entrée est plongée dans l'obscurité. Il n'a pas eu besoin d'allumer la lumière, il connaît parfaitement la disposition des lieux.

J'entre dans la salle à manger dont la fenêtre donne sur la rue. La pièce est vide. Il n'a nulle part où se cacher. Je retourne dans l'entrée, je me dirige vers l'arrière de la maison. Les tiroirs de la cuisine sont fermés, rien n'a bougé sur le plan de travail. Tout semble normal dans le salon.

Je m'apprête à monter à l'étage lorsqu'un courant d'air me pousse à tourner la tête. La porte coulissante est ouverte. Je la croyais fermée, elle a permis à l'intrus d'entrer.

Cela ne signifie pas pour autant qu'il soit ressorti par là. Qu'il soit ressorti tout court.

— Sam ?

Je grimpe les marches quatre à quatre, je glisse sur le palier en m'aidant des mains sur le mur, j'ouvre la porte de la chambre de mon fils d'un coup d'épaule.

— Sam !

Avant même de regarder sous le lit, je vérifie la fenêtre. *Du sang tatoué sur les rideaux.* Mais elle est bien fermée, les rideaux sont intacts. Le lit est fait, comme il l'a laissé ce matin.

D'un seul coup, je me souviens. Il est chez son copain Joseph, le petit voisin d'en face, qui fête son anniversaire. Sam n'est pas à la maison parce qu'il n'a aucune raison d'y être.

Je traverse le couloir et j'attrape le téléphone. La mère de Joseph décroche.

— Je viens juste… la porte qui donne sur l'arrière… je vous en prie, passez-moi Sam !

185

Trente secondes s'écoulent. Ce n'est pas normal. La mère de Joseph va me reprendre et me dire : « *C'est bizarre. Il était là avec les autres enfants il y a une minute.* »

— Papa ?

— Sam !

— Qu'est-ce qui se passe ?

— Tu es à l'intérieur ?

— Oui, puisque je suis au téléphone.

— Je suis bête…

— Où es-tu ?

— À la maison. Il y a eu… j'avais oublié… oh, nom d'un chien…

— Je peux y aller ?

— Je passe te prendre tout à l'heure, d'accord ?

— Mais j'ai que la rue à traverser.

— Je passe quand même te prendre.

— D'accord.

— Alors, salut.

— Salut.

Cette fois-ci, l'inconnu dont j'ai aperçu la silhouette tout à l'heure ne s'est pas trompé de maison. *Il s'est simplement trompé de soir.*

Coup de pot. Qui aurait pensé qu'il me resterait encore une once de chance après mon pacte avec le diable, après avoir récolté des lauriers qui ne m'appartenaient pas ? Mais Sam est vivant. Il mange du gâteau et joue dans le sous-sol des voisins.

Il est grand temps que j'appelle à l'aide. Pas un psy – même si cette solution semble inévitable à terme –, mais la police. Inutile de se demander si le Marchand de Sable existe vraiment. Il y avait bel et bien quelqu'un chez moi, au tour des flics de faire leur boulot.

Le téléphone sonne avant même que j'aie pu décrocher.

En levant les yeux, je constate que les rideaux de ma chambre sont ouverts. C'est moi qui les ai tirés ce matin en me levant pour faire entrer le soleil. Maintenant que la nuit est tombée et que la lampe de chevet est allumée, n'importe qui peut me voir depuis la rue.

Le téléphone continue de sonner.

Si jamais c'est le monstre capable de choses monstrueuses, je me demande ce qu'il peut bien vouloir me dire.

— Allô !

— Monsieur Rush ?

Un type avec un accent.

— Si c'est au sujet de votre putain de manuscrit, je ne peux rien pour vous. Maintenant, si ça ne vous dérange pas de me foutre...

— J'ai une mauvaise nouvelle à vous annoncer, monsieur Rush.

— Qui est à l'appareil ? Je sais qu'il est en sécurité. Alors si vous croyez pouvoir...

— Il doit y avoir un quiproquo.

— ... me menacer, dites-vous bien que je vais appeler la police. Vous m'entendez ?

— Monsieur Rush... Patrick... s'il vous plaît. Inspecteur Ian Ramsay, de la police de Toronto. Je vous appelle au sujet de votre amie Petra Dunn.

Un léger accent écossais. C'est ça qui l'a trahi. Un immigré qui a passé le plus clair de sa vie ici sans jamais perdre tout à fait son accent d'origine. Distrait par cette découverte, je suis toujours en train de me demander s'il est de Glasgow ou d'Édimbourg quand la suite me cueille à froid.

— Elle a été assassinée, monsieur Rush.

21

La police se présente sous la forme d'un grand type en civil au regard d'un vert aigu donnant l'impression qu'il ne faut pas le prendre trop au sérieux. Il arbore une moustache en forme d'arrière-pensée. C'est la première fois que j'ai affaire à un véritable inspecteur. Je me prépare psychologiquement à me montrer à la fois prudent et décontracté. Ses traits ouverts, alors que je m'attendais à découvrir un mur impénétrable et revêche, achèvent de me convaincre que je n'ai rien à craindre de lui.

— Je viens vous voir au sujet du meurtre, déclare-t-il, l'air contrit.

Je lui fais signe d'entrer, il franchit le seuil et se dirige vers le salon. Ainsi que pourrait le faire un ami de toujours en se dirigeant droit vers le bar avant même de dire bonjour.

L'inspecteur Ramsay, loin de se servir un verre, s'est planté au milieu de la pièce, les mains dans le dos. Il me désigne un siège et j'agrippe le bras d'un vieux fauteuil tandis qu'il reste debout. Perché sur une fesse, je perds l'avantage que me donnait jusqu'alors ma carrure, plus large que la sienne. Pendant une bonne minute, il se désintéresse de moi et embrasse des yeux la pièce comme si le moindre magazine, le moindre bibelot posé sur la cheminée pouvait lui apprendre quelque chose.

— Vous êtes marié, monsieur Rush ?

— Ma femme est décédée il y a sept ans.

— Désolé.

— Et vous ?

Il lève une main dont il exhibe l'annulaire orné d'une alliance en or.

— Depuis vingt ans. Comme je le dis souvent à ma femme, on récolte moins que ça pour meurtre, de nos jours.

J'esquisse un sourire, mais ce n'est apparemment pas ce qu'il attend.

— On m'a dit que vous étiez écrivain.

— Je ne le suis plus.

— Vous vous lancez dans autre chose ?

— Je ne sais pas encore.

— J'aurais pourtant cru qu'écrire était le boulot rêvé. Pas de patron, pas d'horaires, inventer des trucs. Ça n'a rien d'un travail.

— Ce n'est pas tout à fait aussi simple que ça.

— Qu'est-ce qui est difficile ?

— Tout. Surtout le fait d'inventer des trucs.

— J'imagine que ça doit être un peu comme mentir.

Il s'approche des rayonnages et hoche la tête en voyant des titres qu'il n'a pas l'air de connaître.

— Moi aussi, j'adore lire, poursuit-il. Surtout des romans policiers. Les trucs sur le sens de la vie m'intéressent nettement moins.

L'inspecteur Ramsay se retourne et pose sur moi un regard de reproche.

— Qu'est-ce que j'ai dit de drôle ?

— Le fait qu'un inspecteur lise des romans policiers.

— Et alors ?

— C'est plutôt ironique, non ?

— Ah oui ?

— Peut-être pas tant que ça, après tout.

Il s'intéresse de nouveau à la bibliothèque et finit par en sortir mon livre.

— C'est quoi ? demande-t-il.

— Je vous demande pardon ?

— De quoi ça parle ?

— Quand on me pose la question, j'ai toujours du mal à répondre.

— Pourquoi donc?

— Parce qu'il n'entre dans aucune catégorie.

L'inspecteur Ramsay soulève la couverture et découvre ma photo. Une photo retouchée, sur laquelle j'affiche un air méditatif et maussade.

— Drôle de coïncidence, ce titre.

— Ah bon?

— Je fais allusion aux crimes du Marchand de Sable il y a quelques années. C'est moi qui étais chargé de l'enquête.

— Vraiment?

— Le monde est petit, pas vrai?

— D'une certaine façon, je me suis inspiré de cette affaire pour le titre de mon livre.

— Inspiré, dites-vous?

— Non pas que ces crimes aient quoi que ce soit d'inspirant, mais c'est ce qui m'a donné l'idée.

— L'idée de quoi?

— L'idée du *titre*. C'est tout ce que je voulais dire.

Ses yeux passent de mon visage à ma chemise et je me demande si j'ai une tache quand je m'aperçois que ce sont mes mains qu'il observe. Je résiste à l'envie de les glisser dans mes poches.

Ramsay reporte son attention sur mon visage tout en soupesant mon livre, comme s'il pouvait en évaluer le contenu au poids.

— Je peux vous l'emprunter?

— Je vous l'offre. J'en ai plein d'autres au sous-sol.

— Ah bon? Et il y a quoi d'autre, dans ce sous-sol?

Je comprends qu'il plaisante quand il se met à rire après un court silence. En fait, tout ce qu'il me dit avec son drôle d'accent pourrait passer pour de l'humour pince-sans-rire, mais je ne suis pas certain qu'il soit dans ce registre.

— Parlez-moi de la journée que vous avez passée avec Mme Dunn, reprend-il en sortant un calepin de la poche de sa veste après avoir posé mon livre sur une petite table.

— Je n'ai pas passé la *journée* avec elle. Notre rencontre a duré vingt minutes, tout au plus.

— Alors vous allez commencer par me parler de ces vingt minutes.

Je lui parle du message laissé par Petra, de l'appel que je lui ai passé ce matin, du rendez-vous qu'elle m'a donné chez elle à 17 heures. Ma rencontre avec Petra en sortant du métro, une Petra en tenue de jogging, une casquette des Yankees sur la tête, qui hésite à me voir chez elle et préfère m'entraîner dans le petit vallon pour me parler de l'inconnu qui la suit et qu'elle a surpris un soir devant chez elle. Sa peur, son envie de savoir si j'étais suivi par une ombre, moi aussi.

— Et c'est le cas? s'enquiert l'inspecteur Ramsay.

Quand on raconte une histoire, il y a toujours un moment où l'auteur se censure. On ne dit jamais tout, aucun compte rendu n'est exhaustif. Même ceux qui avouent à leur femme qu'ils l'ont trompée oublient de parler du parfum de leur maîtresse. Pendant les guerres, on compte les morts alors qu'on oublie de faire la somme des membres amputés. Ce n'est pas tant l'envie de tordre le cou à la vérité qui nous fait agir ainsi, plutôt le désir de ne pas faire souffrir inutilement. Préserver certains secrets n'empêche pas d'être sincère.

C'est ce qui me pousse à répondre à l'inspecteur Ramsay que non, je n'ai jamais été suivi. Tout en m'engageant sur cette pente, j'ai conscience d'avoir probablement tort. La police est sans doute la seule capable d'assurer ma sécurité et celle de Sam à ce stade, mais quelque chose me souffle que révéler ce que je sais ferait de moi la prochaine victime. Si le Marchand de Sable me surveille d'aussi près que je le crois, je préfère encore jouer son jeu, et non celui de la police.

Sans compter que j'ai l'impression de figurer au nombre des suspects pour le meurtre de Petra.

— Dans ce cas, pourquoi vous a-t-elle appelé?

— Sans doute parce que nous avons tous fait partie du même cercle littéraire, il y a quelques années. Elle semblait établir un lien entre notre petit groupe, mon livre et son impression d'être suivie, mais c'était assez vague.

— Assez vague, répète-t-il en pesant ses mots. Parlez-moi de ce cercle.

Je m'exécute. Je lui donne les noms des autres, le peu que je sais à leur sujet. Cette fois encore, j'omets quelques détails. Notamment ma rencontre avec Angela.

— Essayons de voir si j'ai bien compris, résume-t-il. Vous avez retrouvé Mme Dunn vers 17 heures, c'est bien ça ?

— Un peu avant 17 heures, oui.

— Et vous l'avez laissée sur ce sentier vingt minutes plus tard.

— À quelques minutes près.

— Ensuite, vous êtes rentré chez vous à pied ?

— Oui.

— Vous avez parlé à quelqu'un ? Vous vous êtes arrêté en chemin ?

— J'ai bu un verre à Kensington.

— Où, exactement ?

— Au Fukhouse. Un bar punk.

— Vous n'avez pas vraiment le profil.

— C'était sur mon chemin.

— Quelqu'un au Fukhouse pourrait en témoigner ?

— Peut-être le barman.

— Quand êtes-vous rentré chez vous ?

— Il faisait presque nuit. Je dirais un peu après 21 heures.

— C'est à ce moment-là que vous avez téléphoné chez le voisin pour savoir si votre fils se trouvait bien là-bas.

— Oui.

— Vous aviez une raison quelconque d'être inquiet à son sujet ?

Il était debout à la fenêtre du salon.

— Je suis veuf, inspecteur. Sam est tout ce qu'il me reste. Je suis *tout le temps* inquiet pour lui.

Il bat des paupières avant de reprendre :

— Vous avez mis un sacré bout de temps. Même en vous arrêtant boire deux ou trois verres en chemin.

— J'aime bien prendre mon temps.

— Ça vous intéressera peut-être de savoir que Mme Dunn a disparu entre le moment où vous l'avez quittée et 20 heures. C'est-à-dire une période d'à peu près deux heures et demie.

— Disparue ? Vous m'avez dit qu'elle avait été assassinée.

— Je vous ai dit qu'on *pensait* qu'elle avait été assassinée.

Comment ai-je pu me tromper sur son compte à ce point ? Entre son reste d'accent écossais et sa désinvolture apparente, il a réussi à me faire croire que la police m'aurait envoyé un dur si elle me soupçonnait vraiment d'être impliqué dans ce qui est arrivé à Petra. Je m'aperçois en fait que Ramsay *est* un dur.

— Vous connaissez quelqu'un qui pourrait en vouloir à votre amie ? me questionne-t-il, l'air de ne pas y toucher. À part cette ombre qui la suivait ?

— Petra n'est pas une amie. Ce n'était pas une amie, je veux dire. Je la connaissais à peine.

— Pas une amie, marmonne-t-il en prenant des notes.

— Quant au mobile, aucune idée. Elle m'a parlé de son divorce et de sa relation avec l'associé de son ex-mari. J'ai cru comprendre que la situation était assez compliquée.

— Tout ça pendant les vingt minutes de votre rencontre sur le petit sentier ?

— Elle m'a juste glissé son nom.

— Quel nom ?

— Le nom de son petit ami. Un certain Romain quelque chose. Petra avait peur d'avoir des histoires si son ex-mari apprenait qu'elle le voyait.

— Romain Gaborek.

— Oui, c'est ça.

— Votre amie vous a-t-elle précisé que M. Gaborek et M. Dunn étaient tous les deux des pontes de la pègre locale ?

— Elle y a fait allusion.

— Une allusion. Elle y a fait *allusion*.

— Exactement.

— C'est drôle, lâche-t-il en refermant son carnet. La plupart du temps, les gens qui apprennent ce genre de

193

nouvelle ont envie de savoir comment ça s'est passé. Vous ne m'avez rien demandé.

— Tout ce qui touche à la violence m'effraie.

— Dans ce cas, c'est aussi bien que vous ne me demandiez rien parce Mme Dunn a connu une mort *très* violente.

— Je croyais que le corps n'avait pas été retrouvé.

— Le corps, non. Mais les traces laissent penser que le meurtrier a usé de… de techniques bien particulières. Un peu comme il y a quatre ans. Vous vous souvenez ?

Si quelqu'un pénétrait dans la pièce, il pourrait croire, en le voyant, que l'inspecteur Ramsay se délecte de ces horreurs. Mais c'est moins du plaisir que de la colère. Une rage qu'il a appris à dissimuler, avec le temps.

— Eh bien, c'est tout, conclut-il.

Je me lève en lui tendant une main qu'il finit par saisir avant de l'écraser dans la sienne.

— J'espère avoir pu vous aider.

— Je reviendrai vous voir en cas de besoin.

Ramsay se dirige vers l'entrée et je le suis, brusquement pressé d'entendre la porte se refermer derrière lui.

— Une dernière question. Vous m'avez bien dit que Mme Dunn portait une casquette…

— Oui.

— Une casquette comment ?

— Une casquette des Yankees. Pourquoi ?

— Rien. On n'a pas retrouvé de casquette. Des Yankees ou d'une autre équipe.

Il ouvre la porte et franchit le seuil. Avant de tirer le battant derrière lui, il m'adresse un sourire. Celui qu'il réservait pour la fin de notre entretien.

Une pensée étrange m'assaille dès le réveil : je vais redevenir célèbre. Je vois déjà la police me traîner, menotté, jusqu'au tribunal sous les flashs des photographes, face à la meute des journalistes anxieux de recueillir une déclaration du Salaud du Jour pour le journal télévisé du soir.

Mon radio-réveil se met en route et je revis la même scène.

Au journal, le présentateur annonce à la ville tout entière que Petra Dunn, quarante-cinq ans, a été enlevée la veille sur un petit sentier du quartier de Rosedale. Les indices retrouvés sur place laissent à penser qu'elle a été assassinée. La police interroge actuellement plusieurs « témoins ».

Le témoin, c'est moi. Hier matin, je me levais dans la peau d'un écrivain au chômage, et voilà que je me retrouve vingt-quatre heures plus tard dans celle d'un meurtrier présumé. Mais ce n'est pas tout. Si l'inspecteur Ramsay croit que j'ai tué la pauvre Petra, cela signifie aussi que je suis le meurtrier de Carole Ulrich, Ronald Pevencey et Jane Whirter.

Angela avait peut-être raison. Le Marchand de Sable est de retour. Et jusqu'à preuve du contraire, on croit que c'est moi.

— Papa ?

Sam, debout sur le seuil de ma chambre.

— Ce n'est rien. Un simple cauchemar.

— Mais pourtant tu es réveillé !

Il a raison. Je suis réveillé.

Mon premier réflexe après avoir pris ma douche et m'être habillé est de conduire Sam chez Stacey, la sœur de Tamara, qui vit à Saint Catharines. Je profite du trajet pour lui expliquer tant bien que mal la raison pour laquelle un policier est venu m'interroger hier soir, pourquoi il est préférable de nous séparer quelque temps. Je lui explique qu'on se retrouve parfois embringué dans des histoires qui ne nous regardent pas et pour lesquelles il faut néanmoins s'expliquer.

— Ils procèdent par élimination, approuve Sam.

À peu près, ouais.

— Mais je croyais qu'on était innocent tant qu'on ne pouvait pas prouver qu'on était coupable ?

— Uniquement au tribunal.

— Ça a quelque chose à voir avec ton livre ?

— Oui, indirectement.

— Je n'ai jamais aimé ton livre.

Il l'a lu, bien évidemment. Je le lui avais interdit, mais comment voulez-vous qu'il ne lise pas la seule et unique contribution paternelle au genre littéraire? Je ne sais pas exactement ce qu'il a pu y comprendre – c'est un lecteur assidu, mais il n'a que huit ans –, tout en sachant que l'essentiel ne lui a pas échappé. Le Marchand de Sable du *Marchand de Sable va passer* existe bel et bien.

À mon retour, je laisse un message sur le répondeur d'Angela en lui demandant de me rappeler le plus vite possible.

En attendant, j'essaie de découvrir combien de membres du cercle ont été en contact avec les autres. Après la soirée chez Grossman, j'étais persuadé que chacun était reparti de son côté, mais des relations ont très bien pu se nouer dont je n'avais aucune idée à l'époque. Des relations entre amants, rivaux, créateurs et égéries. Un cocktail passionnel explosif.

Pour tuer le temps, je vais faire un tour sur www.patrick. rush.com et je clique sur « Vos réactions ». J'y retrouve les commentaires des monomaniaques habituels débattant de points de détail et d'incohérences dans mon ouvrage, accompagnés d'impressions personnelles pour le moins contrastées sur l'auteur (« En me dédicaçant le livre, il m'a demandé si j'écrivais aussi. Et c'est vrai, J'ÉCRIS ! C'est comme s'il avait LU DANS MES PENSÉES ! » à côté de : « J'ai croisé PR sur Queen Street l'autre jour, il faisait – très mal – semblant de jouer au type "normal" en se baladant avec *un sac de courses* [!?] quel connard prétentieux ! »).

Je suis sur le point de quitter le site lorsque la flèche s'arrête sur le commentaire le plus récent, ajouté le jour même. Un nouveau communiqué signé levraimarchanddesable :

Une de chute...

Angela me rappelle. Elle travaille tard ce soir, mais propose de nous retrouver ensuite. Sans très bien savoir pourquoi, j'insiste pour lui donner rendez-vous chez elle, ce qu'elle finit par accepter du bout des lèvres. En raccrochant, je comprends qu'il me faut impérativement *voir* l'endroit où elle habite si je veux me convaincre qu'elle est bien vivante.

Comme Angela ne m'attend pas avant 20 heures, ça me laisse le temps d'appeler le seul autre membre du cercle dont j'ai le numéro. Len.

— La police sort d'ici, m'annonce-t-il sans même un bonjour, comme si on s'était parlé la veille alors que notre dernière conversation remonte à plusieurs années. Tu es au courant de ce qui est arrivé à Petra?

— Oui. Le type qui est venu t'interroger s'appelait Ramsay?

— J'étais trop flippé pour retenir son nom. Un drôle de mec.

— Drôle comment?

— Drôle dans le sens de bizarre et de rigolo à la fois.

— Alors on parle du même.

J'irais volontiers jusque chez Len à Parkdale à pied, mais la canicule a encore battu son record de la veille et c'est au volant de ma Toyota, toutes vitres baissées, que je me retrouve sur King Street. Je prends à gauche en direction du lac et me retrouve au milieu d'anciennes belles propriétés familiales transformées depuis en appartements délabrés. L'immeuble de Len est encore plus triste que les autres, avec son porche à la peinture écaillée. Des drapeaux punaisés font office de rideaux aux fenêtres, quand il ne s'agit pas de papier aluminium ou de sacs-poubelle.

Len occupe le dernier appartement, sous les toits. La porte de côté est ouverte, ainsi qu'il me l'a précisé au téléphone, et je monte l'étroit escalier en traversant les effluves irrespirables de hasch, de pot-au-feu et de dissolvant qui filtrent sous les portes.

Au dernier coude de l'escalier, je lève la tête et j'aperçois ce gros imbécile de Len qui m'attend sur le pas de la porte, tout voûté, moite de sueur, apparemment soulagé de me voir.

— C'est toi, soupire-t-il.

— Tu attendais quelqu'un d'autre ?

— J'y ai pensé, figure-toi.

L'appartement de Len se limite à une seule pièce. Un plan de travail, des plaques électriques et un minifrigo dans un coin, un matelas posé à même le sol et deux fenêtres de la taille d'un livre par lesquelles pénètre chichement la lumière du jour. La première fenêtre donne sur la rue, la seconde sur la cour. La pièce est mansardée et le plafond tombe en pente raide des deux côtés d'une poutre maîtresse qui sépare l'espace en deux, empêchant Len de se tenir debout sauf au milieu de l'appartement. Des posters de cinéma jaunis sont accrochés aux murs. *L'Exorciste, Suspiria, La Nuit des morts vivants*. Éparpillés un peu partout, des tas de linge sale exhalent une odeur à mi-chemin entre le déodorant et la vieille chaussette.

— Assieds-toi, me propose Len en dégageant une chaise pliante qui servait de reposoir à une pile de livres de poche.

Lui-même s'installe en tailleur par terre. On dirait un gamin en sueur qui attend qu'on lui raconte une histoire.

Je me lance.

— Alors, quoi de neuf ?

— Ça va. Je n'écris pas des masses, j'ai du mal à rassembler mes idées en ce moment. C'est dur de raconter des histoires d'horreur quand on en vit une au quotidien.

Derrière lui, sur une étagère de fortune fabriquée à l'aide de caisses de lait, est posé mon livre. La couverture en lambeaux, la tranche noircie par des doigts gras aux passages les plus lus.

— Je n'ai pas réussi à fermer l'œil pendant une semaine la première fois que je l'ai lu, me précise Len en suivant mon regard.

— Je suis désolé.

— Faut pas. Les meilleurs passages n'étaient pas de toi.

— Ce n'est pas moi qui te dirai le contraire.

Len jette un coup d'œil en direction de la porte, comme s'il voulait s'assurer qu'elle est bien verrouillée. À en juger par son air nerveux et hagard, il mijote ici depuis bien longtemps.

— Depuis combien de temps tu n'es pas sorti ?

— J'évite de sortir, répond-il. C'est comme si tu étais sûr d'être suivi, et puis tu te retournes et il n'y a personne. Ça m'arrive tout le temps en ce moment.

— Tu en as parlé à Ramsay ?

— Non. C'est un secret. Comme les espions. Si tu parles, t'es mort.

— Je vois ce que tu veux dire.

— Il m'a posé des questions sur toi.

— Que voulait-il savoir ?

— Si tu voyais Petra en dehors du cercle. Ce que je pensais de toi.

Je ne le quitte pas des yeux, à l'affût de ce qu'il cherche à me cacher. Len n'est pas du genre à supporter longtemps le regard des autres, autant lui mettre la pression.

— Je lui ai dit que nous étions amis, reprend-il enfin.

— C'est tout ?

— Il n'y avait rien d'autre à dire.

— À part l'origine de mon livre.

— À part ça, oui.

— Et alors ?

— Alors je ne lui ai rien dit.

— À qui d'autre as-tu parlé ?

— Petra m'a appelé. Angela aussi. Elle m'a raconté l'accident de Conrad. Ivan aussi est passé avant-hier. Ils avaient tous une trouille d'enfer.

— Et William ?

— Tu déconnes ou quoi ? Le jour où il sonne chez moi, je déménage tout de suite.

D'un seul coup, la chaleur étouffante du lieu me prend à la gorge. Il n'y a pas assez d'air ici pour deux paires de poumons et Len avale de l'oxygène pour deux à force de souffler comme un phoque obèse.

— Angela t'a parlé de l'accident de Conrad ?

— Je viens de te le dire.

— Elle t'a dit qu'il y avait quelqu'un avec lui dans la voiture ?

— Est-ce qu'il y avait *vraiment* quelqu'un ?

— Non, il n'y avait personne.

Tout en parlant, je me relève et je me cogne la tête au plafond.

— Il va falloir que j'y aille, j'ai un autre rendez-vous et je suis en retard.

— Avec qui ?

— Avec Angela.

— J'imagine qu'elle est furax contre toi.

— Apparemment, non.

Len se gratte les îlots de barbe qui marbrent sa mâchoire en pointillé.

— Il faut que je te montre un truc.

Il déplie les jambes et rampe jusqu'aux étagères en caisses de lait. Ses doigts boudinés courent le long des bandes dessinées et fouillent à travers les décombres des piles de livres effondrées. Le temps de trouver ce qu'il cherche et son T-shirt est trempé de sueur.

Il me rejoint à quatre pattes et me tend une revue. Un magazine littéraire dont j'ai déjà entendu parler, la *Revue de Tarragon*, une parmi des dizaines de publications plus ou moins confidentielles qui éditent des nouvelles et des poèmes pour une poignée de lecteurs.

Je m'attends à ce que Len m'exhibe fièrement son premier texte publié.

— Tu as un truc là-dedans ?

— Regarde la table des matières.

Je détaille les titres et les noms des auteurs sans rien trouver de particulier.

— Regarde bien, insiste Len. Les noms.

Cette fois, je comprends. Une nouvelle intitulée « Le Conducteur de métro », écrite par une certaine Evelyne Chandesable.

— Chandesable. Comme Marchand de Sable. Tu as remarqué ?

— Tu es en train de me dire que c'est Evelyne qui a écrit ça ?

— Regarde à la fin, m'indique Len, tout excité. La liste des contributeurs.

Les dernières pages sont consacrées à de courtes présentations biographiques des auteurs, illustrées de petites photos. Je lis la notice consacrée à Evelyne Chandesable :

> *Evelyne est une infatigable voyageuse que fascine l'existence des autres. « Rien de mieux pour un auteur que de s'intéresser aux inconnus », dit-elle. Cette nouvelle est la toute première publication d'Evelyne.*

À côté figure un portrait d'Angela.

— De quand date la revue ?

— De l'an dernier.

— Comment l'as-tu trouvée ?

— Je m'abonne à tout, répond-il. J'aime bien savoir qui publie quoi, et où. Ça doit nourrir ma jalousie. Il y a des jours où c'est le seul truc qui me pousse à me lever.

Len est agenouillé face à moi, les yeux écarquillés par la chaleur, son unique contact avec l'extérieur. Par le fait d'avoir partagé avec moi ce développement romanesque.

— Je peux te l'emprunter ?

— Vas-y. De toute façon, je n'avais aucune envie de le garder ici, me précise Len en posant sur moi un regard qui brille de cette peur devenue sa drogue.

« Le Conducteur de métro » est très bien écrit. Le critique en moi insiste pour que la chose soit reconnue d'emblée. Le ton est radicalement différent de celui utilisé par Angela dans son journal. Cette fois, le narrateur évoque d'une voix froide et sans âme l'histoire d'un personnage qui traverse tel un fantôme un univers urbain surpeuplé. Une voix qui ne ressemble ni à celle d'Angela, ni à celles contenues dans d'autres œuvres de fiction, tout simplement parce qu'il s'agit de celle d'un personnage bien réel : Ivan.

Le titre de la nouvelle le suggère en partie, « Le Conducteur de métro » raconte le quotidien d'un héros anonyme qui parcourt les tunnels du métro aux commandes de sa machine à longueur de journée avant de passer ses nuits à écrire des histoires qu'il ne termine jamais. Ce qui m'étonne le plus, ce n'est pas tant que cette histoire ait été empruntée au parcours personnel d'Ivan tel qu'il nous l'a exposé lors des réunions du cercle de Kensington. Non, ce qui m'étonne, au point de me laisser tout tremblant derrière le volant de la Toyota garée devant l'immeuble de Len, c'est que la nouvelle fait mention du secret tragique dont j'étais persuadé qu'il ne l'avait partagé qu'avec moi.

À plusieurs reprises dans l'histoire, le personnage d'Ivan fait allusion à la chute accidentelle (ou non) de sa nièce dans la cage d'escalier de sa sœur. La même histoire qu'il m'a racontée lorsque nous étions debout l'un à côté de l'autre devant les urinoirs du Zanzibar. Certaines phrases dont je crois me souvenir apparaissent telles quelles dans le texte d'Angela.

Elle s'appelait Pam… En la voyant partir en courant dans le couloir et se précipiter dans l'escalier, je me suis dit : « C'est la dernière fois que tu la vois vivante. » *Un râteau d'autrefois, comme un peigne, avec des dents métalliques… La fin d'une vie. De deux vies. C'est comme ça.*

Elle a dû apprendre le secret d'Ivan de son côté. C'est lui qui lui a raconté cette histoire. Et elle s'en est servie. Elle s'est servie de lui.

L'adresse que m'a communiquée Angela correspond à l'une de ces tours de métal et de verre qui ont poussé comme de la mauvaise herbe tout autour du stade de base-ball. Je n'aurais jamais pu la retrouver sans ses indications : au lieu de lire le nom d'Angela Whitmore face au numéro d'appartement qu'elle m'a donné, je découvre celui de Pam Turgenov. Le nom de la nièce d'Ivan.

Elle actionne l'interphone et je prends l'ascenseur, la rage qui monte en moi alimentée par les points rouges incandescents des numéros d'étage qui clignotent jusqu'au vingtième.

Elle ment.

Elle représente un danger pour moi.

Pour Sam.

Et aussi : *Ce n'était pas moi. Ce n'était pas mon livre. Elle a volé ma vie d'avant.*

Je n'ai jamais été aussi en colère. Même si ce que je ressens en ce moment n'a pas grand-chose à voir avec de la colère. La colère n'est qu'une humeur passagère, alors que j'éprouve quelque chose de physiquement déstabilisant, une décharge électrique qui me brûle la poitrine, qui isole l'univers de la pensée de celui de l'action.

Angela a laissé la porte ouverte. Je le sais parce que j'entends le bruit que fait la poignée en s'enfonçant dans le plâtre du mur lorsque je donne un coup de pied dans le battant.

C'est l'être agissant qui se précipite vers elle.

L'être pensant se contente d'enregistrer le mobilier bon marché, les grandes fenêtres sans rideaux dominant le lac en direction du couchant, les voies de chemin de fer, la ville qui s'étend jusqu'à l'horizon. Le tout sous une chaleur de plomb.

Angela a peut-être dit quelque chose avant que je lui fonce dessus, mais je n'en ai pas gardé le souvenir. À présent, en tout cas, aucun son ne s'échappe de ses lèvres. Il faut dire que je lui agrippe le cou. Mes pouces s'enfoncent, je sens quelque chose de mou céder sous la peau.

D'un mouvement brutal, je la soulève de terre et l'envoie voler sur le canapé avant de me mettre à cheval sur elle. Les bras tendus, j'appuie de toutes mes forces afin de l'empêcher d'émettre le moindre bruit.

D'une voix qui n'est pas la mienne, je lui hurle dans les oreilles.

Je ne sais pas ce que tu veux ni qui tu es et je m'en fiche. Mais si jamais je revois rôder autour de ma maison ou de mon fils le type que tu m'as collé aux trousses, je te fais la peau, bordel de merde !

Son corps est secoué par un spasme.

Tu as compris ? Je te fais la peau.

Les doigts serrés autour de son cou, je la sens céder sous moi. Je suis *déjà* en train de la tuer. Je suis presque curieux de savoir comment se manifestera la fin. Un soubresaut final ? L'immobilité ?

Je sais que c'est toi.

Je la lâche. Enfin, j'ai dû la lâcher parce que je la vois tenter de me dire quelque chose.

— Moi qui te croyais... *simple*. Ce sont toujours les plus simples qui réagissent de cette façon-là. Une ardoise vierge.

— Ce n'était pas moi.

— Tu ne savais même plus ce que tu faisais. Tu étais quelqu'un de différent. Si ça se trouve, c'est cette personne-là qui a tué Petra.

Angela tente péniblement de se remettre debout. Elle s'éloigne sans quitter mes mains des yeux.

Je cherche à me défendre.

— C'est tout de même *moi* qu'on suit en permanence.

— Tu as failli m'étrangler !

— Parce que tu t'en prends à moi, bordel ! À mon fils !

— Va te faire foutre !

Nous sommes tous les deux rattrapés par un même épuisement. Nos jambes refusent de nous porter, nous pourrions aussi bien nous trouver sur le pont d'un bateau en pleine tempête.

— Dans ce cas, réponds-moi. Si tu es aussi innocente que tu le prétends, pourquoi est-ce que tu te caches sous le nom de quelqu'un d'autre ?

— Pour lui échapper.

Elle m'explique qu'elle l'a aperçu régulièrement. Depuis la fin des activités du cercle de Kensington. Planté sur le trottoir, là où elle travaillait, devant ses appartements successifs, en train de l'observer depuis la rue quand elle mangeait au restaurant. Systématiquement dans l'ombre. Sans qu'elle puisse l'identifier.

C'est à cause du Marchand de Sable qu'elle a été obligée de changer de nom, d'allure et de travail, avant même la mort de Conrad White et d'Evelyne. Après quoi elle a tout fait pour s'enfoncer encore davantage dans l'anonymat.

— C'est pour mieux disparaître que tu publiais des nouvelles sous pseudonymes ?

— Des pseudonymes ?

— Evelyne Chandesable. Pam Turgenov. Quels autres noms as-tu utilisés, encore ?

Angela croise les bras. Elle est persuadée que, même en changeant de vie – ou en écrivant sous pseudonymes –, il finira toujours par la retrouver. Tout récemment, le jour où nous avons déjeuné ensemble, elle est allée reprendre sa voiture dans un parking souterrain et elle a trouvé un message sur son pare-brise, écrit au rouge à lèvres. *Son* rouge à lèvres. Pris dans sa salle de bains.

— Il est entré *ici* ?

— Et il a envie que je le sache. Que je sache qu'il peut revenir chaque fois qu'il en aura envie.

— Qu'avait-il écrit ? Sur ton pare-brise ?

— *Tu m'appartiens.*

Au début, elle a cru qu'il la surveillait uniquement pour lui faire peur. Elle le soupçonnait de prendre plaisir à jouer avec ses nerfs, à savoir que sa vie se limitait à l'instinct de survie d'un parasite. Désormais, elle est convaincue qu'il n'agit pas au hasard ; les traces qu'il laisse derrière lui pourraient bien un jour servir à compromettre Angela. Comme moi, elle a conscience de passer progressivement du statut de victime à celui de suspect.

Comme pour confirmer sa pensée, j'aperçois quelque chose sur le plan de la cuisine, derrière elle. Angela se retourne.

Je lui pose la question.

— Où as-tu trouvé ça ?

— Dans ma boîte aux lettres, ce matin.

— C'est une casquette des Yankees.

— Un message incompréhensible de plus, sans doute. Mais qu'est-ce que tu as ? Tu es pâle comme un mort.

Je me retiens des deux mains à un dossier de chaise pour ne pas tomber. La pièce, la ville de l'autre côté des vitres, tout tourne autour de moi.

— Cette casquette, dis-je dans un murmure. Petra portait la même quand elle a disparu.

Angela me regarde. Son expression m'assure de son innocence mieux que n'importe quel démenti. Le meilleur acteur du monde fait montre d'un certain artifice, c'est même ce qui intensifie sa force dramatique. Cette légère exagération qui fait vibrer jusqu'aux spectateurs les moins sensibles. À l'inverse, Angela m'offre un visage d'une perplexité absolue, me libérant instantanément des soupçons qui étaient les miens. J'avance dans sa direction et me fais rassurant.

— On va s'en tirer.

— Qui est derrière tout ça ?

— Je ne sais pas.

— Pourquoi s'en prendre à nous ?

— Je ne sais pas.

Dehors, le ciel manifeste les premiers signes de faiblesse à mesure que descend le crépuscule. La ville entière se dessine avec une acuité inédite, les rues, les toits, les panneaux de signalisation se font plus nets. Nous nous tournons vers les fenêtres dans un même élan, pris par la même pensée.

Il est là, quelque part.

Le quadrillage des artères embouteillées, les tramways qui avancent au pas, les piétons presque immobiles.

Il est là, parmi eux.

Lorsque je me réveille, les publicités lumineuses aux abords du lac projettent des lueurs bleues, rouges et jaunes sur le plafond de la chambre. Les lumières de l'opulence.

Adossé à la tête du lit, je regarde Angela dormir. Son corps immobile, recroquevillé sur lui-même, fait penser à celui d'une enfant. C'est la première fois que je me réveille à côté d'une femme depuis la mort de Tamara. Cela me procure un sentiment étrange – le plus drôle d'une journée pleine de surprises – quand j'écarte les cheveux d'Angela sur son front tandis qu'elle dort.

Je passe un long moment à la regarder. Pas à la façon d'un amant en train de regarder dormir celle qu'il aime. Sa forme assoupie figure une présence non incarnée, témoin d'un monde inconnu. J'ai l'impression d'être un fantôme.

Un fantôme qui éprouve le besoin d'aller aux toilettes. Je repousse les draps d'une jambe afin de me glisser hors du lit. Les pieds nus d'Angela pendent dans le vide. Des pieds d'une blancheur marbrée de veines.

Je vais me lever lorsque quelque chose m'arrête. Trois doigts de pied manquent à l'appel. Le petit orteil et les deux suivants dessinent une cicatrice vide, un bout de pied anormalement rond qui fait frissonner d'horreur mes propres orteils lorsqu'ils se posent sur le plancher.

Angela peut bien multiplier les pseudonymes, ces trois doigts de pied fantômes ne laissent planer aucun doute sur sa véritable identité. Celle de la petite fille de son histoire. Celle qui a perdu trois doigts de pied après avoir passé la nuit dans la grange, le soir de la disparition de son père adoptif.

La petite fille au secret indicible.

La petite fille qui dort à mes côtés.

22

Cela peut paraître incroyable, mais j'ai une bonne raison de ne pas chercher à savoir, après avoir vu son pied mutilé, si Angela est effectivement la version adulte de la petite fille évoquée dans son journal. Je ne voudrais pas qu'elle me prenne pour un lecteur banal. Je ne voudrais pas la laisser croire que ces doigts de pied font nécessairement d'elle la petite fille de l'histoire du Marchand de Sable, l'héroïne d'une simple autobiographie quand la fiction, comme toutes les fictions, est composée d'éléments épars, réels et inventés. Je ne voudrais pas qu'elle me prenne pour l'un de ces amateurs sordides d'histoires criminelles, l'un de ces ignares primaires qui cherchent la réalité à tout prix lorsqu'ils dévorent des romans de gare et visionnent des films populaires. Je ne voudrais pas qu'elle voie en moi un être dépourvu d'imagination.

Mais que m'importe, après tout? Sans doute est-ce l'orgueil qui parle. Je suis peut-être un auteur bidon, mais au moins suis-je un *vrai lecteur*. Au moins fais-je partie de cette espèce en voie de disparition, consciente de la vanité qu'il y a à vouloir absolument établir un lien entre la vie réelle d'un écrivain et celle décrite dans ses livres.

Une autre raison m'oblige à garder pour moi seul ces doigts de pied gelés alors que je trouve Angela occupée à me verser une tasse de café au moment où je sors de sa chambre. Cette raison, c'est la solitude.

— Bien dormi? me demande-t-elle en poussant dans ma direction un mug sur lequel est écrit Salope de Première.

— Très bien. Mais j'ai fait des cauchemars.

— De vrais cauchemars?

— Pas pires que d'habitude.

— Moi aussi. C'est pour ça que je me suis levée. Sans compter que je dois être au boulot dans moins d'une heure.

J'avais oublié qu'elle a un job. J'avais oublié que tout le monde a un job. Un autre effet secondaire de la vie d'écrivain. Vous en arrivez à vous persuader que n'importe qui peut se permettre de traîner chez lui en attendant le courrier tout en faisant semblant de croire que se demander ce qu'on va bien pouvoir manger à midi est une forme de méditation active.

— À propos d'hier soir. Je voulais te dire à quel point...

— Tu devrais en parler aux autres.

— Les autres?

— Les autres membres du cercle.

Angela tient son café à pleines mains afin de les préserver de l'air glacial qui sort de la climatisation.

— C'est drôle, mais j'allais te dire quelque chose à propos de *nous*. Quelque chose de gentil.

— Il faut croire que je ne suis pas très douée pour les lendemains matin, réplique Angela.

— Si je comprends bien, ce n'est pas la première fois. Pas le premier matin.

— Non, Patrick, ce n'est pas le premier matin.

J'avale une gorgée de son café doucereux et brûlant. J'attends que ma gorge ne soit plus totalement en feu avant de lui demander pourquoi elle veut que j'aille voir les autres.

— Pour savoir ce qu'ils savent. Pour savoir s'ils ont été... impliqués dans des expériences similaires.

Je hoche longuement la tête. Je réagis au mot qu'elle vient d'utiliser. *Impliqué*. Elle l'a prononcé de la même façon que Conrad White quand je lui avais demandé ce qu'il pensait de l'histoire d'Angela. *Vous avez envie de savoir si quelqu'un d'autre est impliqué de la même façon que vous.*

— Comment ton sac à main s'est-il retrouvé dans la voiture de Conrad?

— Je te l'ai dit. On se voyait un peu à l'époque.

— Il y a se voir et se voir.

— Il avait envie de savoir un peu plus qui j'étais.

Mais qui es-tu? La question au bord des lèvres, je me retiens de la poser en avalant une nouvelle gorgée de café à cautériser les amygdales.

— Tu as lu son roman?

— *Jarvis et Wellesley*? Bien sûr. Pourquoi?

— Je suis convaincu qu'il a cru reconnaître en toi le personnage féminin que cherche son héros.

— La fille disparue.

— La femme parfaite.

— Il te l'a dit?

— Alors j'ai raison?

— Tu n'as pas tort.

Angela me raconte que Conrad la reconduisait parfois chez elle. Au début, ils abordaient ensemble les sujets habituels : leurs romans préférés – *Le Procès* de Kafka pour Conrad, *Le Mage* de John Fowles pour Angela –, leur façon de travailler, la hantise de la page blanche et les façons d'y échapper. Mais Conrad finissait toujours par recentrer la discussion sur l'origine de l'histoire d'Angela. Son enfance, ses amis, ses parents. Sa façon d'insister finissait par mettre Angela sur la défensive et plus il s'entêtait, plus elle se montrait évasive, ce qui déclenchait la colère de Conrad.

— Ce n'était pas seulement de la curiosité, on l'aurait dit prêt à tout pour en savoir plus, m'explique Angela en glissant son portable et ses clés dans son sac.

— Il était amoureux de toi?

— D'une certaine façon, peut-être. Plus comme un fan un peu dérangé que comme un amant, si tu vois ce que je veux dire. Mais ce n'est pas pour ça qu'il me posait toutes ces questions.

Elle s'arrête. Elle a peur d'en dire trop.

— Je crois qu'il avait peur, lâche-t-elle enfin.

— Peur de quoi?

— De la même chose que nous tous.

— Et il…

— Il était persuadé que c'était lié à mon histoire.

Je suis Angela jusqu'à la porte d'entrée en remettant à la hâte ma montre, mes chaussettes et mes chaussures.

— Sais-tu s'il était en contact avec le Marchand de Sable – enfin, je veux dire, quelqu'un qu'il croyait être le Marchand de Sable? C'était en plein pendant cette série de meurtres. Si ça se trouve, il avait découvert un lien auquel aucun d'entre nous n'avait pensé.

— Peut-être, concède Angela. Ou alors c'était un malade complètement renfermé qui se faisait une montagne de rien.

Dans l'ascenseur, je lui demande quel membre du cercle nous devrions voir en premier.

— Nous?

— Je croyais que tu avais envie de savoir ce que pensent les autres.

— Ça ne veut pas dire que je veux leur poser la question.

— Pourquoi pas?

— À qui a-t-il donné la casquette des Yankees, après tout?

Les portes de l'ascenseur s'ouvrent. Dehors, la chaleur fait vibrer l'air surchauffé.

— Je peux te rappeler?

— Pas dans l'immédiat.

— Pourquoi pas?

— *Tu m'appartiens.* Ça te dit quelque chose? répond-elle en poussant la porte de l'immeuble et en pénétrant dans la fournaise. Je ne suis pas certaine que ça lui plairait de savoir que je t'appartiens.

Qui pourrait croire qu'on ait autant de temps à soi lorsqu'on se retrouve pris dans un *engrenage infernal* – je n'aurais jamais cru servir un jour d'alibi à une expression aussi galvaudée –, entre les périodes de révélation et les moments de confrontation? Croyez-moi, la banalité parvient toujours à s'immiscer dans votre quotidien. Il faut

211

bien trouver le temps de faire à manger, d'aller aux toilettes, de se doucher longuement. Et puis il y a le courrier, le panier de linge sale qui déborde, le rendez-vous chez le dentiste. On a beau être suspecté de meurtre ou pris en chasse par un tueur en série, on s'arrange pour regarder une demi-heure du talk-show de Dr Phil.

En ces journées de juillet caniculaires, certains réflexes reviennent trop régulièrement pour que je prenne le temps d'en faire le détail. Le premier est mon journal. Je suis passé du stade où j'y jetais quelques notes avant de me coucher à celui où il ne me quitte plus, histoire d'y consigner des bribes de conversation, le pourquoi et le comment de tout et de rien. À la relecture, mon journal est de plus en plus décousu. Certaines pages à peu près structurées laissent brusquement la place à des messages à l'intention de Sam, à des croquis de Petra, de l'inspecteur Ramsay – mais pas d'Angela, je ne saurais pas par où commencer – et même une lettre au Marchand de Sable en lui demandant de laisser mon fils tranquille s'il se sent obligé de m'emmener avec lui au Royaume des Apparences Trompeuses. Plus tard, quand tout sera terminé, ce journal fournira la preuve que ce pauvre vieux Patrick a perdu la boule bien avant d'être emporté par l'ombre fantôme. Après tout, qu'est-ce que la santé mentale, sinon l'ultime rempart entre la réalité et la fiction ?

Mon second réflexe est d'appeler Sam pour m'assurer que tout va bien. La plupart du temps, il joue dans le jardin avec les gamins de Stacey – ils ont une piscine, un luxe inimaginable pour des rats des villes tels que nous –, passe la nuit sous la tente et s'exerce à toutes sortes de saines activités estivales que j'ai toujours voulu lui faire faire sans jamais trouver le temps, préférant lui coller un livre entre les mains ou l'emmener au cinéma. Bref, je ne l'ai jamais au téléphone quand j'appelle, mais ça me permet de remercier Stacey pour tout ce qu'elle fait, de lui redire que je viendrai chercher Sam quand j'aurai « fini de boucler deux ou trois trucs » et de lui recommander de bien dire à Sam que j'ai appelé.

On l'aura compris : même pris dans un engrenage, l'être humain se bat contre l'inévitable avec la dernière énergie. Contre vents et marée, il continue de croire à la vie qu'il pouvait mener auparavant, en attendant que la machine, lasse de le voir se débattre, finisse par le broyer.

Depuis que nous nous sommes quittés devant l'entrée de son immeuble, et bien qu'elle m'ait demandé de ne pas le faire, j'ai téléphoné plusieurs fois à Angela. Chaque fois, elle m'a fourni une excuse bidon. « J'ai un boulot *dingue* en ce moment. » « Je ne sais pas, je suis trop crevée. » Je lui dis pourtant que j'ai besoin de la voir, qu'elle me manque.

— Je ne crois pas que j'ai envie de ça, me répond-elle.

— On pourrait se voir pour parler un peu tous les deux.

— Parler de quoi ?

— Pas forcément de trucs... de trucs graves.

— Je ne vois pas de quoi d'autre on pourrait parler.

Elle m'explique qu'« il » lui a encore donné de ses nouvelles. Quand je lui demande lesquelles, elle garde le silence et j'entends sa respiration rauque à l'autre bout du fil.

— Le fait d'être ensemble serait peut-être la meilleure façon de se protéger.

Sa réponse est sans appel.

— Tu ne crois pas un mot de ce que tu dis.

— J'ai dit *peut-être*.

— Je suis persuadée qu'il ne veut pas nous voir ensemble. Il veut qu'on mène chacun notre vie séparément.

— Et si on refuse...

— ... il s'arrangera pour nous séparer. Ou pire. On a tout intérêt à faire ce qu'il veut.

Pour ce que ça risque de nous servir. J'ai bien failli le lui dire, avec une question qui me vient trop tard. *Qu'est-ce qu'il attend exactement de nous ?* S'il a envie que Patrick Rush s'excuse d'avoir utilisé son nom comme titre d'un roman volé, mission accomplie. *Mea culpa.* S'il a simplement envie de continuer à tuer au hasard, ce n'est pas moi qui pourrais l'en empêcher.

213

Tuer au hasard.

La question me taraude pendant une heure. Enterré dans la crypte, je consigne dans mon journal les éléments dont je dispose.

Carole Ulrich.

Ronald Pevencey.

Jane Whirter.

Et maintenant Petra Dunn.

Aucun lien ne les rattache, sinon dans son esprit. Le Marchand de Sable ne les a pas tués au hasard. Le tout est d'arriver à raisonner comme un psychopathe.

En tant qu'écrivain en retraite, je ne devrais pas avoir trop de mal.

Depuis quatre ans que les activités du cercle de Kensington ont cessé, les ateliers d'écriture se sont encore multipliés. On en trouve dans les bibliothèques, les librairies, les cafés littéraires, même les centres pour toxicos, les synagogues, les écoles de yoga ou chez les Alcooliques anonymes. On ne compte plus les séminaires « Je pense donc j'écris », les ateliers « Mot à mot », les rencontres littéraires « Écrits/Moi ». Je décide de m'inscrire à tous ceux qui passent à ma portée, ou presque. Pas dans l'intention d'apprendre, d'échanger, de me trouver, mais dans celle de parcourir à l'envers le chemin qui m'a conduit jusqu'ici. La même pulsion qui pousse les assassins à revenir sur le lieu de leur crime.

Sachant Sam en sécurité chez Stacey, j'ai tout le loisir de papillonner d'un cercle à l'autre jusqu'à la fin de cette semaine étouffante. En voiture comme en métro, du centre-ville à la banlieue la plus éloignée, je multiplie les réunions en posant partout la même question. Parfois, j'obtiens des réponses.

— Ces noms vous disent quelque chose ?

Je fournis chaque fois les noms et prénoms (lorsque je les connais) des membres du cercle de Kensington. À la fin de la semaine, mes soupçons se trouvent confirmés.

214

Dans un sous-sol de Little Italy, j'apprends que William a participé un temps aux activités du groupe et qu'on allait le prier de ne plus revenir — ses histoires de sociopathe écorcheur d'animaux n'étant pas du goût de tout le monde — lorsqu'il a brusquement disparu. À peu de chose près, les détails sont les mêmes dans un Coffee Time de Scarborough, une bibliothèque de Lawrence Park, un bar gay de Jarvis Street : un géant à l'allure inquiétante qui participe à des ateliers d'écriture et propose des histoires abominables avant de s'évaporer dans la nature.

Mais ce n'est pas tout.

Lors de mes recherches, j'ai cité d'autres noms. Des gens que je n'ai jamais rencontrés, mais qui n'en sont pas moins importants dans ma vie. Carole Ulrich et Ronald Pevencey. (J'ai laissé de côté Jane Whirter qui avait passé les vingt dernières années de sa vie à Vancouver.) Des noms parfois familiers à mes interlocuteurs. Et pas uniquement parce qu'ils figurent parmi les victimes du Marchand de Sable. À un moment ou à un autre, ils ont tous les deux participé à des ateliers d'écriture.

Alors que la police, à en croire les journaux, sèche encore, j'ai découvert qu'il existe un lien entre les victimes prises « au hasard » par le Marchand de Sable. Elles écrivaient et c'est ce qui a causé leur perte.

23

Sur le chemin du retour, je sors mon portable en faisant semblant de parler à quelqu'un. Ce n'est pas la première fois que ça m'arrive. À force d'être le seul piéton à ne pas être pendu à son portable, je finis par avoir l'impression de ne plus exister. Tout le monde éprouve le besoin d'envoyer des textos, de lire des SMS. Je téléphone, donc je suis.

Cette fois, en écoutant mon répondeur, je suis surpris de reconnaître la voix d'Ivan.

— J'ai fait une… une rencontre.

Suit un blanc interminable, à croire qu'il a oublié de raccrocher. Et puis il se souvient.

Clic.

Une rencontre.

Je rappelle le numéro qu'il m'a laissé en passant devant la vitrine d'un sex-shop face à laquelle un petit groupe pouffe de rire. Ivan décroche à la première sonnerie.

— Patrick ?

— Vous m'avez laissé un message…

— À la station du Musée, demain matin, quai sud, 10 heures.

Clic.

Sans même l'avoir voulu, me voici comme les millions de gens que je croise dans la rue : mon week-end va être occupé.

Je viens tout juste de rentrer chez moi quand on frappe à la porte.

216

— J'ai lu votre bouquin. Très intéressant, m'annonce l'inspecteur Ramsay en pénétrant d'office dans le salon comme s'il était chez lui. J'attends la suite avec impatience, ajoute-t-il d'une voix qui sonne plus faux encore.

— J'ai pris ma retraite.

— Ah bon?

— Vous êtes venu me parler de mon livre?

— On m'a chargé de l'enquête. Il faut bien que je mette quelque chose dans mon rapport.

Dans toute confrontation entre un accusé et son accusateur – ou bien un contrôleur des impôts, ou encore un voisin furieux parce que vos feuilles atterrissent dans son jardin –, il arrive un stade où il faut décider si l'on cherche l'escalade ou non. C'est là que j'en suis avec l'inspecteur Ramsay, et j'ai décidé que ce type-là ne me revenait pas.

— Vous savez quoi? Après tout, je pourrais peut-être écrire un autre roman. Vous pourriez même servir de modèle à l'un de mes personnages.

— Vraiment? Quel genre de personnage?

— Quelqu'un d'imparfait, évidemment. Un importun pas aussi malin qu'il le croit. Son problème, c'est qu'il aimerait être écrivain de polars, le seul genre littéraire qui l'intéresse. Il est persuadé que s'il ne passait pas son temps à résoudre de vrais meurtres, il serait capable d'en inventer.

Ce n'est rien de dire que Ramsay devient rouge. Il adopte la position type du voyou des bas quartiers. Je tiens enfin la réponse à la question que je m'étais posée la première fois : il est originaire de Glasgow, pas d'Édimbourg.

— Un personnage comique, si je comprends bien.

— C'est ce qu'il pense.

— Dans ce cas, vous vous trompez.

— En le trouvant drôle?

— Je veux dire que vous auriez tort de vous moquer de lui.

Il me gratifie d'un regard difficile à décrire. Pour un peu, je m'enfuirais en courant.

— Que doit-on dire à un écrivain pour lui souhaiter bonne chance ? reprend-il en se dirigeant vers la porte. Merde, c'est ça ?

— C'est plus simple de lui conseiller de ne pas se laisser emmerder.

— Ça marche aussi dans la police.

La porte claque. La maison met plus d'une minute à reprendre ses craquements habituels.

Par la suite, je me demande pourquoi je n'ai pas appris à Ramsay que les premières victimes du Marchand de Sable avaient participé à des ateliers d'écriture, sans même évoquer le fait que William fréquentait ces mêmes groupes. À bien y réfléchir, ce n'est pas parce que ce type-là ne me revient pas, ni même parce que ça pourrait être dangereux pour moi. Non. Je ne lui ai rien dit parce que Ramsay m'a brièvement révélé son visage le plus sombre.

Et si c'était lui ?

Un soupçon, né d'une intuition fugitive, à laquelle j'apporte quelques éléments convaincants maintenant qu'il est parti. Tout d'abord, c'est lui qui a dirigé l'enquête sur les premières victimes du Marchand de Sable. Un moyen idéal d'effacer les traces qu'il aurait pu laisser (ce qui serait surprenant). Et puis il y a son aspect physique, le fait qu'il ait à peu près la même taille que le Marchand de Sable et soit assez fort pour découper un cadavre en morceaux.

Une fois de plus, c'est peut-être le signe que je suis en train de devenir fou. Qui aurait l'idée de soupçonner l'inspecteur chargé de l'enquête ?

Nul besoin d'être poursuivi par un Marchand de Sable pour se croire entouré de crimes et de criminels. Tout ce que vous avez pu faire, toutes les hypothèses qui s'offraient à vous, il suffit qu'on vous les enlève pour que vous vous posiez une question évidente, universelle. L'expression première de la peur, de l'échec.

Qui est le coupable ?

Je n'en ai pas fini avec mes visites de la semaine. Je décide d'aller prendre un verre avec un ami, une formule qui traduit mal la réalité puisqu'il s'agit de Len. C'est lui qui m'a proposé de le retrouver en me promettant de me parler d'une « idée complètement tordue » au sujet d'Angela.

Nous nous sommes donné rendez-vous au Paddock, une cave à quelques rues de Queen Street. Le barman passe à portée de voix, je lui demande un bourbon, et je suis surpris d'entendre Len m'imiter.

— Je ne savais pas que tu buvais.

— Je ne bois pas.

— Pourquoi n'as-tu pas commandé un jus de fruits?

— Je n'ai pas envie d'attirer l'attention sur moi, murmure Len en regardant subrepticement par-dessus son épaule. Je préfère te voir dans le genre d'endroit où je ne vais jamais.

— Pourquoi donc?

— Pour qu'*elle* ne risque pas de nous voir.

Les verres arrivent et Len me raconte qu'Angela est passée chez lui quelques jours plus tôt. Elle a fait le tour de son appartement sous les toits en inspectant ses rayonnages. Elle a remarqué son exemplaire du *Marchand de Sable va passer*, mais elle n'a rien dit. Len a remarqué qu'elle portait « un parfum sympa, genre sexy ». Et un chemisier auquel il manquait plusieurs boutons.

— Quand était-ce, exactement?

— Mercredi. Pourquoi?

— Pour rien.

Mercredi. Deux jours après m'avoir dit qu'il était préférable de ne plus nous revoir, elle rend visite à *Len*. Len, l'éternel ado avec sa calvitie naissante et son odeur de vieux carton. Le temps de réfléchir à la situation et mon verre est déjà terminé. Je vide celui de Len et fais signe au barman de nous remettre la même chose.

Len m'explique qu'elle a commencé par lui parler normalement, comme lors des réunions du cercle, pour autant qu'elle lui ait parlé à l'époque. Une simple conversation entre écrivains. Les questions habituelles : ce qu'il écrit en ce moment, les revues auxquelles il a proposé des textes, les derniers romans qu'il a lus.

— Tu lui as parlé de la nouvelle qu'elle avait publiée sous un faux nom ?

— Je n'ai pas eu le temps.

— Pas eu le temps ? Mais je croyais que vous étiez en train de discuter ?

— Au début, et tout a basculé.

Tout a basculé quand elle lui a avoué, tout près de lui, la main sur son genou, que si jamais elle écrivait un livre sur lui, elle tenait déjà le titre.

— *Le Puceau*, ajoute Len. Je lui demande pourquoi et elle me répond : « Parce que tu n'es jamais sorti avec une fille. Pas vrai, Len ? » Et c'est à ce moment-là qu'elle m'a embrassé.

— Elle t'a embrassé ? Où ça ?

— Sur la bouche.

— Et ensuite ?

— Je ne sais pas. J'ai résisté. Enfin… je crois. Je l'ai vaguement repoussée.

— Pourquoi ?

— Parce qu'elle ne m'embrassait pas vraiment. On aurait dit qu'elle se moquait de moi.

— Qu'est-ce qui te laisse penser ça ?

— C'est ce que j'ai ressenti, en tout cas.

Je l'oblige à prendre son verre, à y tremper les lèvres. Il s'exécute et avale une première rasade, puis une autre.

— Bienvenue dans l'univers merveilleux de l'alcoolo-thérapie.

— Ça m'a donné chaud.

— Et ce n'est qu'un début.

Il s'essuie les yeux du revers de la manche. Je devrais lui mettre la main sur l'épaule pour l'aider à se tenir droit, mais je n'ai aucune envie de le toucher. Je préfère lui laisser le temps de se remettre. Lorsqu'il se sent mieux, il me raconte qu'Angela, après s'être moquée de lui, lui a dit qu'il n'avait pas besoin de lui rendre son baiser. Qu'il était trop tard, qu'elle savait tout ce qu'elle voulait savoir.

— Savoir à quel sujet ?

— Sur moi.

— Que voulait-elle savoir sur toi ?

— Tout ce dont elle avait besoin pour raconter mon histoire.

— Elle t'a dit qu'elle écrivait une histoire sur toi ? *Le Puceau* ?

— Je suis persuadé qu'elle écrit des histoires sur chacun d'entre nous, me souffle Len en approchant son visage du mien. Mais je suis le prochain.

— Le sujet de son prochain livre ?

— Non, le prochain à mourir.

Len n'est pas normal, j'en prends brusquement conscience. Ce n'est plus uniquement le drôle de collectionneur de bandes dessinées que j'ai connu, le personnage anonyme dont on essaie d'oublier la présence dans son dos quand on prend de l'argent à un distributeur automatique. Il est malade. Tant qu'à être ici, dans un endroit où il suffit de commander à boire en cas de pépin, autant en savoir le maximum.

— Dans ce cas, pourquoi pas moi ? Pourquoi ne serais-je pas le prochain ?

— Parce que tu étais le seul à ne pas avoir d'histoire, répond Len en reposant bruyamment son verre sur le comptoir après l'avoir vidé.

— C'est elle qui te l'a dit ?

— C'est évident.

Len pose la main sur mon poignet et l'appuie sur le comptoir verni, mais je le laisse faire. Je le laisse également approcher son visage de mon oreille.

— Elle n'est pas ce qu'on croyait, chuchote-t-il.

Je voudrais dégager mon bras, mais il est plus fort que je ne l'imaginais.

— Je ne suis pas seulement en train de dire qu'elle est folle.

221

Il s'est mis à parler fort. Derrière nous, les autres consommateurs s'arrêtent de discuter et font craquer leurs chaises en se tournant vers l'agité installé au bar.

— Je veux dire que ce n'est pas un être humain.

— Len, arrête tes conneries.

— Au Moyen Âge, ils avaient un nom pour les démons femelles qui suçaient la moelle des gens jusqu'à ce qu'ils meurent d'épuisement.

— Je sais, les succubes.

— Exactement.

— Je t'en prie !

— Je te dis que c'est une sorcière déguisée en tentatrice.

— Calme-toi. Allez, bois encore un coup…

— D'habitude, les succubes se nourrissent en volant la sève des hommes pendant qu'ils dorment. Cette fois, c'est différent. Elle vole leurs histoires.

— Tu voudrais peut-être qu'on lui enfonce un pieu dans le cœur ou qu'on la tue avec une balle en argent ?

— Je suis sérieux. Et tu ferais mieux de m'écouter si tu ne veux pas mourir avant l'heure.

Le pire, c'est que Len est sérieux. Tout le monde autour de nous a pu s'en apercevoir. Et tout le monde voit son assurance s'évaporer lorsqu'il tente de se mettre debout.

— Certains désirs sont trop atroces pour qu'on puisse les satisfaire.

On le dirait prêt à ajouter quelques mots, mais je le vois perdre le fil de ses pensées. *Je suis au bout du rouleau*, semble-t-il avouer en s'éloignant, la tête basse et les épaules voûtées. *Je n'en peux plus.*

Et voilà comment mon vendredi se termine dans un nuage de bourbon. Tout en me persuadant que les théories de Len sont aussi loufoques qu'elles en ont l'air, une idée m'assaille : en voyant la porte du bar se refermer sur lui, je ne peux m'empêcher de penser que c'est la dernière fois que je le vois.

24

Je pars de chez moi assez tôt en prévision de mon rendez-vous avec Ivan, mais le soleil, déjà impitoyable à 9 heures ce matin-là, finit par me mettre en retard. Par deux fois, je dois marquer une pause à l'ombre afin de ne pas tourner de l'œil à force d'avancer dans une atmosphère impropre à la respiration, tout juste bonne à euthanasier les personnes âgées et à promouvoir les ventes d'inhalateurs pour asthmatiques. Le temps d'arriver péniblement jusqu'au vénérable bâtiment qui abrite le Musée royal d'Ontario et je me fiche complètement de savoir si Ivan m'aura attendu ou non sur son quai de métro. Je n'ai plus qu'une idée en tête, échapper au soleil et attendre l'arrivée du mois d'octobre.

La situation est à peine plus tenable sous terre. En bas des marches, l'air est presque aussi chaud, le grondement et le grincement des rames de métro en prime. Que suis-je venu faire ici, de toute façon ? Ai-je vraiment envie de savoir ce qu'Ivan appelle une « rencontre » ? Je ferais mieux de rebrousser chemin. Renoncer à voir Ivan, et tous les autres par la même occasion. Laisser le soin à un autre de résoudre le mystère du Marchand de Sable, avec à la clé la même récompense que Carole Ulrich, Petra et leurs compagnons d'infortune.

Mais je m'entête et c'est là, debout sur l'escalator qui m'entraîne sous terre, que je comprends ce qui me motive : je veux me rattraper. C'est vrai, je suis un auteur sans honneur, un critique viré, un amant éconduit, mais il me reste encore une chance d'obtenir ma rédemption, le pardon qui me permettrait de quitter mon poste de simple observateur du monde pour y reprendre ma place. C'est dire à quel point les faux espoirs de la fiction sont ancrés en moi.

Au même instant, je reconnais le personnage qui remonte à l'air libre sur l'escalator d'en face.

Il agrippe des deux mains les rampes de caoutchouc, la capuche de son sweat-shirt enfoncée sur les yeux. Il paraîtrait plus grand s'il se tenait droit, ce qui n'est pas le cas.

Il glisse à côté de moi tandis que je poursuis ma descente.

Ce n'est pas son attitude qui me frappe, mais l'odeur qu'il laisse dans son sillage. Un léger parfum de compost. Le premier effluve qui vous assaille en ouvrant la porte d'un réfrigérateur débranché.

Je me suis tenu suffisamment près de l'individu qui dégage cette odeur pour l'identifier. J'ai même tenté de la décrire.

Un mélange primitif de feu de bois, de sueur et de viande bouillie.

William.

Le temps de me retrouver et il disparaît en haut de l'escalator sur un bruit de porte qui bat l'air en grinçant.

J'essaie vainement de remonter les marches qui descendent inexorablement avant d'abandonner la partie lorsqu'une mère de famille armée d'une poussette me jette un regard méchant. *Encore un cinglé*, m'indique clairement son visage qui respire le bio. *Qu'attend-on pour nettoyer la ville ?*

Je suis planté devant le guichet et j'attends que l'employé me rende la monnaie lorsque je comprends qu'il se passe quelque chose de plus grave encore que l'apparition de William. Des interjections incohérentes – *Ne touchez à rien ! Vite ! Quelqu'un !* – montent depuis le quai en bas des marches. Des cris d'enfants hystériques qui se réverbèrent dans le couloir. Un hurlement de femme.

Je franchis le tourniquet à toute vitesse au moment où l'employé sort son téléphone et m'enjoint de reculer. Ignorant ses grands gestes, j'avance et tombe sur la mère de famille avec sa poussette qui exige de savoir pourquoi on refuse de la laisser passer. L'explication de l'employé suffit à lui faire rebrousser chemin, ses talons composant une ritournelle sinistre sur les dalles de marbre.

Dans l'escalier qui descend jusqu'au quai, les clameurs se font plus fortes. Des cris d'adultes se mêlent aux pleurs des enfants et l'on perçoit, dominant la rumeur, les voix de donneurs d'ordres – *Reculez ! Je vous demanderai de vous ranger par ici, messieurs dames* – au milieu des *Oh mon Dieu !* paniqués des mères qui emmènent leurs enfants au musée et qui descendent de la rame du métro. Le brouhaha caractéristique de la marée humaine que l'on cherche à canaliser dans un espace réduit. Le bétail humain.

J'arrive sur le quai au milieu de la mêlée. Je suis le seul à descendre alors que tout le monde s'efforce de gagner la sortie à la hâte.

Je comprends soudain pourquoi.

Le train qui circulait en direction du sud est immobilisé aux deux tiers de la station, les portes grandes ouvertes, les wagons vides. Des employés en veste fluo orange se fraient un chemin à travers la foule jusqu'à la voiture de tête. Le conducteur de la rame en sort, les mains levées et tremblantes, les lèvres animées d'un discours muet.

Un accident. À l'instant. À voir quelques gamins échapper à leur mère, se pencher au-dessus des voies et se retourner aussitôt, on devine sans peine ce qui s'est produit. Un suicide. Ce n'est pas uniquement ce que je devine en jouant des coudes jusqu'au bord du quai. Je sais déjà qui s'est fait écraser.

La façon la plus élémentaire de mesurer l'expérience consiste à compter : le nombre de personnes avec qui nous avons fait l'amour, le nombre de pays que nous avons visités, les maladies que nous avons eues et auxquelles nous avons survécu. *Idem* avec les morts. Combien de morts a-t-on vus ailleurs qu'à la télé ou dans un cercueil ouvert ? Jusqu'à aujourd'hui, mon palmarès, ridicule, se limite à deux : Tamara, bien sûr, et ma grand-mère, retrouvée allongée dans la kitchenette de l'appartement qu'elle occupait dans sa maison de retraite, affichant le même air contrarié qu'elle avait de son vivant.

Je me rattrape d'un seul coup. Un regard sur les voies me suffit. Question mort, je suis définitivement servi.

Ce qui ne me quittera plus jamais en découvrant le corps d'Ivan, ce n'est pas le fait de l'avoir connu, ni de voir une partie de ses organes sur l'avant de la motrice ou encore que son visage, contrairement au reste, soit curieusement intact. Le plus surprenant est qu'il n'est pas mort. Sa mâchoire fait des allers et retours.

Ivan essaie de dire quelque chose que je ne comprends pas. De toute façon, je ne pourrais pas l'entendre, mais je sais que c'est à moi qu'il s'adresse, décidé à me révéler le nom de celui qui l'a poussé.

Le temps qu'un agent en uniforme me tire en arrière et Yvan ne bouge plus. Je crois un instant qu'on veut m'arrêter. J'entends clairement la conversation dans ma tête, au point de savoir ce que va me demander l'agent :

— Vous connaissiez cet homme ?

— Oui.

— Quelles étaient vos relations ?

— Nous voulions tous les deux devenir écrivains. Et nous étions tous les deux poursuivis.

— Poursuivis ? Steve ! Viens voir un peu ! Poursuivis par qui ?

— Par quelqu'un qui a plusieurs noms. Personnellement, je préfère Le Monstre Capable de Choses Monstrueuses.

En fait, l'agent se contente de me dire : *Reculez, monsieur, je vous en prie*. Alors je m'exécute. Je me précipite le plus discrètement possible vers l'escalier.

Dans l'escalator qui remonte vers la sortie, je croise d'autres agents et quelques infirmiers dont l'air calme laisse à penser qu'on les a déjà prévenus de l'inutilité de leurs efforts.

À l'entrée des tourniquets, deux flics en civil demandent si quelqu'un a vu quelque chose, et une ou deux personnes sortent de la foule afin de donner leur témoignage. Je ne m'arrête pas. Je remonte les dernières marches jusqu'à la rue où la chaleur étouffante est presque rassurante.

Je coupe à travers le campus universitaire, à l'ombre des arbres qui longent l'allée des Philosophes. Refusant consciemment de penser à quoi que ce soit d'autre que rentrer chez moi. En attendant, il me faut rassembler toutes mes forces pour arriver à marcher.

Et je marche fort : au bourbon, à la vodka tonic, au vin rouge, censé ouvrir l'appétit avant le déjeuner et qui finit par le remplacer. Je passe l'après-midi à zapper d'une chaîne à l'autre en buvant comme un trou sans arriver à oblitérer complètement de mon esprit les images des derniers instants d'Ivan.

Malgré tous mes efforts, les implications de l'horreur de cette journée s'imposent contre mon gré : si on a poussé Ivan, et si c'est bien William que j'ai croisé sur l'escalator, qui d'autre a pu le faire ? Je peux me tromper et Ivan a peut-être voulu se suicider, mais comment penser que la présence de William au même instant soit une coïncidence ? D'un autre côté, j'étais bien là, moi aussi. Ivan aurait-il également demandé à William de le retrouver ce matin-là sur le quai ? C'est possible. Il est néanmoins plus probable qu'Ivan aura été suivi par celui qu'il voulait dénoncer ; mon retard aura laissé à son poursuivant tout le temps d'opérer. S'il s'agit du Marchand de Sable, il m'a probablement aperçu. Il sait donc que je suis sur sa trace, que je sais qui il est.

La soirée commence particulièrement mal lorsque je décide de procéder à une dégustation des whiskys single malt que je réservais pour une grande occasion. Cette journée en est une. Je revois le corps désarticulé d'Ivan chaque fois que je ferme les yeux, même quand je cligne des paupières. J'imagine déjà le jour où viendra mon tour.

Je suis incapable de rester seul, ce qui me conduit à une autre décision douteuse ; j'appelle Angela. Je tombe sur son répondeur et je retente ma chance. Je passe les heures suivantes, les bouteilles de single malt aux noms imprononçables sur mon bureau, à appeler Angela en appuyant d'un doigt la touche rappel. Chaque échec me fournit de nouvelles excuses pour tout ce que j'ai fait, tout ce que je suis.

La pluie commence à battre les carreaux du sous-sol et je décide de me rendre chez elle à pied. Je remonte Front Street et je passe le palais des Congrès devant lequel plusieurs centaines d'ados font la queue, assis sur le trottoir, prêts à passer la nuit là dans l'espoir d'arriver les premiers à l'audition de *Canadian MegaStar!* le lendemain matin. Transis et ébouriffés, ils ressemblent à des bébés chihuahuas. En passant, je les encourage de la voix (« Rentrez chez vous, braves gens! Oubliez ce lieu de perdition! ») et ces laissés-pour-compte de la gloire me répondent par des gémissements de blessés sur un champ de bataille.

À la gare d'Union Station, je me réfugie dans le tunnel qui passe sous les voies. Le temps de tituber jusqu'à l'autre extrémité, l'averse s'est transformée en déluge, comme si le lac Ontario avait brusquement décidé de déverser ses eaux sur la ville. Je ne vois plus rien, mais je poursuis ma route sans savoir si j'avance sur le trottoir ou sur la chaussée. Je sais juste que la pluie s'arrête suffisamment longtemps pour me laisser ouvrir les yeux et je découvre, au-dessus de ma tête, l'ombre gigantesque du Gardiner Expressway. En face de moi, une silhouette solitaire se tient à l'abri de l'autopont. L'inconnu me regarde.

Je me rue dans sa direction et il reste immobile, apparemment curieux de savoir ce que je lui veux. Ou alors il m'attendait. Je ne l'avais pas remarqué, mais il se tient voûté, les bras croisés. Sa présence n'est plus aussi inquiétante.

Arrivé à portée de voix, je le vois s'enfuir en direction du lac. Contrairement à moi qui avance maladroitement, il court à grandes enjambées, mais on le sent fatigué et je ne lui concède pas un pouce de terrain.

— Je sais que c'était toi!

C'est moi qui ai crié. Un cinglé complètement aviné au milieu des autres cinglés avinés qui vivent sous l'autopont et me regardent passer.

— Je sais que c'était toi !

La silhouette ralentit. L'inconnu mouline des bras, donnant l'impression qu'il va se retourner. Pour m'attaquer ou pour me parler. Il décide de n'en rien faire et s'élance avec une vigueur accrue, ses bottes martelant la chaussée détrempée à une vitesse que je n'aurais jamais imaginée.

Je m'arrête, je m'étrangle en crachant sur mes chaussures et je le vois disparaître au coin d'un immeuble donnant sur le port. Ou peut-être derrière les voitures garées au pied du bâtiment. Ou peut-être même dans l'eau bouillonnante.

Le résultat est le même et je me retrouve seul. Seul sous la pluie.

Le temps de reprendre mon souffle et je poursuis mon chemin jusqu'à l'immeuble d'Angela, à quelques rues de là. Je garde le doigt sur la sonnette qui porte son numéro jusqu'à ce que le concierge sorte et me demande de m'en aller. Devant mon refus, il me dévoile ses qualités de videur. Sa chorégraphie est digne de ce genre de situation. Il agrippe ma chemise d'une main, ma ceinture de l'autre, ouvre la porte d'un grand coup de pied et me jette comme un sac-poubelle trop plein sur le petit carré de pelouse soigné.

Il pleut toujours. Je m'en aperçois en constatant que la pluie efface les traces de sang sur la main avec laquelle j'ai voulu caresser ma lèvre fendue.

Il n'y a plus rien à faire ce soir. Il est temps de réfléchir, de découvrir le *sens caché* des péripéties.

Pour la deuxième fois de la journée, les implications des événements auxquels j'ai assisté m'échappent, m'obligeant à retourner à pied chez moi en me posant des questions à voix haute. Dès la première, je me heurte à un mur : est-ce William qui vient de s'enfuir sous mes yeux ? Ai-je fait un lien entre l'odeur de l'homme croisé dans l'escalator et l'allure de la silhouette sous l'autopont, ou bien suis-je persuadé depuis le début qu'il s'agit de William, au point de prendre pour lui le premier inconnu venu ?

La question suivante est encore plus inquiétante : s'il s'agissait effectivement de William ce soir, est-ce lui que j'ai aperçu chez moi, posté devant la fenêtre du salon ? Est-ce lui l'assassin d'écrivains anonymes, le fantôme du journal d'Angela ? Qui me dit que tous ces crimes n'ont pas été commis par des monstres différents ? Et si le Marchand de Sable n'était qu'une façon de plus de désigner les commis du mystère ? Marchand de Sable, loup-garou, succube, diable ?

Je m'oblige à rester dans le domaine du rationnel. Que sait-on exactement ? Ivan est mort, Petra a disparu, Conrad – et Evelyne, à en croire Angela – sont également morts.

Nous sommes liés les uns aux autres par le cercle. Peut-être même par quelque chose de plus essentiel encore. Notre espace de jeu, même dans cette ville de plusieurs millions d'habitants, est réservé à une poignée d'individus : ceux qui croient encore au romanesque. Loin de laisser le Marchand de Sable évoluer en périphérie de nos existences respectives, nous l'avons accueilli parmi nous.

Le lendemain matin, le réveil est aussi pénible qu'on peut l'imaginer, et pas uniquement à cause d'une gueule de bois estampillée huit sur l'échelle des neuf critères d'empoisonnement avéré. Pas non plus parce qu'il m'a fallu faire un tour aux urgences où un interne m'a brutalisé à grands coups de *Oh putain ! Je suis désolé* en tentant de me recoudre la lèvre. Plus que tout, j'ai l'impression terrifiante que si j'ai eu des raisons de m'inquiéter jusqu'à présent, ce n'est rien à côté de ce qui va suivre. Je sombre peut-être dans la paranoïa, mais rien n'empêche les paranoïaques d'avoir parfois raison.

En rentrant de l'hôpital, je passe chez Angela. Toujours pas de réponse. Je suis brusquement pris d'une idée. William ou pas, l'inconnu aperçu la veille revenait de chez Angela.

J'essaie de la joindre à son travail et la standardiste m'apprend qu'elle n'est pas venue de la semaine. Len ne répond pas non plus. Ce sont les seules pistes dont je dispose, avec la conviction que, si Angela avait pu, elle aurait cherché à me joindre, ne serait-ce que pour me demander d'arrêter de la harceler.

Elle se cache. Elle est avec lui. Elle est morte.

Quelle que soit la vérité, je vais devoir la retrouver par mes propres moyens.

En fin d'après-midi, je quitte la ville au volant de ma voiture en multipliant les coups d'œil dans le rétroviseur afin de m'assurer que je ne suis pas suivi. Mais comment foncer sur l'autoroute au milieu de conducteurs bien décidés à ne pas se laisser distancer? Une voiture semble pourtant s'accrocher à mes basques. Une Lincoln Continental noire qui ne me lâche pas alors qu'elle aurait mille fois l'occasion de se rabattre. Ce qui ne prouve strictement rien, sinon que son conducteur est aussi pressé que moi. Le soleil couchant m'empêche de distinguer les traits de mon suiveur.

La Continental est toujours là, trois quarts d'heure plus tard, lorsque la première sortie pour Saint Catharines est en vue. J'attends la dernière seconde avant de m'engager brutalement sur la bretelle. La grosse voiture noire donne l'impression de vouloir me suivre en changeant brusquement de file, mais je vois dans le rétroviseur qu'elle continue sur l'autoroute alors que j'atteins les premières rues de la ville. S'il me suivait effectivement, le conducteur saura où je suis sorti, mais pas où je vais.

Et je vais voir Sam.

Il est resplendissant, tout bronzé, les genoux couronnés à force de crapahuter partout. Il a grandi d'un an en une semaine.

— Je rentre avec toi? me demande-t-il quand nous nous retrouvons tous les deux dans le salon, un dessin animé de Disney sur l'écran géant de la télévision.

— J'ai peur que non.

— Quand ça?

— D'ici une semaine. Peut-être deux.

— Une *semaine*?

— Mais tu t'amuses bien, ici?

— Ouais, bien sûr. C'est juste que… tu me manques.

— Je suis prêt à parier que tu me manques plus encore.

— Alors pourquoi je ne peux pas rentrer à la maison?

— Parce que j'ai une affaire importante à régler. Je préfère que tu sois en sécurité ici.

— Et toi, t'es en sécurité?

— Je te demande de me faire confiance. Encore un petit peu, d'accord?

Sam hoche la tête. Un regard suffit à me confirmer qu'il me fait effectivement confiance. Ça ne devrait pas m'étonner – après tout, je suis son père – mais je suis frappé par l'ampleur de cette confiance. À ce degré, la confiance d'un autre être relève de la bénédiction. Sa fragilité n'en est que plus précieuse. Elle se lit clairement sur les taches de rousseur qui lui constellent les joues : il suffirait que je perde sa confiance pour ne jamais la retrouver. On peut croire qu'on y parviendra, mais c'est un leurre.

Quelques heures plus tard, alors que je borde Sam dans son lit, je lui demande s'il a envie que je lui lise un passage de l'un des livres qu'il a apportés avec lui. Il fait non de la tête.

— Tu veux que je t'achète d'autres bouquins? La prochaine fois qu'on ira ensemble dans une librairie, on fera des folies.

— Non, ce n'est pas ça.

— Alors c'est quoi? Tu n'as plus l'âge que je te lise des histoires le soir?

— Non, mais je veux plus lire de livres.

Un enfant peut vous dire dix mille trucs plus graves que ça, mais il s'est exprimé avec une gravité presque douloureuse dans l'obscurité de cette chambre d'amis.

— Pourquoi ça?

— Parce que j'aime plus ça.

— Tu n'aimes plus les histoires ?

— C'est pour ça que tu me laisses ici, papa ?

Je tente de le détromper en lui affirmant que les histoires peuvent nourrir l'esprit, l'influencer et le provoquer, mais qu'elles ne sont pas dangereuses. Pourtant, au moment où je lui dis au revoir en l'embrassant avant de laisser la porte entrouverte, nous savons tous les deux qu'il a raison. La fiction a fini par jaillir des pages et nous rattraper. Et tant que je n'aurai pas trouvé le moyen de lui faire reprendre sa place, Sam devra rester ici, bercé par la lumière tamisée de sa lampe de chevet. Il lui faudra veiller à éviter les cauchemars pour ne plus rêver qu'au jour où son père viendra le chercher pour le ramener à la maison.

Je reprends le chemin de Toronto à la nuit tombée. Sur la route qui longe la rive sud du lac, entre les vieux motels et les vergers clos, on aperçoit les lumières de la ville de l'autre côté de l'eau. Autrefois, je trouvais ce spectacle somptueux. J'y voyais presque une invitation amoureuse au milieu des colonnes de lumière. La suggestion du possible, d'un danger qui me séduisait et auquel j'étais fier d'être associé, ne fût-ce que par le truchement d'une simple adresse.

Ce soir, la vue des tours dans le lointain me procure un effet bien différent. J'y vois une armée ennemie, des monstres émergeant des eaux sombres sous les reflets de la lune. Seul le désir les illumine. Un désir insatiable, sans partage. Une envie effrayante nourrie de tout ce qui se plie à sa volonté.

Je traverse les villages viticoles, les cités-dortoirs et les banlieues soudées les unes aux autres avant de retrouver la lumière. Le décor ultime d'une ville prête à vous avaler. À une époque, ce décor évoquait à mes yeux la promesse magnifique du succès. Il l'est encore, à ceci près que j'ai compris depuis que les promesses, lorsqu'elles ne sont pas tenues, relèvent du mensonge.

25

Tim Earheart m'appelle et me propose une nouvelle fois d'aller prendre un verre.

— Je suis vraiment désolé.

Je fais le compte des e-mails et des messages auxquels je n'ai pas répondu.

— Tu sais, Tim, ma vie est un peu compliquée en ce moment, mais pourquoi pas demain…

— À vrai dire, Patrick, ce n'est pas exactement une invitation amicale.

— Qu'est-ce que tu veux dire ? Tu veux me parler boulot ?

— Ouais, on peut dire ça comme ça.

Nous nous sommes donné rendez-vous dans l'un des bars, situés au pied des tours des grandes banques, que Tim fréquente depuis qu'il a été nommé au poste de grand reporter. « Pourquoi, tu faisais quoi avant ? » « Je ne sais pas. Je devais être reporter, mais je n'étais pas grand. » Sans compter les économies qu'il fait depuis que sa deuxième femme a déniché « un abruti quelconque pour l'entretenir ». Nous nous retrouvons donc dans un cadre digne du Nouveau Earheart. Il apprécie visiblement les sièges en cuir, les halogènes et le sentiment d'embourgeoisement que procurent les cocktails à vingt dollars. Sans compter que l'endroit est idéal pour draguer.

— Le simple fait d'être ici est un symbole de réussite, m'explique Tim en glissant un billet à la fille du vestiaire d'un geste enjôleur.

— Quel genre de réussite ?

— C'est bien ça le mieux. Ça n'a aucune importance. Il sera toujours temps de régler les détails par la suite.

La première tournée permet à Tim de me dresser la liste des femmes rencontrées ici, avec lesquelles il a précisément réglé les détails par la suite. C'est de l'Earheart tout craché, j'en ai des bouffées de nostalgie. Je me demande où a pu passer l'esprit de camaraderie qui m'animait autrefois. Sans doute a-t-il disparu à jamais, au même titre que ma femme et mon boulot.

Alors qu'arrive la deuxième tournée, Tim s'éclaircit la gorge et sort de la poche de sa veste une feuille qu'il glisse dans ma direction.

— Qu'est-ce que c'est ?

— Lis.

— C'est toi qui l'as écrit ?

— Lis, je te dis.

Je le sais, l'Église prétend que c'est mal de faire ce que je fais

Comment m'arrêter tant que vous n'en aurez pas ressenti l'effet ?

Plus tard, nul doute que ma carcasse brûlera en enfer
En attendant, le Marchand de Sable est de retour sur terre

— Où as-tu trouvé ça ?

— C'est arrivé au journal. À mon nom.

— Tu crois que c'est lui ?

— Le style colle assez bien, en tout cas.

— Sans parler du nom.

Tim ne me quitte pas des yeux. Il guette ma réaction. À moins qu'il ne compte les rides accumulées depuis notre dernière rencontre. J'ai bien conscience d'avoir mauvaise mine, mais le fait de voir mon ami, fringant et musclé comme jamais, m'étudier avec la curiosité d'un médecin légiste aurait de quoi déstabiliser n'importe qui.

— Tu comptes le publier ?

— J'aimerais bien.

— Mais ils ne sont pas d'accord.

— Cette fois, ils me laissent le choix.

— Et alors ?

— Et alors ? Je n'ai rien à raconter.

— « Le retour du Marchand de Sable ». Ça aurait de la gueule, à la une du journal.

— Il ne parle d'aucun meurtre en particulier. Je ne vois pas l'intérêt de terroriser les gens pour le seul plaisir de leur faire lire quatre mauvais alexandrins.

— Ce ne sont pas des alexandrins.

— Tu es plus calé que moi dans ce domaine.

Ce ne sont pas les meurtres qui manquent, bien sûr. Conrad et Evelyne. Ivan et son suicide dans des « circonstances étranges », pour reprendre l'expression des journaleux. Sans parler de Petra qui a disparu, et maintenant Angela. La seule chose qui les lie est le cercle de Kensington et si Tim Earheart n'est pas au courant, ce n'est pas moi qui vais lui en parler.

— Il y aurait bien une façon de publier ce poème, reprend Tim, l'air songeur. Il me faudrait la réaction d'une personnalité extérieure.

— Une personnalité extérieure ?

— Oui : toi. La réaction de l'auteur d'un best-seller mondialement connu en voyant un psychopathe s'emparer de son héros. Avec ça, je pourrais publier ce truc.

— Tu plaisantes, j'espère.

— Je me disais que ça pourrait être rigolo.

— Tu comptes sur moi pour revendiquer la paternité d'une génération spontanée de tueurs en série ? Très rigolo, en effet. À mourir de rire, même.

Je préfère en rester là. Tim m'a invité dans l'espoir de faire un papier, j'ai refusé, il ne lui reste plus qu'à transmettre la note au *National Star*. Nous nous quittons après avoir plaisanté sur les dernières rumeurs qui courent la rédaction, histoire de tuer le temps. J'en arrive à regretter l'époque où je n'étais pas le dernier à tirer sur mes chers collègues, où j'aurais moi-même appris à Tim que le responsable du service photo se travestissait le week-end.

Contrairement à ce que je croyais, nous n'en avons pas tout à fait terminé.

— De toi à moi, me demande-t-il en faisant signe qu'on lui apporte la note. Que penses-tu de cette histoire de Marchand de Sable ? Du fait que quelqu'un se serve du nom du méchant dans ton roman ?

— Je ne me sens nullement responsable, si c'est ça que tu sous-entends.

— Pas du tout.

— Alors, qu'est-ce que tu sous-entends ?

— Que sais-tu, exactement ?

— Ce que j'ai pu en lire dans la presse.

— Il t'a contacté ?

— Non.

— Je ne serais pas surpris que tu aies ta petite théorie sur le sujet.

— Tu sais quoi, Tim ?

Tout en posant la question, je descends du tabouret sur lequel j'étais perché, surpris de constater que j'ai du mal à tenir debout.

— Je regrette vraiment d'avoir écrit ce bouquin. Sincèrement.

Tim cherche à m'aider et je recule d'un pas. Je ferais mieux de m'en aller mais, en voyant Tim Earheart, un ancien confrère du journal, me regarder avec cet air apitoyé, je me sens obligé de m'expliquer.

— J'essaie de survivre comme je peux. Tu comprends ? Alors la prochaine fois qu'un fêlé t'envoie un quatrain de troisième zone, évite de m'en parler.

— Je suis vraiment désolé, Patrick.

— Désolé ? Tu te trompes. Le spécialiste de la désolation, ici, c'est moi.

La fille du vestiaire, bénie soit-elle, se matérialise au même instant, me tend ma veste et m'aide à m'habiller. Elle me lance un regard compatissant en lissant mon col avant de me laisser affronter la nuit, m'apportant la preuve que le monde n'est pas totalement imperméable à la gentillesse, même si elle est imprévisible. Pour un peu, je l'embrasserais. Si ça se trouve, Tim Earheart s'en est déjà chargé.

Je rentre en taxi, mais je demande au chauffeur de me déposer à quelques rues de chez moi afin de finir le trajet à pied. Tout en avançant sur le trottoir d'un pas incertain, obnubilé par une pensée, je croise la route de nuées de drogués et d'hurluberlus divers qui crient à la lune. Peut-être ces êtres sont-ils des signes avant-coureurs de ce qui nous attend. La Cité de la Peur. Oui. Nous avons raison d'avoir de plus en plus peur, à ceci près que nous avons peur à mauvais escient. Ce n'est ni un monstre venu de l'espace, ni le trou dans la couche d'ozone, ni une comète, ni une bombe sale qui viendront à bout de l'humanité, mais la montée en puissance de notre propre folie. Pourquoi ? Tout simplement parce que les gens sains d'esprit n'ont plus leur place ici. Lorsque les asiles finiront par s'ouvrir, ce sera nous qui en sortirons.

Ou peut-être moi tout seul. J'ai de nouveau l'impression d'être suivi. Entre deux sex-shops, j'entends résonner dans mon dos des semelles épaisses.

Je passe devant Prague Deli – une épicerie fine au slogan imparable : « Nous acceptons les Tchèques ! » – et des boutiques de disques d'occasion, en l'entendant avancer du même pas derrière moi. Je devrais me mettre à courir. Gagner les quelques mètres qui me permettront peut-être de m'en tirer. Mais je suis trop fatigué.

Je tourne dans Euclid. La nuit est nettement plus sombre, j'arrive à hauteur de l'espace dégagé signalant mon carré de pelouse. Je me décide enfin à me retourner avec l'air résigné de la proie acculée.

— J'ai quelque chose à vous dire, m'annonce Ramsay avec un petit sourire.

— Vous n'auriez pas pu téléphoner ?

— On prétend souvent que je suis mieux en vrai.

— Mieux comment?

Il fait un pas en avant mais reste en dehors du halo du réverbère et je ne vois que le blanc de ses canines.

— Len Innes a disparu.

— Disparu? Comment ça?

— C'est tout le problème avec les gens qui disparaissent. On ne sait jamais comment.

— Mon Dieu!

— Quand avez-vous parlé avec lui pour la dernière fois?

— Je ne sais pas exactement. Ça fait un moment.

— De quoi avez-vous parlé?

— De tout et de rien.

— Simple conversation amicale, si je comprends bien.

— Vous pensez que c'est moi qui l'ai tué?

— Je vous ai seulement dit qu'il avait disparu.

— Je ne sais *rien*.

— Vous savez beaucoup de choses, au contraire.

— Ça vous amuse, ces conneries à la Colombo?

— La critique est facile.

— Je ne suis plus critique.

— Vous être désœuvré.

— Si seulement. Mais vous n'arrêtez pas de venir chez moi en m'accusant d'avoir assassiné la terre entière. Le genre de truc qui vous pourrit une retraite en moins de deux.

— Vous voulez que je vous dise? Rien à foutre de votre putain de retraite.

— Vous ne me prenez pas non plus pour un assassin.

— Qu'est-ce qui vous fait dire ça?

— Alors arrêtez-moi. Faites quelque chose ou alors sortez de ma vie.

L'inspecteur Ramsay se métamorphose sous mes yeux. Pas tant son expression, qui reste butée et narquoise, que son visage. Je vois la peau de son crâne se tendre par un réflexe presque animal. Cet homme-là ne s'embarrasse d'aucun sentiment. Il n'éprouve ni loyauté ni sympathie pour le genre humain, tout simplement parce qu'il ne lui voit aucun avenir. C'est sans doute ce qui explique sa capacité à sonder les pulsions les plus sombres. Reste à savoir s'il est capable d'y succomber.

— Comment va Sam ?

— Je vous demande pardon ?

— Votre fils. Comment va-t-il ?

— Très bien.

— Papa sort bien tard pour laisser tout seul un petit bonhomme de son âge.

— Vous savez pertinemment qu'il n'est pas là.

— Ah bon ?

— Sam est en sécurité.

— Vous en êtes certain ? J'ai comme l'impression que l'air est plutôt malsain partout où vous passez.

Je tourne les talons, persuadé qu'il n'en a hélas pas terminé avec moi. J'ouvre quand même la porte, j'entre et je repousse le battant derrière moi sans qu'il dise un mot.

Il ne s'en va pas pour autant.

En jetant un coup d'œil par la fenêtre sans allumer la lumière, j'aperçois Ramsay sous l'érable du jardin. Immobile, respirant à pleins poumons, comme si l'air de la nuit était le sien. Il appartient à un monde obscur, à cet espace de plus en plus large entre ce qui existe et ce qui ne sera jamais.

Ivan appartient à ce même monde obscur. Le lendemain soir, je l'aperçois à Eaton Centre, près de l'entrée de la station de métro Dundas. C'est d'autant plus curieux que je déteste les centres commerciaux en général et les fast-foods de ces lieux en particulier. Je suis en train de me faire la réflexion – *Quelle drôle d'idée d'être venu ici* – quand je vois Ivan passer à côté de la table à laquelle je suis installé. Plus étrange encore, il a le regard d'un mort.

Le jour où j'ai vu Conrad White feuilleter un exemplaire du *Marchand de Sable va passer* alors qu'il n'appartenait plus au royaume des vivants, j'en ai eu froid dans le dos.

Mais en voyant Ivan se frayer un chemin parmi les touristes et les badauds indécis, je suis soudainement paralysé par la peur. Je sais qu'il n'est pas là par hasard et que sa présence n'annonce rien de bon. C'est le message que me transmet Ivan en se retournant et en posant sur moi un regard magnétique de ses yeux vides et creux. Il est venu me montrer quelque chose.

Alors je le suis. Je grille tous ceux qui font la queue à l'entrée du métro sans me soucier des *Va te faire foutre !* pleinement justifiés qui s'élèvent dans mon dos. Ivan est peut-être mort, mais il se déplace plus rapidement que de son vivant, volant littéralement à côté des voyageurs qui s'enfoncent vers les profondeurs. Il dévale l'escalator à toute vitesse et je me vois contraint de descendre les marches quatre à quatre afin de ne pas me laisser distancer.

Arrivé sur le quai, je crois l'avoir perdu. En réalité, je me persuade qu'il n'a jamais été là : « Le manque de sommeil et le stress te font *délirer.* »

Au moment où le métro entre dans la station, je vois Ivan sortir de la foule à l'autre extrémité du quai. Je me précipite, persuadé de revivre ses derniers instants en le voyant sauter dans le vide avant que le conducteur ait pu freiner.

Mais il ne saute pas. Il me regarde.

Ses yeux me retrouvent instantanément, au milieu des têtes, des casquettes et des turbans. Je lui reconnais l'expression qu'il affichait pendant les réunions du cercle, mais plus marquée. Une expression qui me laisse entrevoir ce qu'il ressent, ce qu'il a peut-être toujours ressenti. L'envie de parler à quelqu'un. De se faire pardonner.

Les portes s'ouvrent et tout le monde s'écarte afin de laisser passer ceux qui descendent, sauf Ivan qui demeure immobile, obligeant les usagers à le contourner. De ce fait, il monte le premier, suivi par la foule de ceux qui jouent des épaules pour se faufiler entre les portes trop étroites. Le temps de recouvrer mes esprits et je me retrouve seul sur le quai alors que les portes se referment. Je me rue en avant et je frappe à la vitre, provoquant les ricanements de certains voyageurs, mais il est trop tard.

Je recule d'un pas, décidé à retrouver le visage d'Ivan. Il est là, assis sur une banquette, qui me cherche des yeux et finit par me trouver avec un regard d'envie. Cette fois, il n'est plus seul.

Assis en face de lui, genoux contre genoux, j'aperçois Conrad White. Petra se trouve derrière, Evelyne est un peu plus loin. Tous les morts du cercle de Kensington, le nez collé à la vitre, leurs visages inquiétants au milieu des voyageurs indifférents.

L'instant d'après, la rame s'éloigne rapidement et je les vois disparaître dans un tourbillon flou, leur wagon englouti par la bouche noire du tunnel. Mes compagnons du cercle de Kensington perdus dans la masse des vivants qui rentrent chez eux.

Si je ne savais pas qui est qui, je pourrais tous les croire morts.

26

Je me réveille le lendemain matin en découvrant William au pied de mon lit.

La tête penchée, on dirait un ami inquiet au chevet d'un malade. Même son visage, recouvert de la même barbe en brosse de chiendent, porte la marque d'une certaine sollicitude. Mais ce n'est qu'une fausse impression, il m'observe avec une intensité trompeuse.

Ses mains quittent les draps, laissant derrière elles des miettes de terre meuble. Il tend vers moi ses battoirs aux ongles sales et déchirés.

Je voudrais me mettre en position assise, mais mes jambes pèsent des tonnes et je suis incapable du moindre mouvement. Je ne peux que regarder.

Ses mains vont me tuer. Ce sont elles qui vont me faire subir le pire, et non lui. C'est ce que semblent dire ses lèvres parcheminées. Il n'est pas seulement l'instrument de la mort, il *est* la mort.

Je note scrupuleusement ce cauchemar – ma première frayeur de la journée – sur le journal qui ne quitte plus ma table de chevet. La chronique de ma réalité quotidienne et de mes rêves. Je devrais tenir deux cahiers séparés, mais tant de passerelles se sont ouvertes entre l'éveil et le sommeil que la frontière entre les deux a quasiment disparu.

Prenons l'exemple de la casquette.

Je suis en train de préparer du café et je verse machinalement des céréales dans un bol quand je la vois. Je mets quelques instants à comprendre de quoi il s'agit. Une casquette des Yankees. Posée sur la table basse du salon.

Je la prends, je la renifle. Aucun doute, je reconnais immédiatement le shampooing de Petra. La porte coulissante donnant sur le jardin est fermée. Mais pas verrouillée. Les rideaux, que je suis certain d'avoir tirés la veille, sont ouverts.

Je sais que c'est toi.

La porte verrouillée et les rideaux tirés, j'inspecte le sous-sol et le rez-de-chaussée afin de m'assurer que portes et fenêtres sont fermées avant de revenir à la casquette de Petra et l'examiner sous toutes les coutures, comme si le tissu pouvait parler.

La casquette de Petra, que l'on croit morte, laissée chez Angela, qui a disparu à son tour. Et voilà que j'en hérite.

Ça pourrait être toi.

Ramsay est persuadé (à juste titre) que je suis mêlé à la mort de Petra, peut-être même à celle des autres. S'il savait que je suis en possession de sa casquette, il n'hésiterait pas à m'arrêter. Un indice concret prouvant que je suis lié à l'un des meurtres. Le Marchand de Sable a envie que je prenne la casquette en main. Il a envie de savoir jusqu'à quel point il peut m'atteindre sans même me toucher.

Je le sais, l'Église prétend que c'est mal de faire ce que je fais
  Comment m'arrêter tant que vous n'en aurez pas ressenti l'effet ?

Cette casquette des Yankees annonce la suite. Elle porte sa signature et me donne une idée de sa capacité de domination. Il veut jouer avec moi.

Chat ! Touché !

Plus tard dans la journée, je me fais expulser des bureaux du *National Star.* Ou plutôt du hall d'accueil. J'essaie de passer discrètement devant le gardien, mais je suis aussitôt arrêté. Quand on me demande qui je suis (« Patrick Rush, je suis venu dire bonjour en passant à mon vieux copain Tim Earheart »), le gardien derrière son bureau tape mon nom sur un clavier et un drapeau rouge clignote instantanément. Plusieurs drapeaux rouges, à en juger par son teint qui vire à la brique. Je le vois saisir son téléphone et composer le numéro de la police.

— Dites juste à Tim Earheart que je l'attends ici.

À en juger par ses grimaces, le gardien sait qu'il a tous les droits, mais il hésite tout de même à m'assommer avec sa lampe torche.

— Faites ce que vous dit monsieur, s'élève une voix derrière moi.

En me retournant, je découvre le sourire mortifère de la directrice de la rédaction.

— Le temps de saluer son ami et ce monsieur s'en va.

Elle ne se départit pas de son sourire. S'il était sincère, je pourrais presque tomber amoureux d'elle, mais son attitude est tout sauf amicale. Je recule en la voyant s'avancer vers moi.

— C'est toujours un plaisir de voir s'en aller l'un de nos anciens employés, persifle-t-elle.

Le temps de me retrouver happé par la chaleur du dehors et je vois Tim Earheart se précipiter vers sa boss. Je lis distinctement sur ses lèvres : *Cela ne se reproduira plus, je vous le promets.*

— Ça ne t'a pas suffi d'être viré une fois ? Ou alors tu as envie que je le sois à mon tour ?

Tim me prend par le bras et m'entraîne loin de l'immeuble. À travers les portes en verre, la rédactrice en chef continue à nous observer, les mains sur ses hanches fines, soigneusement sculptées par des heures de tapis roulant dans un centre de fitness.

Je traverse Front Street à la suite de Tim et il s'arrête sur l'étroite bande de gazon séparant la chaussée des garde-fous surplombant les voies de chemin de fer.

— Je travaille ! m'engueule Tim. Tout le monde n'est pas romancier, tu sais.

— Je n'en ai pas pour longtemps.

245

— Alors fais vite.

— Tu as accès aux fichiers de l'administration ?

— Tout dépend lesquels.

— Ceux de l'aide à l'enfance. Les fichiers d'adoption.

Il porte une cigarette à la bouche sans donner l'impression de vouloir l'allumer.

— C'est pour qui ?

— Je cherche quelqu'un.

— Quelqu'un que tu connais ?

— Une fille que je connais, oui. Pas bien, mais je la connais.

— Une gamine ?

— Une adulte.

— Alors pourquoi ne pas lui poser la question directement ?

— Je ne sais pas où elle est.

Tim m'observe attentivement pour la première fois depuis le début de notre conversation. Je sens bien que son degré de coopération dépendra de ce que je vais lui dire. J'ai envie d'impliquer Tim, bien sûr, mais sans *l'impliquer* vraiment.

— Tu n'allumes pas ta cigarette ?

Il l'ôte de sa bouche et la jette par-dessus la barrière.

— Comment s'appelle-t-elle ?

— Angela Whitmore, mais il peut très bien s'agir du nom de famille de ses parents adoptifs. Enfin… pas forcément. Je veux dire… c'est le nom sous lequel je la connais, mais ça ne signifie pas nécessairement que ce soit son vrai nom.

— Faire une recherche dans les fichiers d'adoption sans l'identité réelle d'un enfant, je vois mal comment je pourrais y arriver.

— Je ne crois pas qu'il s'agisse d'une adoption volontaire.

— C'est-à-dire ?

— On a retiré sa garde à ses parents biologiques. Je ne connais pas tous les détails, mais le service d'aide à l'enfance a dû intervenir. Tu vois le tableau.

— C'est déjà un indice.

Je lui fournis le peu d'éléments dont je dispose. L'âge approximatif d'Angela (la trentaine), sa profession (assistante juridique), ses études (lettres ou droit, probablement). En définitive, je laisse de côté le plus important : le contenu de son journal, l'usage que j'en ai fait, la nuit que nous avons passée ensemble, les doigts de pied manquants. Peut-être lui en parlerai-je plus tard. Peut-être lui raconterai-je tout, si les événements tournent bien.

— Une dernière question, me demande Tim au moment où je lui serre la main en guise de remerciements tout en cherchant un taxi des yeux.

— Tu veux savoir pourquoi j'ai besoin de tout ça.

— Non. Je veux savoir ce que tu comptes me donner en échange.

— Rien. À part une histoire.

— Le genre d'histoires qu'on se raconte entre copains, ou bien de celles qui font la une des journaux ?

— Une histoire de fille.

Je lui ai dit ça en secouant la tête d'un air gêné. Un geste que Tim Earheart est censé comprendre sans insister.

En contrebas, un train déverse son lot de banlieusards, de gens venus faire leurs courses, d'amateurs de sport en route pour le stade. Ils sont trop loin et marchent trop vite pour que l'on puisse distinguer autre chose que de simples rangées de silhouettes.

— Il faut que j'y retourne, m'avertit Tim en traversant Front Street.

— Moi aussi.

Je lui ai répondu machinalement et nous nous posons tous les deux la même question : retourner quoi faire ? Il a la gentillesse de ne pas l'exprimer à voix haute.

Le premier message qui figure dans la rubrique « Vos réactions » de mon site est signé lemarchanddesable.

J'espère que le cadeau vous a plu.

Pour couronner le tout, l'inspecteur Ramsay téléphone pour m'annoncer que la famille et les proches d'Evelyne n'ont pas eu de ses nouvelles depuis plus de quatre ans.

— Ça commence à faire beaucoup de disparus dans votre petit groupe, me déclare-t-il. Qu'en pensez-vous ?

Je ne sais pas si j'ai vraiment le droit de raccrocher au nez d'un enquêteur de la police criminelle. Ramsay n'aura qu'à l'ajouter à la liste des charges qui pèsent contre moi.

Le téléphone sonne de nouveau.

— C'est du harcèlement.

— Tu as oublié de prendre tes médicaments ou quoi ?

— Tim. Je croyais que c'était quelqu'un d'autre.

— Toujours tes problèmes de fille ?

— Si seulement.

— Tu es amoureux d'Angela Whitmore, c'est ça ?

Je l'entends manipuler des papiers tout en parlant.

— Tu l'as retrouvée ?

— Pas physiquement, mais j'ai appris deux ou trois trucs intéressants à son sujet. D'abord, tu avais raison de dire que l'aide à l'enfance l'a retirée à ses parents. « Négligence caractérisée », à en croire son dossier. Malnutrition, problèmes d'hygiène, « maltraitance physique et morale ». Ça va au-delà des problèmes habituels rencontrés par les enfants de mère camée.

— Pourquoi ? La mère se droguait ?

— On trouve pas mal de cures de désintoxication dans son dossier. Surprise, surprise, les traitements n'ont pas donné les résultats escomptés.

— Tu as pu retrouver son nom ?

— La mère est une certaine Michelle Carruthers. Whitmore est soit un nom d'emprunt, soit celui de sa famille adoptive.

— Et le père ?

— Pas de père, d'après le dossier.

— Laisse-moi deviner. Michelle Carruthers est morte et enterrée.

— Pas aux dernières nouvelles qui figurent dans le dossier, il y a un an, quand elle a déposé une demande pour obtenir l'identité des parents adoptifs d'Angela. Demande rejetée, bien évidemment.

— Tu m'étonnes.

— Vingt-cinq ans plus tard, la mère se réveille un matin dans un village de mobile homes près du lac Huron et se demande ce qu'est devenue sa gamine.

— Le dossier précise ce qu'il est advenu d'Angela ?

— Les dossiers des parents adoptifs ne figurent pas avec ceux que j'ai pu consulter. L'administration se montre assez tatillonne de ce côté-là.

— Donc tu ne sais pas.

— Au cas où tu l'aurais oublié, Patrick, il m'arrive de travailler.

— Excuse-moi.

— Tu veux que je continue mes recherches ? Je peux toujours essayer de graisser les rouages de…

— Non, non. C'est tout ce que je voulais savoir. Merci, en tout cas.

— Écoute, je n'ai pas l'habitude de fourrer mon nez dans les affaires des autres, mais son pedigree me dit que l'Angela en question n'est peut-être pas la femme idéale pour toi.

— Il faut croire que je n'ai jamais su trouver les bonnes personnes.

— Tamara était la bonne personne.

— Oui, c'est vrai.

Je n'ai pas envie d'en savoir davantage.

— Bon, il faut que j'y aille, Tim. Encore merci.

Je raccroche. Mais avant de me verser une rasade de bourbon dans un mug de café – les verres que j'ai à la maison sont tous trop petits –, avant même de digérer ce que je viens d'apprendre au sujet d'Angela et de son père absent, je me dis que si Tim Earheart est aussi inquiet qu'il en a l'air, je file un mauvais coton.

Évidemment, je me mets en quête de Michelle Carruthers. Évidemment, je la retrouve facilement en procédant par élimination, après quelques recherches sur Google et une série de coups de fil. Elle habite Hilly Haven, un « lotissement de mobile homes » situé sur les bords du lac Huron. Évidemment, je prends ma voiture et je vais la voir le jour même, sans savoir ce que je vais bien pouvoir lui demander, ni même si ça me servira à quoi que ce soit.

Hilly Haven, le « havre des collines », n'est entouré d'aucune colline. Quant aux peupliers décharnés et aux clôtures défoncées qui le ceignent, ils en font un havre bien aléatoire. L'endroit ressemble à une scène d'accident : une vingtaine de mobile homes plus ou moins éparpillés, certains perdus au milieu de terrains mangés par les mauvaises herbes, qui tournent tous le dos au lac.

Michelle Carruthers habite le plus petit de tous. Le genre de caravane qu'on voyait accrochée derrière les vieux breaks il y a trente ans. En frappant à la porte et en entendant une voix maugréer « Qui vient encore me faire chier ? », je me demande si j'arriverai à convaincre la mère d'Angela de sortir un instant. Je vois mal comment la caravane pourrait nous accueillir tous les deux.

La porte s'ouvre et je comprends que mes chances d'attirer dehors la femme bossue qui m'accueille sont limitées. Elle a un teint de papier mâché, un masque à oxygène sur le nez, et elle traîne une bonbonne à roulettes derrière elle.

— Désolé de vous déranger. Je m'appelle Patrick Rush.

Je lui tends une main que soupèsent péniblement des doigts glacés.

— Je cherche Angela.

— Angela.

— Oui, madame. Votre fille.

— Merci, je sais encore qui c'est.

— Je croyais…

— Vous êtes son mari, c'est ça ? Elle vous a laissé tomber ?

— Je suis un ami. J'ai peur qu'il ne lui soit arrivé un malheur. C'est pour cette raison que je viens vous voir.

J'ai peut-être la possibilité de l'aider, à condition de la retrouver.

Après une bonne minute de réflexion, elle ouvre en grand la porte de la caravane, puis elle retire son masque à oxygène et le laisse en collier autour de son cou.

— Autant vous abriter du soleil, me propose-t-elle.

Il fait encore plus chaud à l'intérieur et l'endroit est aussi exigu que je le craignais. Une minuscule cuisine ouverte dans laquelle flottent des odeurs de spaghettis en boîte, un salon qu'étouffe la présence d'une télé grand écran dans un coin et un ensemble radio/tourne-disque dans un autre. Tout au fond, derrière un rideau à moitié déchiré, la couchette défaite où la vieille femme passe ses nuits. Les fenêtres sont fermées et un ventilateur posé sur une pile de 33 tours envoie des brassées d'air chaud dans ma direction.

— Asseyez-vous, déclare-t-elle en se laissant tomber dans un fauteuil de relaxation.

Je m'assieds tant bien que mal sur une chaise pliante. J'ai beau m'adosser au mur, mes genoux ont toutes les peines du monde à ne pas toucher les siens.

— J'aurais voulu en savoir davantage sur son passé pour mieux…

— Attendez. Attendez ! m'arrête-t-elle en croisant les mains sur sa nuque, ce qui a pour effet de me révéler ses dessous de bras. Comment vous m'avez trouvée ?

— Je suis journaliste. Enfin, *j'étais* journaliste, et nous avons accès à des informations que tout le monde n'a pas.

— On vous a viré, ou bien vous avez démissionné ?

— Je vous demande pardon ?

— Vous dites que vous étiez journaliste. C'est bien l'imparfait, non ?

— J'ai été licencié, mais c'est mieux comme ça.

— *Beaucoup* mieux comme ça.

— J'ai cru comprendre qu'Angela avait été adoptée quand elle était petite.

— Vous voulez savoir si on me l'a enlevée ? Oui.

— J'imagine que ça n'a pas été facile.

251

— Je m'en souviens à peine. J'avais une vie plutôt... plutôt *remplie* à l'époque.

— Néanmoins, j'ai cru comprendre que vous aviez tenté récemment de la retrouver.

Elle dévoile ses dents. Sa façon d'écarter les lèvres ressemble moins à un sourire qu'à la grimace qu'on peut faire chez le dentiste.

— Je ne suis pas aussi vieille que j'en ai l'air. Mais ça ne veut pas dire qu'il me reste beaucoup de temps à vivre. Alors on se met à gamberger et on se dit qu'on ne peut pas éliminer les conneries du passé.

— Vous avez pu entrer en contact avec elle ?

— Nan. Je fais plus partie de sa vie. Mais je comprends.

Elle se penche légèrement en avant et son visage pénètre dans le cône de lumière de la lampe posée derrière elle. J'y lis une multitude de rides et de taches de vieillesse prématurées.

— Comment était-elle ? Je veux dire, quand elle était petite ?

Ses mains remontent le long de sa poitrine et s'agrippent au masque à oxygène.

— Innocente.

— C'est le cas de tous les enfants, non ?

— C'est bien ce que je veux dire. Elle était comme n'importe quelle autre petite fille.

— Pourquoi dites-vous « était » ?

Elle remonte le masque sur son nez et inhale longuement. Le plastique se couvre de buée, seuls ses yeux restent visibles et je les vois papillonner, devenir brillants.

— Elle a beaucoup souffert, reprend-elle.

— De quelle manière ?

— La solitude. Elle était toujours toute seule. Faut dire que je n'étais vraiment pas en état de m'occuper d'elle.

— Elle aimait lire.

— Elle aimait surtout écrire. Elle tenait un journal avec des tas et des tas de trucs.

— Des trucs de quel genre ?

— Qu'est-ce que j'en sais ? J'étais contente qu'elle ait ça.

Elle retire son masque à oxygène et je comprends qu'elle ne tiendra pas longtemps. Ses joues se perlent de transpiration à la seule évocation de ces souvenirs.

— Et le père d'Angela ?

J'ai posé la question en regardant du côté de la porte.

— Ça fait vingt-sept ans que je n'ai pas parlé à ce salopard.

— Vous savez où il se trouve ?

— Vous avez qu'à faire le tour des prisons. C'est encore là que vous avez le plus de chance de le trouver. Enfin, j'espère.

— Pourquoi ? Qu'a-t-il fait ?

— Vous devriez plutôt me demander ce qu'il n'a pas fait.

— C'était quelqu'un de violent ?

— Au début, il ne se contrôlait pas. Après, il avait plus envie de se contrôler. Si vous voyez ce que je veux dire.

— Expliquez-moi ce qui s'est passé.

— Ce qu'il a... ce qu'il... à sa propre...

Elle suffoque, elle va mettre la journée à retrouver son souffle.

— Je n'ai même pas envie d'en parler.

— C'est important.

— Il n'y a rien d'important avec un type comme ça.

— Ça pourrait m'aider à retrouver votre fille.

Elle relève la tête et je vois bien qu'elle est à bout de forces. Elle n'en reste pas moins une mère. À cet instant, elle ne peut s'empêcher d'éprouver le sentiment vain que les choses auraient pu se passer différemment.

— Un tueur, marmonne-t-elle en serrant les mâchoires si fort que j'entends grincer ses dents. Les enfants. Les petites filles. Il tuait les petites filles.

Avant de quitter la caravane de Michelle Carruthers et de retrouver ma Toyota à l'aveuglette à cause du soleil, j'ai eu le temps de lui demander le nom du père d'Angela. Raymond Mull. Le nom a fait tilt lorsqu'elle l'a prononcé, mais j'ai eu beau chercher tout au long du trajet, c'est seulement à mon retour à Toronto que j'ai fini par trouver, enfermé dans la crypte, après une recherche sur Internet.

La mère d'Angela avait raison. Raymond Mull tuait les petites filles. Il a été accusé du meurtre de deux fillettes il y a près de vingt ans. À supposer qu'Angela ait la trentaine aujourd'hui, elles avaient à peu près le même âge.

Que puis-je en déduire ? Rien, sans doute. Ou peut-être tout.

Si Angela avait dans les treize ans quand les deux petites filles ont été tuées, cela pourrait vouloir dire qu'elle est bien la narratrice de l'histoire racontée dans son « journal » – ce que confirmeraient les doigts de pied qui lui manquent. En outre, à en juger par ses relations avec Raymond Mull, tout porte à croire qu'il lui a inspiré le personnage du Marchand de Sable. Dans son récit, Jacob, son père adoptif, ne dit pas autre chose lorsqu'il affirme que le coupable est le père de la petite fille. Dans la réalité, il y a fort à parier que Raymond Mull était le monstre capable de choses monstrueuses.

La découverte suivante semble prouver que je ne suis pas le premier membre du cercle de Kensington à parvenir à une telle conclusion.

En fouillant les archives du journal grâce au mot de passe qui me reste de l'époque où je travaillais au *National Star*, je trouve plusieurs dizaines d'articles consacrés au procès de Raymond Mull. Et même des photos montrant un personnage barbu aux yeux trop rapprochés dans un visage vide de toute expression. À défaut de ressembler à Angela, il dégage comme elle cette même impression d'absence.

Les premiers comptes rendus du procès de Mull laissent à penser que son sort est scellé. Le ministère public dispose de plusieurs outils retrouvés dans sa chambre de motel : des scies, des mèches de perceuse, des couteaux de chasse. Plusieurs témoins confirment qu'il traînait dans le coin au cours des semaines précédant les meurtres. On l'a vu suivre plusieurs élèves à la sortie du collège, attendre devant le magasin de bonbons où s'approvisionnaient les enfants de la petite ville. Quant à son casier judiciaire, déjà chargé, il ne plaidait guère en sa faveur.

Cela ne l'a pas empêché d'être acquitté. On n'a jamais pu prouver que les traces de sang retrouvées sur ses outils correspondaient à l'ADN des victimes. Les enquêteurs ont bien insisté sur le fait que Mull les avait soigneusement nettoyés et que tout indiquait sa culpabilité, mais la cour ne les a pas suivis sur ce point. Sans l'aide du moindre témoin, la défense a déposé une requête en annulation au prétexte que les arguments du ministère public n'étaient pas recevables. En fin de compte, la cour s'est contentée de révoquer la liberté conditionnelle de Mull pour manquement et il a été condamné à neuf mois de prison.

À moins qu'il ait reçu d'autres condamnations au cours des dix-huit dernières années, cela signifie que Raymond Mull est un homme libre.

Mais davantage que le reste, c'est le lieu où se sont déroulés les meurtres qui m'intéresse. Il s'agit de Whitley, dans l'Ontario. L'endroit près duquel Conrad White et Evelyne ont trouvé la mort.

Il peut s'agir d'une simple coïncidence, mais j'ai du mal à y croire. C'est l'envie d'en savoir plus sur le récit d'Angela qui a conduit Conrad White et Evelyne jusqu'à Raymond Mull, jusqu'à Whitley. Voilà pourquoi ils étaient ensemble. Ils effectuaient des recherches.

Si je ne me trompe pas dans mes conclusions, la disparition accidentelle de Conrad et d'Evelyne devient très problématique. Leur voiture a percuté une paroi rocheuse. Pourquoi? De quoi avaient-ils peur pour rouler si vite? Même la police a qualifié l'accident d'étrange. Tout s'expliquerait s'il s'agissait en fait d'un double meurtre. Commis par Raymond Mull.

Le père d'Angela. Le vrai Marchand de Sable.

27

Sam m'appelle.

J'ai passé la journée enfermé dans la crypte à remplir mon journal, quand je ne composais pas le numéro de téléphone d'Angela, comme si mon entêtement pouvait suffire à la faire réapparaître. J'essaie également de joindre Len, qui a mis sur son répondeur la musique du film *Halloween.*

Ils sont partis, ou alors ils ont disparu. Je suis loin, moi aussi, lorsque la sonnerie du téléphone me fait sursauter.

— Papa?

— Quoi de neuf?

— Tu viens me voir, aujourd'hui?

— Aujourd'hui, je ne peux pas.

— De quoi tu as peur, papa?

— Mais je n'ai pas peur.

— De quoi tu as peur?

Je finis par répondre à sa question.

— Je ne veux pas qu'on te fasse du mal à cause de moi. Je n'ai que toi, tu sais. Rien d'autre. Alors je ne peux pas me permettre de commettre une nouvelle bêtise.

— Pourquoi? Qu'est-ce que tu as fait?

— J'ai volé quelque chose.

— Tu ne peux pas le rendre?

— Il est trop tard pour ça.

— Alors c'est un truc... une donnée périssable?

— Exactement.

Une fois qu'on a volé le passé de quelqu'un d'autre et qu'on se l'est approprié, on ne peut plus lui rendre. C'est une denrée périssable. Il suffit de prendre le récit de quelqu'un d'autre pour qu'il n'en veuille plus.

Je m'aperçois que quelque chose cloche ce soir-là avant même de garer la Toyota derrière chez moi. La porte du jardin est entrouverte. La porte que j'ai cadenassée il y a un peu plus d'une semaine. Je reste quelques minutes sans bouger, les mains sur le volant. Un léger coup de vent entrouvre un peu plus la porte du jardin. Même dans l'obscurité, je distingue les éraflures d'un pied-de-biche dans les lattes de bois.

De rage, je m'extirpe de la voiture d'un bond et je me précipite derrière la maison des voisins avant de remonter en courant l'allée menant à la rue. D'un geste, je déverrouille la porte d'entrée de chez moi et je l'écarte d'un coup de pied, les tempes bourdonnantes.

Je grimpe à l'étage. Je traverse le couloir et je fais le tour des chambres sans même allumer.

Apparemment, on n'a touché à rien. L'intrus n'a rien laissé non plus derrière lui.

Même chose au rez-de-chaussée. Les portes sont toutes fermées à clé, les fenêtres intactes. Celui qui a forcé la porte du jardin aura probablement été interrompu avant d'avoir pu pénétrer dans la maison. Ou alors il n'a jamais eu l'intention de visiter la maison.

Je tire les rideaux du salon et je scrute le jardin dans ses moindres recoins. L'ampoule pendue au plafond de la vieille cabane est allumée. Surprise. Tout d'abord parce que je n'ai pas mis les pieds dans la cabane de jardin depuis très longtemps. Je ne savais même pas que l'ampoule fonctionnait encore. Ensuite parce que cette ampoule n'était pas allumée quand j'ai garé la voiture il y a cinq minutes.

Je descends au sous-sol et je cherche ce que je finis par trouver dans un coin : une batte de base-ball, une Louisville Slugger qui tient bien en main, à la fois lourde et d'une efficacité redoutable. Je verrai ensuite ce qu'il convient de faire si j'ai l'occasion de m'en servir.

J'ouvre la porte coulissante et je traverse la pelouse qui aurait besoin d'être tondue. Mon visiteur a laissé la porte de la cabane ouverte.

L'abri dispose d'une petite fenêtre couverte de toiles d'araignées. J'essaie de voir à travers. De là où je me trouve, j'aperçois uniquement les crochets et les étagères qui servent aux vieux outils, certains encore dans leur paquet d'origine. Un écomusée du bricoleur raté.

Je m'approche de la porte, la batte levée.

L'espace d'un instant, j'oublie la rumeur des voitures et le ronronnement des climatiseurs vibrant à l'unisson à travers la ville. Je suis seul au monde, debout dans mon jardin, prêt à donner un coup de pied dans la porte.

Le battant s'écarte brutalement, va taper contre le mur et se referme.

J'ai néanmoins eu le temps de jeter un coup d'œil à l'intérieur, de voir la vieille tondeuse à main que je n'ai pas sortie de l'été, le calendrier 1999 avec ses filles bronzées offert par Tim Earheart, des taches de peinture rouge par terre. Et Petra.

Je comprends aussitôt que ce n'est pas de la peinture rouge, mais du sang.

Qu'il ne s'agit pas de Petra, mais des restes de Petra.

De quoi a-t-il bien pu se servir ?

C'est la première question qui me vient à l'esprit en découvrant par terre ce qui reste de Petra. Un couteau ? Une perceuse ? A-t-il eu besoin d'aide ?

D'autres pensées se bousculent. *Il a dû la garder au congélateur, pour qu'elle soit encore reconnaissable.*

Ce n'est pas moi qui pense, mais quelqu'un qui est encore sous le choc.

Je n'arrive pas à détacher mon regard. L'entrelacs de choses roses et bleues qui se trouvent normalement à l'intérieur du corps. Je m'assieds machinalement sur un pot de peinture et ma réaction est la même que lorsque j'ai trouvé la casquette des Yankees sur la table basse du salon après l'avoir vue pour la dernière fois chez Angela. Je me suis contenté de la regarder. Pendant des heures, le temps que le matin se transforme en après-midi et qu'un orage s'abatte sur la ville avant de s'éloigner. Obnubilé par la même question : que peut-on faire d'une preuve susceptible de vous envoyer en prison pour le restant de vos jours, « gentiment » déposée par quelqu'un de malveillant ?

Je pourrais aller trouver la police et tout leur raconter en espérant qu'ils me croient, accompagné d'un avocat aux honoraires exorbitants. Impossible dans le cas présent, surtout avec autant d'indices qui me font douter de ma propre innocence.

Je pourrais faire appel à quelqu'un. Appeler un ami pour lui demander conseil, ou bien lui demander de me faire passer la frontière. Mais qui ? Tim Earheart ? Il serait capable de publier le contenu de notre conversation à la une du journal.

En fin de compte, vous en arriveriez peut-être à la même solution que moi l'autre jour : enfiler des gants de jardinage, retirer vos empreintes de la casquette des Yankees avec un torchon humide avant de la découper en morceaux et de l'enfouir dans la poubelle.

Et c'est à peu près ce que je vais faire cette nuit avec le corps de Petra.

Mais pas immédiatement. Avant de trouver la force d'agir, il m'aura fallu deux bonnes heures, la tête entre les genoux, en respirant lentement. J'ai même fumé une cigarette tirée du paquet que je garde en secours dans le pot de farine. Et vomi tout ce que je savais dans la poubelle à compost. Ce n'est pas le genre de décision qui se prend à la légère. Et encore, la décision n'est rien à côté de l'exécution.

Sans parler des préparatifs.

Pour une fois, les centaines d'heures passées à regarder des émissions de police scientifique à l'époque du Zappeur Fou vont me servir à quelque chose. Comment ne pas laisser de traces en se débarrassant d'un corps.

Je commence par me déshabiller entièrement – par sécurité, j'irai jusqu'à brûler les vêtements que je portais quand

259

je suis entré dans la cabane de jardin. Je procède ensuite au découpage avant d'emballer soigneusement chaque morceau dans plusieurs sacs-poubelle, puis je mets les petits pochons dans un grand sac prévu pour les déchets verts.

Ma tâche terminée, je me coupe les ongles et les cheveux, je me rase et je prends une douche en me décapant chaque centimètre carré de peau à l'aide de détergents de cuisine. Enfin, je passe la salle de bains à l'eau de javel.

Et puis je recommence. Plusieurs fois de suite.

Maintenant que tout est fini, de quoi est-ce que je me souviens ? De fragments épars. Si je puis dire. Mon cerveau est déjà en train de se blinder. Je sais bien que ça ne marchera pas à cent pour cent et que ça ne durera pas éternellement, mais c'est plus efficace qu'on le croit. On s'arrange pour oublier le pire, puis on se verse un grand verre et on se regarde dans la glace en vérifiant qu'on sait toujours comment on s'appelle.

Disons que découper en morceaux une casquette et un corps de femme n'est pas tout à fait pareil. En termes d'outils, de temps, de souvenirs. C'est différent.

Une fois achevée l'opération de nettoyage à l'eau de javel du sol de la cabane, je dois encore me débarrasser des six sacs de déchets verts.

Je fume le paquet de cigarettes.

C'est le jour des déchets recyclés. Le camion-benne passe généralement assez tôt dans ma rue, aux alentours de 8 heures. C'est-à-dire dans un peu plus d'une heure. Les éboueurs ont l'habitude de me voir sortir en courant quand je les entends, pieds nus et en caleçon, traînant derrière moi le compost que j'ai oublié de déposer la veille sur le trottoir. Chaque fois, ils acceptent gentiment mes excuses et me regardent jeter moi-même les sacs dans la benne pour mieux me faire pardonner. Il ne leur reste plus qu'à appuyer sur le bouton pour compacter le tout et ils s'en vont.

Aujourd'hui, ils emporteront Petra avec eux.

28

Sans doute à cause de ce que j'ai fait cette nuit dans l'abri de jardin, de la peur atroce d'être découvert, je reste enfermé chez moi toute la journée en m'infligeant la pire des punitions : je regarde la télé.

J'ai bien essayé de lire, mais j'ai fait la grimace en ouvrant le dernier Philip Roth (trop dur) et vainement tenté ma chance en ouvrant au hasard une page de Borges (trop romanesque), avant de vouloir relire Patricia Highsmith (trop proche de la réalité, la mienne en tout cas). Je crois que je n'arriverai plus jamais à lire un livre de ma vie. J'ai l'impression d'être ce rat de bibliothèque, interprété par Burgess Meredith dans un épisode de *Twilight Zone*, qui s'aperçoit qu'il est le seul être encore vivant sur terre. Assis sur les marches de la bibliothèque, il se dit qu'il va enfin pouvoir dévorer tous les livres qu'il n'a jamais eu le temps de lire lorsque ses lunettes tombent et se cassent en mille morceaux. La version de l'enfer pour ce malheureux. À présent, vous connaissez la mienne.

C'est la première fois depuis que j'étais payé pour ça que je reste toute la journée collé devant la télé, à regarder les émissions matinales des pasteurs intégristes, les talk-shows pour ménagères de moins de cinquante ans et les autopsies programmées en *prime time*, le tout entrecoupé d'heures de pub pour les pilules amaigrissantes miracles, les lignes de téléphone rose et les publireportages sur le moyen infaillible de devenir riche. Je m'aperçois brusquement que je viens de découvrir ma véritable vocation. Je n'ai jamais été fait pour écrire des livres ou même écrire *sur* des livres, je ne suis qu'un minable simulateur insatisfait. Le jour où ma vie bascule dans la fiction, rien d'étonnant à ce que je parle d'intrigue et de meurtre au lieu d'apporter des idées nouvelles. Je suis désormais contraint de vivre au quotidien le genre de littérature que je dédaignais jusqu'alors.

J'essaie de voir le côté positif des choses en me disant que je m'en suis apparemment tiré. Je n'ai pas reçu de coup de fil du service des ordures ménagères de la ville me demandant si c'est bien normal que des membres humains aient percé mes sacs de déchets verts, ou alors de voisins dérangés en pleine nuit par le bruit de ma scie circulaire. Petra finira bien par refaire surface un jour, c'est forcé. Mais son heure n'est pas venue. Le jour où elle sortira de sa réserve, dans une semaine, un an, un siècle, rien ne permettra d'établir un lien entre elle et moi. Je ne serai probablement plus là, de toute façon. Si le Marchand de Sable a effectivement décidé de se débarrasser de tous les membres du cercle de Kensington les uns après les autres, il est près du but. Je parierais même que je suis le seul survivant, et il m'a bien fait comprendre qu'il savait où me trouver.

J'ai donc décidé de l'attendre dans la crypte, attentif au moindre mouvement de l'autre côté des fenêtres, prenant pour le bruit de ses bottes le moindre chat en maraude ou un emballage de hamburger chassé par le vent. Il m'attend dehors et si je refuse de sortir, il finira bien par venir me trouver ici. Je ne l'entendrai pas venir, il me trouvera dans mon fauteuil, la télécommande à la main, et il fera de moi ce qu'il veut.

Je serais curieux de savoir s'il me laissera voir son visage avant l'instant fatidique.

Plusieurs bruits se font entendre simultanément : la sonnerie de la porte d'entrée, le thème entraînant de *Happy Days* et le bruit du journal sur lequel je prenais des notes lorsqu'il tombe par terre. C'est le matin et une lumière blafarde descend des fenêtres du sous-sol.

Je suis forcément réveillé, sinon je ne m'apercevrais pas à quel point je sens mauvais.

De nouveau la sonnerie de la porte d'entrée. Je rentre les pans de ma chemise dans mon pantalon en montant les marches tout en me demandant pourquoi je le fais. Le Marchand de Sable se fiche éperdument de me voir débraillé. C'est donc ainsi qu'il compte s'y prendre. Pas la nuit, mais par un matin de juillet sans entrain, la ville semblable à une cocotte-minute sous un épais manteau nuageux.

À travers les petites lucarnes de l'entrée, je distingue une silhouette masculine de l'autre côté de la porte. Un grand type, avec des bras interminables. Je m'approche en entendant le carillon, je tire le verrou et je tourne la poignée.

Ramsay m'accorde l'un de ses sourires ironiques, vaguement cruels, dont il a le secret. Il a l'air de bonne humeur.

— Je vous offre un café?

— J'essaie de limiter ma consommation, répond Ramsay. Mais je crois que je vais accepter quand même.

Je le préviens que le café est très chaud, mais il enveloppe le mug dans ses mains et en avale goulûment une gorgée.

— J'adore le café brûlant, m'explique-t-il.

Ramsay se dirige vers la porte coulissante qui donne sur le jardin et scrute le ciel. Puis, d'un mouvement d'une lenteur délibérée, il baisse la tête et pose les yeux sur la vieille cabane.

Mes mains s'appuient bruyamment sur le plan de travail.

— Vous me passez les menottes tout de suite ou bien je vous accompagne de mon plein gré?

— Vous croyez vraiment que je suis venu vous arrêter?

— Oui.

— Moi qui croyais que nous étions amis.

— Que voulez-vous? Si vous n'avez rien de précis à me dire, j'ai pas mal de feuilletons en retard à regarder.

Il pose son mug sur le billot. Je remarque qu'il l'a entièrement vidé alors que le mien, juste à côté, est encore fumant.

— Je suis venu vous dire qu'on lui avait mis la main dessus, déclare-t-il.

— Mis la main dessus ?

— On l'a arrêté ce matin.

— Je ne vous suis pas.

— Le Marchand de Sable, continue Ramsay. Le type qui assassinait vos amis du cercle d'écriture. Nous le tenons.

J'ai dû m'adosser au réfrigérateur pour ne pas tomber.

— Qui est-ce ?

— Vous ne savez pas ?

— Je soupçonnais tout le monde. Y compris vous.

— L'expérience m'a appris que la première intuition est généralement la bonne.

— William.

— Bravo.

— Vous dites que vous l'avez arrêté ?

— Il doit être inculpé officiellement en fin de matinée. Je ne vais pas pouvoir rester longtemps, j'aime bien être là dans ce genre de circonstances.

J'ai dû poser des questions à Ramsay, car il me livre enfin tous les détails. Les preuves qu'ils ont pu réunir contre William. Son enfance, son passé criminel, ses pseudonymes. Les outils maculés de sang retrouvés dans la chambre qu'il loue en ville. Son appartenance au cercle de Kensington et à tous les autres, ceux auxquels participaient Carole Ulrich, Ronald Pevencey et Jane Whirter. Les recherches qui se poursuivent jusqu'à ce qu'on retrouve Angela, Petra et Len, ou du moins ce qu'il en reste, Ramsay ayant l'habitude d'aller jusqu'au bout de ses enquêtes.

— Je n'ai jamais vraiment cru que c'était vous, me confie-t-il à présent. Mais vous faisiez partie de ce cercle et le titre de votre roman était le pseudo de l'assassin, ce qui était pour le moins curieux. En attendant, les faits parlent d'eux-mêmes. Je suppose que vous avez voulu vous inspirer de lui, c'est bien ça ? Désolé de vous le dire aussi brutalement, mais vous êtes le type même du parasite.

Ramsay regarde sa montre. Il a tout le temps avant de présenter William au juge, l'horloge de la cuisine indiquant 9 h 15, mais il fait celui qui est pressé. Son cinéma chez Rush est terminé.

Il se dirige à grands pas vers l'entrée et je le suis. Il a retrouvé l'assurance tranquille de celui à qui les événements donnent raison une fois de plus, mais je ne peux m'empêcher de penser avec un frisson de plaisir que c'est moi qui aurai le dernier mot. Quand bien même ils finiraient par retrouver le corps de Petra, ils attribueront à William mon petit découpage. Sans compter que Ramsay a eu la bonne idée d'arrêter le Marchand de Sable avant que ce dernier n'ait trouvé le temps de me rendre visite.

Ramsay a parcouru la moitié de l'allée lorsqu'il se retourne.

— J'espère pour vous qu'il sera condamné, laisse-t-il tomber.

Je savais que c'était William. En fait, ça ne pouvait être que lui. Pourtant, depuis le début ou presque, j'ai cru que le Marchand de Sable n'était pas un pseudonyme, mais un fantôme. Un monstre.

C'était toute la force de l'histoire écrite par Angela.

Du point de vue des psychologues, William est un véritable cas d'espèce. Après avoir perdu ses parents de façon très rapprochée à l'âge de six ans – la mère de sclérose en plaques, le père d'une attaque –, il s'est trouvé ballotté entre ses oncles et tantes, passant constamment d'une petite bourgade perdue à une autre.

— Personne ne s'occupait vraiment de lui, comme me l'a expliqué Ramsay. Ou alors ils faisaient semblant de ne rien voir.

Il faut dire que le petit Will terrorisait ses semblables depuis qu'il était assez grand pour intéresser les éducateurs. Il a commencé par se battre avec ses enseignants, casser les carreaux, torturer ses camarades de classe, avant de manifester des talents criminels assurément plus développés.

Il arrachait les pattes des animaux du voisinage, multipliait les vols avec effraction et les agressions, une longue litanie de délits de plus en plus brutaux.

Deux ans après le lycée, William s'évanouissait purement et simplement dans la nature. Plus aucune condamnation, pas d'adresse connue. D'après ce qu'ont pu établir les enquêteurs, il a écumé plusieurs décennies durant les quartiers difficiles des grandes villes de l'Ouest, de Winnipeg à Portland en passant par Lethbridge et Spokane. Il accumulait les petits boulots et passait tout son temps libre à des activités nettement plus sombres.

Les gens avaient une fâcheuse tendance à disparaître partout où il passait. Une longue suite d'hommes et de femmes que rien, ni le physique ni l'histoire personnelle, ne permettait de rapprocher les uns des autres, sinon la présence dans leur ville, à l'époque de leur disparition, d'un géant barbu et renfermé.

— De simples présomptions, a reconnu Ramsay. Mais avec ce qu'on a trouvé chez lui, je ne crois plus aux coïncidences.

Qu'a donc trouvé la police dans l'appartement qu'occupait William au-dessus d'une ancienne boucherie de l'East End ? De quoi équiper un professionnel de l'abattage. Des fendoirs, des scies, des fils à découper la viande, presque tous couverts de sang humain, et qui se trouvent actuellement dans les laboratoires de la police. Mais étant donné les autres objets découverts dans sa baignoire, dans les placards de sa cuisine et même sur son lit – le sac à main de Carole Ulrich, le journal de Ronald Pevencey –, les analyses confirmeront très certainement que ces outils ont servi à découper les corps.

Il y a aussi les livres retrouvés sur place. Des éditions cartonnées à écrire soi-même dont les pages relatent les aventures décousues d'une ombre qui arpente les rues de la ville la nuit et qui s'arrête régulièrement pour dépecer les étrangers qui ont attiré son attention. Des histoires, rédigées de la main de William, dont le héros a un nom bien particulier.

— Laissez-moi deviner, ai-je interrompu Ramsay. Le Marchand de Sable ?

— Vous pourriez peut-être lui intenter un procès pour non-respect des droits d'auteur.

— On ne peut pas protéger un titre de livre, mais seulement son contenu.

— Quel dommage. J'aurais été ravi d'ajouter un chef d'accusation au compte de notre ami.

La police tient son homme. Et l'homme en question est bien un humain. À part le sombre mystère qui pousse certains êtres à tuer pour le simple plaisir de le faire, il n'y a rien de surnaturel chez William. Le Marchand de Sable est une pure création de l'esprit. Même si l'imagination, comme toujours, n'a rien à voir là-dedans. Il suffit de disposer d'un banal écorcheur doté des attributs habituels de l'emploi : une enfance malheureuse, la haine de son prochain et l'absence pathologique de remords. Il suffit pour s'en convaincre de lire les faits divers de n'importe quel journal, ce ne sont pas les exemples qui manquent.

Je devrais me sentir soulagé et je le suis. Sam va pouvoir revenir à la maison et nous allons repartir sur de nouvelles bases.

Une dernière question me hante : pourquoi moi ? Sans doute parce qu'il faut bien que quelqu'un puisse raconter l'histoire.

Cette fois, ce n'est pas celle d'Angela et je ne l'ai pas volée. Pour une fois, c'est bien la mienne.

Le lendemain a lieu l'audience au cours de laquelle doit être fixée la caution de William. L'envie d'aller chercher Sam à Saint Catharines me démange, mais je résiste à la tentation en m'infligeant une peur salutaire. Si jamais l'avocat de celui qui se fait appeler le Marchand de Sable réussit à le faire remettre en liberté cet après-midi, je sais déjà à qui il rendra visite en premier. Sam est en sécurité pour l'instant, autant patienter un jour de plus.

L'événement mérite pourtant d'être célébré.

J'ai besoin de sortir de chez moi.

Je m'accorde une balade à la campagne.

L'enseigne de Hilly Haven domine le paysage morne et s'aperçoit de loin. En tournant dans le lotissement, je me demande comment annoncer à la mère d'Angela que sa fille est probablement morte. La façon de le lui dire a sans doute peu d'importance. Michelle Carruthers a l'habitude des mauvaises nouvelles, elle comprendra ce qui se passe avant même que je lui explique.

Je gare ma voiture sur l'allée de gravier face à sa caravane, heureux que la couverture nuageuse gomme les détails les plus sordides de ce rassemblement de mobile homes. Les tricycles sans roues, les poupées scalpées. Les sous-vêtements tachés pendus aux cordes à linge.

— Il n'y a personne.

Prêt à frapper, je me retourne et je découvre une femme trop vieille pour arborer les deux immenses nattes qui s'arrêtent à la hauteur des deux enfants au museau barbouillé de chocolat qu'elle tient par la main. Leurs T-shirts trop petits laissent apparaître leur ventre au-dessus de leurs pantalons de jogging.

— Michelle doit revenir prochainement?

— Pas prochainement, non.

— Il lui est arrivé quelque chose?

— Vous êtes un ami?

Un flic. Elle me prend pour un flic en civil. Hilly Haven doit en voir passer régulièrement.

— Je m'appelle Patrick Rush. J'étais un ami de sa fille et j'ai bien peur qu'il lui soit arrivé malheur.

— Malheur? répète la femme en lâchant ses deux gamins chocolatés.

— Je ne peux pas vous en dire davantage.

— Vous voulez dire qu'elle est morte, elle aussi?

— Je vous demande pardon?

— Michelle. Elle est morte la semaine dernière.

— Ah. Je vois.

268

— Les docteurs ne savent pas très bien de quoi elle est morte. Avec elle, allez savoir.

Que dire de plus? D'un autre côté, je me vois mal leur tourner le dos et repartir au volant de ma voiture sans dire un mot. Si le plus petit des deux gamins n'avait pas tiré une langue toute noire dans ma direction, je ne sais pas si j'aurais trouvé la bonne question.

— L'enterrement a déjà eu lieu?

— Deux jours après son décès. Il n'y avait personne, à part deux ou trois gens d'ici. Et le fils.

— Le fils?

— C'est ce qu'on s'est dit, en tout cas.

— Comment s'appelle-t-il?

— On ne lui a pas demandé.

— À quoi ressemblait-il?

— Un grand gars. L'avait pas l'air du genre à aimer qu'on le regarde de trop près. On aurait dit qu'il voulait être là sans que personne le sache.

Je redescends les quelques marches en béton conduisant à la porte de la caravane. Le soleil de midi sort de derrière un banc de nuages.

— Quand a eu lieu l'enterrement?

— Je vous ai déjà dit. La semaine dernière.

— Oui, mais quel jour?

— Jeudi, je crois.

Jeudi. Deux jours avant l'arrestation de William. *Un grand gars.*

— Je vais devoir repartir.

Je me dirige vers ma voiture mais la femme m'arrête d'un geste.

— Faudrait peut-être prévenir le fils que sa sœur est morte.

— Je le lui dirai.

— Alors vous le connaissez? On ne s'est pas trompés? C'était bien le fils de Michelle?

— Vous savez, la famille…

Je reste volontairement vague, mais mon interlocutrice a l'air de comprendre. D'un signe de tête, elle me montre ses enfants, la caravane de la mère d'Angela, le soleil qui commence à taper et tout le lotissement.

— Je sais, acquiesce-t-elle. On sait jamais à quoi s'attendre.

À mon retour, je trouve un message de Tim Earheart. Il demande à me voir, s'inquiète pour moi. Je le rappelle et nous convenons de nous retrouver dans un bar près de sa nouvelle maison de Cabbagetown. Je sais déjà qu'il est au courant de l'arrestation de William et qu'il a envie de me tirer les vers du nez. Il s'occupe de cette enquête depuis le début et maintenant que s'annonce le dernier acte – ce rituel de purification qui accompagne la condamnation de tous les grands criminels –, il n'a pas l'intention de laisser la concurrence lui couper l'herbe sous le pied.

Tim est persuadé que je sais quelque chose. Tant qu'il n'aura pas un sujet plus juteux à se mettre sous la dent, il me bombardera de questions. De mon côté, j'espère encore pouvoir échapper à son interrogatoire. Si l'affaire se dirige vers un vrai procès, je serai appelé à témoigner, mais l'accusation n'aura peut-être pas besoin d'aller si loin ; mieux encore, William a peut-être l'intention de plaider coupable, auquel cas personne n'aura besoin de savoir que l'auteur du *Marchand de Sable va passer* a fait partie du même atelier d'écriture que le Marchand de Sable. J'ai encore une petite chance de m'en tirer, à condition de décourager Tim de trop fourrer son nez dans les affaires de Patrick Rush.

C'est moi qui lance la conversation au moment où arrive la première tournée.

— Tu te plais dans ta nouvelle maison ?

— C'est un bon investissement. En plus, je me dis qu'il serait temps que je m'installe dans ma vie.

— Arrête, tu vas me faire pleurer.

— Il suffirait que je rencontre la bonne personne.

— Tu n'en as pas rencontré assez comme ça ?

— Je sais qu'elle m'attend quelque part. Comme ton Angela.

Je hoche la tête en essayant de lire dans ses yeux s'il en sait plus que moi sur la disparition d'Angela.

— Ça doit te faire tout drôle, ajoute Tim d'un air pensif. Je veux dire, d'être mêlé à l'histoire de ce William Feld.

— J'y suis mêlé de très loin.

— Ton bouquin pourrait parfaitement lui faire office de biographie.

— Tu exagères.

— Rien que le titre. J'ai du mal à croire qu'il puisse s'agir d'une coïncidence.

— La police l'a bien cru.

— Ils t'ont interrogé ?

— Un inspecteur est venu me poser quelques questions.

— Ramsay.

— Oui, je crois que c'est ce nom-là.

— Et tu lui as dit quoi ?

— La même chose qu'à toi. C'est un roman. De la fiction. Mais je suis content que ce soit fini.

Tim s'étrangle en buvant sa bière.

— Fini ?!! Pas pour moi, en tout cas ! C'est moi qui m'en occupe et je vais devoir suivre le procès de M. Feld pendant des mois, ce qui ne va pas être du gâteau si je ne trouve pas un angle d'attaque intéressant.

Il me regarde droit dans les yeux, les mains à plat sur le bar.

— Je voudrais bien pouvoir t'aider, lui dis-je en reculant de quelques centimètres pour ne pas lui roter à la figure, mais je ne sais rien de plus sur ce William Feld que ce qu'en dit ton papier de ce matin.

Je ne sais pas si Tim me croit ou non. Par conviction ou en souvenir de notre amitié, il n'insiste pas.

— Tu travailles sur un autre sujet ?

— Je me demandais si je n'allais pas reprendre du service dans le journalisme. Je suis prêt à tout essayer. L'horoscope, les petites annonces, les mots croisés. Tu crois que la rédactrice en chef accepterait de me reprendre ?

Ma question a le mérite de nous faire rire un bon moment.

271

Le lendemain matin, je me rends à Saint Catharines. J'apporte toutes sortes de cadeaux – un écran plasma pour Stacey et son mari, des iPods et un recueil collector de Tolkien pour leurs enfants –, mais j'ai veillé à ne rien prendre pour Sam. Le fait de nous retrouver sera notre cadeau à tous les deux. J'ai l'intention de laisser Sam décider lui-même ce qu'il veut faire d'ici à la rentrée. Nous allons reprendre tranquillement notre rythme quotidien sans avoir de comptes à rendre à personne.

Sur le chemin du retour, je m'applique à dédramatiser notre séparation forcée. Il consacre la première heure à me raconter ce qu'il a fait avec ses gourdes de cousins, à m'affirmer à quel point il est devenu bon nageur. Lui aussi veille à ne pas me brusquer.

Aux environs d'Oakville, alors que nous passons devant une série de petits immeubles de bureaux et de restaurants, Sam décide que je suis prêt à répondre aux questions qu'il se pose.

— Papa, il faudra que tu m'expliques ce qui s'est passé.

— Je sais.

— Pas forcément maintenant.

— OK.

— Mais tu me diras, d'accord ?

— Je te dois bien ça.

— Tu sais bien que tu ne me dois rien.

Sam se tourne vers moi. Au lieu d'un petit garçon de huit ans, je découvre un jeune homme surpris de voir que son père ne comprend pas l'évidence.

— Si tu ne me racontes pas, tu seras le seul à savoir, conclut-il.

Le mois d'août fait preuve de bonne volonté, le vent qui arrive du lac chaque après-midi repousse les nuages de pollution vers le nord, débarrassant la ville du manteau orange qui la recouvre depuis un mois. Sam et moi célébrons la chose en faisant de longues promenades. Nous partons déjeuner au hasard en T-shirts et en tongs, nous parcourons à vélo les pistes cyclables de Don Valley, nous caressons longuement les sculptures d'Henry Moore au musée quand les gardiens ont le dos tourné. Nous avons même recommencé à lire. Nous profitons de pique-niques studieux à Trinity Bellwoods pour dévorer *Robinson Crusoé* (Sam) et *Expiation* de Ian McEwan (moi), installés à l'ombre.

Pourtant, même ces jours heureux sont porteurs de fantômes.

Le premier prend la forme d'une voix. Un coup de téléphone peu avant minuit, passé depuis un bar à en juger par le bruit de fond.

— Patrick ?

— Qui est à l'appareil ?

— C'est Len.

— Où es-tu ?

— Au Fukhouse.

— Pourquoi ?

— Je ne sais pas trop. Peut-être bien par nostalgie.

— Je sais que ça va te paraître idiot, mais il faut que je te demande : tu n'es pas mort, au moins ?

J'ai posé la question en serrant les paupières afin d'échapper à l'éclat de la lampe de chevet que je viens d'allumer.

— Non, répond-il après un instant de réflexion. Je ne crois pas.

— Où étais-tu ?

— Je suis parti en laissant toutes mes affaires et je me suis baladé d'un appart à un autre. C'était devenu trop zarbi.

— À qui le dis-tu.

— Mais ils ont fini par l'avoir.

— Ouais. Ils l'ont eu.

Je l'entends pousser un soupir. Un chuintement mouillé qui vient confirmer ce que je pensais : jusqu'à ce que je lui donne l'assurance que tout était bien fini, Len n'en était pas sûr.

— Tu veux savoir le plus rigolo? poursuit-il. J'allais te dire que je peux rentrer chez moi, maintenant, mais je n'ai plus de chez-moi. Mon ancien proprio a foutu en l'air mes bouquins et mes BD.

— Tu n'as plus qu'à recommencer à zéro.

— Recommencer quoi?

— Une nouvelle collection.

— Ouais, peut-être.

Derrière lui, j'entends un bruit qui ressemble à celui d'un verre lancé contre un mur.

— On dirait que ça bouge, ce soir.

— Ça va, affirme Len d'une voix tendue. À propos, tu fais quelque chose, tout de suite?

— J'allais me mettre au lit.

— Il est tard comme ça? J'allais te proposer de venir me rejoindre pour fêter ça.

— Pas ce soir, merci.

— Alors une autre fois.

La conversation devrait s'arrêter là, mais Len s'éternise au téléphone, emporté par le poids invisible de sa solitude.

— Si je comprends bien, il n'y a plus que nous, finit-il par dire.

— Et Angela?

— Tu crois qu'elle est encore en vie?

— Non.

— Moi non plus.

— Allez, Len. À notre santé. À la santé des vivants.

— À la santé des vivants, répète Len sans donner l'impression de savoir exactement à qui s'adresse notre toast.

Le second fantôme d'août est tout aussi vivant, mais il pourrait aussi bien être mort.

Je l'aperçois un après-midi où je reviens de l'épicerie du coin. Sam tient mon pouce d'une main et une glace à l'eau de l'autre. Un père et un fils qui se tiennent la main par une belle journée d'été dans une rue ordinaire. Une vision de la liberté.

Nous passons devant le salon de coiffure punk dans lequel Ronald Pevencey faisait autrefois des coupes et des colorations lorsqu'une camionnette noire se range un peu plus loin le long du trottoir. Les livraisons sont monnaie courante toute la journée dans cette partie de Queen Street, mais quelque chose attire mon attention. Rien de précis, peut-être l'absence de toute identification sur la camionnette : ni autocollant, ni nom d'entreprise, ni même de plaque d'immatriculation à l'arrière. Jusqu'à la peinture qui a perdu tout son lustre et ressemble à celle d'un vieux tableau noir.

Je ralentis le pas, nous ne sommes plus qu'à quelques mètres du véhicule. Aucune porte ne s'est ouverte, côté conducteur ou passager, et l'angle du rétroviseur latéral m'empêche de voir le visage de ses occupants. C'est surtout l'arrière de la camionnette qui m'inquiète. Les deux vitres du fond, noires de crasse, sont maculées de coulures bizarres qui sillonnent le verre de haut en bas. La pluie, peut-être. Ou bien du dissolvant sur des gants de travail. Ou encore des doigts qui auraient vainement voulu griffer les carreaux.

— Pourquoi tu t'arrêtes, papa ?

Je cherche une réponse plausible – *Il fait tellement beau, si on faisait demi-tour et qu'on rentrait à la maison en faisant le grand tour ?* – lorsque je le reconnais. Le visage de William se découpe à travers la vitre arrière.

J'agrippe Sam contre moi, sa glace à l'eau tombe par terre.

À part moi, personne ne voit William.

Moi non plus, en fait. William se trouve à l'isolement dans une prison quelconque en attendant sa condamnation. Il n'y aura même pas de procès. Pas maintenant, en tout cas. Quelques jours plus tôt, il a plaidé coupable et signé des aveux complets. Il ne reste plus qu'à savoir le nombre de condamnations à vie consécutives dont il va écoper.

Il ne peut donc s'agir des lèvres de William qui forment un ovale sur le carreau, de sa langue écrasée en un cri muet. Cela ne m'empêche pas de reculer en titubant jusqu'à la vitrine du salon de coiffure.

Ce qui me terrifie à la vue de cette camionnette, ce n'est pas tant William que les horreurs qui se sont déroulées à l'intérieur. Des crimes qui terrifieraient William lui-même. Son visage me le dit. Ce visage mangé de barbe, aux yeux noirs menaçants, aujourd'hui transfiguré par la peur.

Le pot d'échappement crache un nuage noir. Le temps qu'il se dissipe et William a disparu, mais le rond humide laissé par sa langue sur la vitre est toujours là. Sans doute a-t-il toujours été là.

La camionnette reprend sa place au milieu de la circulation en cahotant avant de tourner un peu plus loin et de disparaître.

Sam envoie la boule de glace fondue dans le mur d'un coup de pied et me prend la main pour me ramener à la maison. Il ne me demande pas ce que j'ai cru voir. Il sait que c'est inutile. Le loup-garou dissimulé au fond d'un placard ne fait jamais de mal à personne tant qu'on s'accroche à la réalité.

29

L'été s'achève sur une longue suite de journées parfaites, comme pour mieux se faire pardonner les outrances passées. Une semaine de ciel bleu et de sérénité, sur fond de circulation ralentie en ville et de soirées diaphanes aux arômes de barbecue. Toutes les angoisses antérieures – pas uniquement pour la famille Rush aux abois, mais aussi pour tous ceux qui hantent les rues de la ville, un rictus aux lèvres – retrouvent des proportions acceptables. On voudrait que ça ne s'arrête jamais.

Et puis, d'un seul coup, le premier week-end de septembre et la fête du Travail. Du jour au lendemain, la fraîcheur de l'air appelle l'automne, les feuilles vertes se teintent d'or. *C'est le moment.* C'est du moins ce que nous disent ces journées au goût de craie qui sentent la rentrée des classes. *C'est le moment ou jamais de profiter des derniers instants d'insouciance.*

Avec Sam, c'est ce qui nous pousse à cette soirée au drive-in du Mustang. La dernière séance de la saison dans cet endroit qui me rappelle Tamara, les soirées où l'on s'envoyait en l'air comme des ados, une bouteille de vin blanc dissimulée sous la banquette. Sam est très excité à l'idée de voir ce qu'il appelle, malgré mes récriminations, « le film de mon papa ».

— Nord, dit Sam, le nez collé à la vitre, au moment où je me glisse dans la file des voitures qui font la queue à l'entrée du drive-in.

Je ne savais pas que mon fils était capable de se repérer la nuit à l'aide des étoiles.

— Regarde.

Du doigt, je lui montre l'arrière de l'écran en haut de la petite colline. L'énorme enseigne lumineuse avec le cowboy sur son bronco au milieu des champs de maïs. Sam déchiffre tout haut le titre du film à l'affiche ce soir.

— *Le Mar-chand de Sa-ble*, articule-t-il.

Je l'ai déjà vu pour ma part. Sam est probablement trop jeune pour visionner certaines scènes qui ne sont pas de son âge – du moins est-ce l'avis de la Commission de classification des œuvres cinématographiques, dont l'avertissement est motivé par la présence de « scènes de violence et de comportements sexuels inconvenants ». Mais si le type de l'entrée est prêt à me vendre deux places adultes, c'est que nous sommes deux adultes le temps d'un soir.

Nous nous garons sur le côté, près du snack, avant de sortir les fauteuils pliants du coffre de la Toyota et de nous installer, un sac de couchage sur les genoux pour nous protéger de la fraîcheur du soir.

Le Marchand de Sable est tiré de mon roman, mais mon rôle s'est limité à accepter un chèque de la production avec un sentiment de culpabilité. On m'a invité à la première à Los Angeles il y a quelques semaines, mais j'ai refusé. Les attachés de presse du film ont tenté de me faire changer d'avis au prétexte que mon absence pourrait être considérée comme l'expression des « réserves créatives de l'auteur », je les ai rassurés en leur affirmant qu'il n'y avait chez moi aucune créativité à réserver. En échange de mon silence complice, ils m'ont envoyé du champagne et un DVD du film.

Il y a quelques jours, je l'ai glissé dans mon lecteur, j'ai débouché la bouteille et j'ai passé une heure et demie dans la crypte à regarder le film en dégustant mes bulles au goulot. Pas mal. Je parle du champagne. Quant au film, je suppose qu'il ne manque pas de rythme grâce à un montage nerveux et une bande-son techno donnant l'impression d'un décor urbain dopé au crack – le tournage a eu lieu à Toronto, bien que l'intrigue soit censée se passer à New York.

Le film me dérange moins par ses qualités plus ou moins discutables que par le fossé qui le sépare de l'original. Je veux parler d'Angela. De sa voix, totalement absente de cette version hollywoodienne, sans que ce soit la faute des scénaristes, des acteurs ou des producteurs. Comment auraient-ils pu deviner l'atmosphère qui régnait à la lueur des bougies dans l'appartement de Conrad White, quand Angela nous lisait les pages ornées de petits dessins de son journal sur fond de bourrasques de neige ? Même s'ils avaient été présents, cela n'aurait rien changé. Le cinéma raconte les histoires de façon statique. À l'écran, le récit se trouve hermétiquement scellé au milieu d'un décor parfaitement maîtrisé dans lequel chaque geste est soigneusement pensé. Le cinéma bride l'imagination. Tout l'inverse de la voix d'Angela, qui invitait précisément à un voyage intérieur.

— Ça commence ! s'écrie Sam en voyant s'éteindre les lumières.

Vous connaissez la suite.

Vous savez comment tout a commencé, en plein récit. L'histoire de l'homme qui a perdu son petit garçon au cinéma. J'emploie volontairement le mot « perdu » parce que c'est le terme employé par la police et les journaux, comme si Sam était un vulgaire portefeuille. Les médias s'appliquent à souligner qu'on n'a rien remarqué d'anormal sur place. Je ne sais pas s'ils disent toujours ça, ou bien s'ils refusent de croire à l'existence de l'ombre que j'ai poursuivie à travers les rangées de maïs.

Vous comprenez mieux les tenants et les aboutissants de cette soirée à présent. Mais il suffit de prendre l'histoire en route pour que vous échappent certains éléments qui ont brusquement un sens. Sans cela, comment comprendre l'effet qu'a pu avoir sur moi la projection sur écran géant du *Marchand de Sable* sous un ciel étoilé ? Agrandie de la sorte, chaque scène du film tentait de m'avertir. *Emmène vite ton fils loin d'ici !*

— *De quoi est-ce que vous parlez ?*

279

— *Ce monstre tapi sous ton lit. Ces yeux qui t'épient la nuit depuis le placard de ta chambre. L'obscurité. Tout ce qui te fait le plus peur…*

Je n'arrive pas à fixer l'écran plus de quelques secondes de suite. Les acteurs s'adressent directement à moi, ils me regardent curieusement sans chercher à dissimuler leur « peur », leur « détermination », leur « inquiétude ». J'avais tort de croire que le cinéma bride l'imagination. Chaque personnage, chaque scène, chaque détail cherche à sortir de l'écran.

Le moment est venu de demander à Sam s'il a faim.

— Tu veux quelque chose, Sam ? Des beignets de pomme de terre ?

Il me prend la main et la lâche uniquement lorsque la fille à la caisse met une éternité à calculer ce que je lui dois.

Et me voilà en train de courir entre les voitures en essayant de me dire que tout ça n'est pas vrai. Rien n'y fait. Le Marchand de Sable est bien là. Pas William, enfermé dans une cellule à des kilomètres d'ici. Ni Ramsay, Len ou Conrad White. Ou encore Raymond Mull.

C'est le Marchand de Sable qui court entre les épis de maïs, veillant à ce que je l'aperçoive pour mieux le suivre. Tout est calculé. Sa manœuvre lui a laissé le temps de disparaître et de s'assurer que je me dirigeais du mauvais côté, loin de l'endroit où Sam se trouve emprisonné dans le coffre de l'une des voitures du fond. À moins que mon fils ne soit enfermé dans la voiture voisine de la mienne depuis le début.

Je me suis lancé à la poursuite du Marchand de Sable, mais ce n'est pas lui qui a enlevé Sam.

Le temps d'arriver jusqu'à la vieille ferme de l'autre côté du champ et tout est terminé. Debout au milieu de la cour déserte, je vois l'écran du drive-in dans le lointain.

Le monstre capable de choses monstrueuses, ce n'est pas William. Ce n'est même pas un garçon, mais une fille. Celle dont je distingue le visage sur l'écran, celle qui nous lisait des extraits de son journal chez Conrad White, à qui le gel a pris plusieurs doigts de pied. Une fille qui a appris à vivre sous différentes identités afin de mieux voler la vie des autres.

J'ai commis l'erreur de croire que le méchant de mon histoire était le même que celui de la sienne. Le monstre qui m'a pris ce qui m'était le plus cher n'est pas le Marchand de Sable : c'est celle qui l'a créé.

QUATRIÈME PARTIE

LE MONSTRE CAPABLE
DE CHOSES MONSTRUEUSES

30

Vous l'imaginez bien, on procède à des recherches. Un père qui va au cinéma et perd son petit garçon, enlevé le temps de payer ses hot dogs et ses beignets d'oignon, c'est le rêve de tout rédacteur en chef digne de ce nom, surtout un week-end férié. Tôt ce dimanche-là, avant même l'aube qui aurait dû signaler le terme de mon escapade nocturne avec Sam, une chaîne de télévision réveille un « expert en disparitions » et met en boîte une interview dans laquelle on nous rappelle que « les douze premières heures sont cruciales dans ce genre de situation ». Même les responsables de la police qui répondent aux questions des journalistes lors de la première conférence de presse du jour ne se montrent pas insensibles aux sirènes de cette course contre la montre, surtout en présence d'un rapt d'enfant. On dirait presque un show et la télévision en fait ses gorges chaudes.

Il suffit de voir le patron de la police provinciale de l'Ontario regarder la caméra droit dans l'objectif en affirmant mettre tout en œuvre pour retrouver « le petit Sam ». « En attendant, je peux vous dire que pas un seul d'entre nous ne pourra fermer l'œil. » On nous montre un reportage sur l'escouade de volontaires en train d'écumer les champs de maïs tout autour du drive-in à la recherche d'indices. Et d'un corps. Et puis on voit le père, le visage mou et défait, implorant les ravisseurs de lui rendre son enfant d'une voix monocorde. *C'est donc ça, un écrivain !* s'étonnent dans un même élan les lecteurs du Zappeur Fou.

Il faut dire qu'il a l'air suspect. Je suis le premier à le penser en découvrant à l'écran ce numéro douteux de père inquiet. Il n'a pas l'air vraiment paniqué et paraît atone, comme s'il commençait déjà à faire son deuil. Hébété devant ma télé dans la crypte, je me vois passer en boucle sur la chaîne d'info. Ce n'est pas du tout ce que je ressens. Ce n'est même pas moi. Quel rapport avec ce personnage effondré qui sanglote entre ses mains, jette un verre à whisky contre un mur pour éviter de le remplir et s'entaille le pied sur un éclat de verre la minute d'après en allant appeler la police pour la cinquième fois en moins d'une heure ? Celui-là, c'est moi.

La police a visiblement des doutes, elle aussi. Les enquêteurs viennent chez moi et me demandent de tout leur raconter encore une fois. Alors qu'on me proposait les services d'une « cellule psychologique » quelques heures plus tôt, je sens déjà leur sympathie s'évanouir. On ne me pose plus vraiment de questions sur la silhouette aperçue au fond du drive-in, on s'intéresse surtout à mes troubles affectifs de ces dernières années. Ma femme qui meurt d'un cancer, les meurtres commis par William Feld qui m'ont valu de figurer un moment sur la liste des suspects. « On s'est longtemps demandé si ce n'était pas vous derrière tout ce cirque », comme l'exprime spontanément l'un des flics. Sans parler des fioritures : mon fils enlevé pendant la projection d'un film tiré de mon roman, lequel raconte l'histoire d'un fantôme tueur d'enfants. « Ce n'est quand même pas le genre de truc qu'on écrit », me gourmande un autre inspecteur en secouant la tête. « Sauf que vous l'avez fait... »

Le dimanche soir, on me fait comprendre qu'il est temps d'appeler un avocat. Quand je leur dis que c'est inutile, ils me regardent de travers, persuadés qu'un coupable ne se comporterait pas autrement. Dehors, les recherches se poursuivent malgré la nuit, mais les enquêteurs qui interrogent le père dans sa maison d'Euclid Street sont convaincus de tenir le coupable et ils attendent tranquillement qu'il craque. Les types dans mon genre finissent toujours par craquer.

Je les autorise à mettre mon téléphone sur écoute. Officiellement, au cas où les ravisseurs me réclameraient une rançon, mais je sens bien qu'ils sont à l'affût du moindre indice. Des fois qu'un complice m'appelle, ou alors que j'éprouve le besoin de me confesser en pleine nuit.

Comment leur en vouloir ? Les parents sont toujours les premiers suspectés en cas d'enlèvement. D'un simple point de vue statistique, les ombres n'existent pas, ce sont les proches qui font souvent le plus de mal.

Sauf qu'il y a des exceptions. Le Marchand de Sable passe parfois. Ce jour-là, ne vous étonnez pas si personne n'accepte de vous croire.

Je ne trouve pas le temps de trop souffrir au cours des premières vingt-quatre heures. J'apporte les mêmes réponses aux mêmes questions, je montre la maison dans ses moindres recoins à de parfaits inconnus, une dame fort gentille redresse mon col et efface la trace de dentifrice que j'ai au coin des lèvres avant la conférence de presse.

En fin de compte, ces distractions ne font qu'ajouter à la détresse qui s'abat sur moi au matin du deuxième jour. Mal réveillé d'un sommeil forcé par les somnifères, je m'étale de tout mon long dans ma chambre en me prenant les pieds dans une jambe de pantalon. *Rattrapé par la réalité.* Je n'avais jamais compris la portée d'un tel cliché, à condition de le prendre au premier degré. C'est bien la réalité qui me laisse prostré sur le plancher, à contempler les moutons de poussière qui traînent sous mon lit en me tâtant la nuque à deux mains afin de m'assurer que je ne saigne pas.

Sam n'est plus là.

Jamais ils ne le retrouveront.

Je suis le seul à pouvoir lui remettre la main dessus.

Sans cette pensée, il n'est pas certain que j'aurais réussi à finir de m'habiller, une heure plus tard. C'est pourtant nécessaire, car il me faut faire face à la presse. Un coup d'œil furtif à travers les rideaux me signale la présence devant chez moi de plusieurs camionnettes de télévision.

Les envoyés spéciaux, le cheveu soigneusement laqué, affichent une mine de circonstance à l'écart des journalistes de presse écrite qui échangent des plaisanteries graveleuses en envoyant promener leurs mégots de cigarettes dans le jardin du voisin. Si j'entends poursuivre un semblant d'existence, si fragile soit-elle, je vais devoir leur donner un os à ronger afin qu'ils me fichent la paix. Au moins jusqu'à l'heure de leur prochain papier.

Le mieux est encore d'accorder un entretien exclusif à l'un d'entre eux et je jette mon dévolu sur le *National Star*, par réflexe. Et avec qui revient le type chargé de gérer les relations presse de la police? Mon copain de Swift Current.

— Vous faites du journalisme de terrain, maintenant?

Il a beau vouloir serrer les dents, il est tout de même content que je l'aie reconnu et ma question lui tire un sourire.

— Pas d'avenir dans la culture.

— Ce n'est pas moi qui prétendrai le contraire.

— Je suppose qu'on peut considérer ça comme une promotion.

— Votre rédactrice en chef a toujours eu un œil très sûr.

— J'imagine que vous devez en baver, commence-t-il, comme tous les autres. Les flics, les psychologues, les gens bien intentionnés, les baveux. On voit bien que la télé est passée par là.

Je lui sers à mon tour un baratin digne d'un mauvais feuilleton. Tout en affichant un optimisme résolu, je demande à tous ceux qui pourraient savoir quelque chose de se manifester. Mais le gamin de Swift Current n'a pas l'intention d'en louper une.

— Que pensez-vous de cette coïncidence étrange entre ce qui vous arrive et votre roman?

— Je n'en pense rien.

— Mais vous ne trouvez pas surprenant…

— Je n'ai rien à ajouter.

— Je vous demande pardon?

D'un geste, j'éteins son dictaphone.

— Fin de l'interview. Et n'oubliez pas de dire aux autres charognards que vous êtes le seul à obtenir votre pâtée aujourd'hui.

Et ça marche. En l'espace de quelques heures, les camionnettes s'en vont les unes après les autres et les autres scribouillards seront obligés de citer le *National Star* s'ils veulent absolument manger du Patrick Rush. Même la police me laisse à peu près tranquille, se contentant de poster une assistante sociale devant ma porte au cas où Sam referait surface. J'en profite pour m'éclipser.

Je commence par prendre Dundas Street avant de m'enfoncer dans le labyrinthe en pleine mutation de Chinatown. Avant de comprendre ce qui m'arrive, je me retrouve devant le Fukhouse. Un repaire d'anarchistes. C'est tout du moins ce que prétendait Evelyne le soir où je l'ai vue pour la première fois. Aujourd'hui, je me pose la question. *Peut-on assister à des réunions anarchistes et continuer à prétendre qu'on est anarchiste ?* D'un autre côté, si ceux qui refusent la loi ne s'autorisent plus aucune liberté, où va-t-on ?

Une lumière vient de s'allumer dans l'ancien appartement de Conrad White. Deux ombres s'agitent derrière les voilettes. Sans doute sont-elles occupées à quelque tâche domestique. De la rue, on dirait un couple sur une piste de danse. Les deux silhouettes tournent l'une autour de l'autre en se tenant la main avant de disparaître dans les profondeurs de l'appartement.

La lumière s'éteint. Elle est restée allumée si peu de temps que j'en arrive à douter de la réalité des deux silhouettes. Encore des fantômes. Evelyne et Conrad surpris dans une valse d'outre-tombe.

Ils sont peut-être morts, mais je suis toujours vivant. Mon fils également. Je ne vois pas comment il pourrait en être autrement. Inutile de voir des fantômes partout, ils n'ont rien à m'apprendre que je ne sache déjà. Le rôle des vivants est de reprendre à leur compte les mystères que leur ont légués les morts.

— Alors ce n'est pas une blague ? C'est vraiment votre quartier général ? s'exclame une voix dans mon dos.

Je me retourne et découvre Ramsay dans la pénombre du Fukhouse.

— C'est drôle, je vous imaginais dans un cadre plus classe.

— Les prix sont raisonnables.

— Ça ne m'étonne pas, glousse-t-il en regardant le décor qui nous entoure. Je vous offre un verre ?

— Vous pouvez même m'en offrir deux.

Ramsay commande deux bourbons avec des demis, histoire de noyer l'alcool. Les bourbons ne font pas long feu.

— Je suis passé chez vous, reprend Ramsay.

— Et je n'étais pas là.

— Vous avez voulu faire un petit tour ?

— Vous devriez le savoir, puisque vous m'avez suivi jusqu'ici.

— Je suis flic, avoue Ramsay avec un haussement d'épaules. L'habitude.

Nous regardons droit devant nous, les reflets de nos visages respectifs perdus dans le miroir poisseux qui s'étale derrière les bouteilles de gin, de whisky et de rhum.

— C'est vraiment dur, finit par lâcher Ramsay. Ce qui arrive à votre gamin.

Au son de sa voix, au petit mouvement de tête dont il ponctue sa phrase, je dirais qu'il est sincère. Ce ne serait pas la première fois que je me trompe sur son compte. Je ne sais pas si j'ai jamais su déchiffrer ce type-là.

— On me dit que la police a mis ses meilleurs enquêteurs sur le coup.

— Dans ce cas, ils le retrouveront.

— Je me dis que je devrais essayer de les aider.

— Qu'est-ce qui vous en empêche ?

— On m'a demandé de rester chez moi.

— J'imagine que ça ne doit pas être simple en sachant qu'il n'est pas loin.

— Je sais que c'est le cas.

— Comment pouvez-vous le *savoir*?

— Sam est vivant. Et je compte bien le retrouver.

— On dirait que vous avez votre petite idée sur la question.

— Quand bien même, vous croyez peut-être que je vous en parlerais?

— Vous pourriez. Si vous êtes vraiment clair.

— Clair?

— Vous pourriez faire preuve de bonne volonté. Histoire que les enquêteurs ne se lancent pas sur une fausse piste.

Il a bien failli m'avoir. Pendant quelques minutes, je me suis dit que maintenant qu'il tenait William, il avait peut-être décidé d'aider un pauvre type qui a perdu son fils. Mais Ramsay a le soupçon chevillé au corps. C'est sa raison de vivre.

— Jamais je ne ferais de mal à Sam.

— Personne ne prétend le contraire.

— Personne ne le prétend ouvertement, non. Pourquoi voudriez-vous que je sois franc avec vous alors que vous ne l'êtes pas avec moi?

— Je viens de vous le dire. Vous pourriez montrer que vous êtes clair.

— Je suis parfaitement clair à mes yeux.

Je m'éloigne d'un pas mal assuré. La tête me tourne à cause du bourbon, à cause de cette conversation. Ramsay ouvre la bouche, mais je réussis à le coiffer au poteau. Tout en poussant la porte d'une main assurée, je m'écrie à pleine voix :

— Vous avez trouvé votre Marchand de Sable. À mon tour de trouver le mien !

Ramsay a peut-être décidé de me suivre, mais je m'en fiche. Je ne fais rien de mal. Je marche, c'est tout. Et je me pose des questions à voix haute. Des questions qui finissent par me sortir de mon hébétude, au terme d'un long périple nocturne à travers les quartiers est.

La première question est de savoir comment celui ou celle qui a enlevé Sam a pu savoir que nous allions au drive-in ce soir-là. Je n'ai pas le souvenir d'en avoir parlé à quiconque. Et Sam ? Il a pu succomber à la tentation de se vanter auprès de ses copains (« Mon père m'emmène voir *son* film ce soir ! »). Ou alors il en a touché un mot incidemment à son ami Joseph. Mais j'ai du mal à croire de tels scénarios, Sam n'est pas du genre à échanger des potins avec ses copains du square. Eux non plus, d'ailleurs. À leur âge, on s'amuse surtout à jouer au soldat ou au robot en prétendant qu'on a des rayons laser à la place des yeux.

Il est beaucoup plus probable que nous ayons été suivis. La camionnette noire que j'ai vue changer de file à la sortie de la ville pour mieux me garder en ligne de mire.

Pourquoi ne pas prévenir la police ? J'ai bien failli leur parler d'Angela deux ou trois fois, avant de me reprendre pour des raisons aussi intuitives que rationnelles. D'un point de vue rationnel, justement, je n'ai aucune preuve contre elle. Qui plus est, « Angela » est morte. Et puis je ne tiens pas à crier sur les toits ce que j'ai fait du corps de Petra. Sans compter que je suis le suspect numéro un dans la disparition de Sam. Plus j'y pense, plus je me dis qu'Angela savait quelque chose sur chacun des membres du cercle. Un secret. Qui lui a permis de rester dans l'ombre aussi longtemps.

Mais ce qui me retient surtout de parler d'Angela à la police, c'est la certitude, au fond de moi, qu'il ne faut pas. Si Angela – ou la personne qui a enlevé mon fils, quelle que soit son identité – apprend que j'ai tout raconté à la police, c'est fichu. Le seul moyen pour moi de retrouver Sam est d'aller jusqu'au bout de l'histoire.

Très vite, les premières lueurs du soleil chassent les étoiles du ciel. J'ai marché jusqu'aux quartiers des Beaches avant de rejoindre la plage par une petite rue. Le lieu est désert, à l'exception de rares joggers et de quelques silhouettes en train de ronfler sur les tables de pique-nique. Tous des adeptes de la confrérie des solitaires, comme moi.

J'enlève mes chaussures, le sable est froid sous mes pieds. Pourtant, lorsque je me glisse au milieu des vagues timides du bord, l'eau est à la température du corps, elle a gardé la trace de cet été caniculaire. On peine à croire que le lac puisse geler de nouveau un jour.

Quelque chose m'effleure la main – une mouche, un papier de bonbon soulevé par le vent – et je tourne la tête, m'attendant à trouver Sam à mes côtés. J'ai beau penser constamment à sa disparition, il m'arrive régulièrement d'avoir l'impression qu'il est avec moi. Ce n'est pas le cas. Il *devrait* être là, pourtant. À me prendre la main pour m'entraîner dans l'eau. À me demander la permission de se baigner. À me dire qu'il ne craint rien.

La lumière du petit matin donne une netteté dérangeante aux immenses écrans publicitaires et aux grues des chantiers de construction qui se découpent à l'autre bout de la ville. Autant regarder l'eau, mais le lac m'apparaît sous un jour tout aussi industriel, avec sa surface ridée et brillante comme du papier d'aluminium.

En repartant, je me fais la réflexion que l'humanité est à court de refuges naturels. Tout a été modifié, réinventé, amélioré. La terre n'existe plus dans sa simplicité originelle. Le virtuel a pris la place du réel.

Et alors? Tant qu'on me rend Sam, le reste de la planète peut garder ses vieux mythes recyclés et toutes ses habiles impostures. Je peux me passer de la réalité, mais je ne peux pas me passer de Sam.

31

Il me faut retrouver Angela si je veux retrouver Sam. Mais retrouver quelqu'un qui n'existe pas n'est pas une tâche facile pour un critique télé au chômage. Que feraient Tim Earheart ou Ramsay à ma place ? Ils commenceraient par analyser les éléments dont ils disposent. C'est-à-dire quasiment rien. Je connais le nom d'Angela (il est faux), son âge (à dix ans près), la liste de ses écrits (empruntés aux récits autobiographiques d'autrui). Je sais aussi à quoi elle ressemble (même si son apparence change au gré de l'ombre et de la lumière, au point de lui donner un visage lorsqu'elle nous faisait la lecture de son journal, assise en face de moi chez Conrad White, et un autre la nuit où elle me couvrait les oreilles de ses mains afin que je ne puisse pas entendre les cris qu'elle émettait au lit, comme si la tranquillité des voisins comptait moins que la mienne). Pour quelqu'un qui joue dans mon existence un rôle d'une importance aussi cruelle, Angela semble avoir beaucoup pris et peu donné.

L'un des rares fils qui me rattachent à elle est l'immeuble où, dix-huit étages au-dessus du sol, j'ai vu et touché des parties de son corps qui, lorsque j'y réfléchis, tendraient à me laisser croire qu'Angela est une simple création de mon imaginaire. J'ai beau demander à mes mains de me rappeler sa peau, c'est tout juste si j'ai conservé un vague souvenir de gestes exécutés machinalement. Je distingue le corps nu d'Angela dans le lointain, d'une pureté invraisemblable, nimbé d'une lumière bleue.

Si je ne me trompe pas, si je n'ai jamais passé avec Angela l'unique nuit que je croyais avoir partagé avec elle, peut-être ai-je tort de l'accuser. Peut-être est-ce moi qui suis fou. Angela est introuvable parce que Angela n'a jamais existé. Ce qui voudrait dire qu'elle n'a pas fait subir à Sam de choses monstrueuses. Que c'est moi le coupable.

Il suffit que le concierge me colle brutalement contre le mur pour interrompre le cours de mes sombres pensées.

— Vous ! s'écrie-t-il.

Le même qui m'a viré comme un malpropre la dernière fois. Aujourd'hui, il porte sur moi le regard clinique d'un médecin soupçonnant une jaunisse.

— De vous à moi. Dites-le-moi dans le creux de l'oreille si vous préférez.

— Oui ?

— C'est quoi, votre problème ?

— Je cherche quelqu'un.

— Quand on me cherche, on me trouve.

— Pas vous. Une locataire.

— Il n'y a pas de locataires, ici.

— Mais alors, qui y a-t-il ?

— Il y a des propriétaires.

— Dans ce cas, je cherche une propriétaire.

— Z'avez qu'à sonner.

— Il n'y a personne. Ou alors elle ne répond pas.

— Si j'avais su que c'était vous, moi non plus je n'aurais pas répondu.

Ses mains sont déjà moins crispées autour de sa ceinture. Son calme m'annonce qu'il est prêt à me frapper. J'ai assez d'expérience pour savoir qu'on voit toujours venir le coup avant qu'il parte, sans y croire pour autant. On se dit : *Ça y est.* Et puis, tout de suite après : *Non, il n'osera jamais.* Sauf que si.

— Elle a enlevé mon fils.

Le concierge me toise avec son visage criblé de cicatrices d'acné.

— Une histoire de divorce ?

— C'est à peu près ça.

— Z'avez qu'à faire appel à un avocat, comme tout le monde.

— Ce n'est pas le genre de truc pour lequel on peut faire appel à un avocat. Si vous voyez ce que je veux dire.

Apparemment, il voit. Il baisse un poing et enfouit l'autre dans une poche, à la recherche de ses clés.

— Je vais vous montrer ce que j'ai dans mes dossiers, maugrée-t-il en traversant le hall avant d'ouvrir la porte d'un petit local où est entreposé le sapin de Noël de l'immeuble. Mais si jamais vous refoutez les pieds ici, je vous fiche dans le vide-ordures.

Je lui demande de chercher l'appartement de Pam Turgenov.

— M'avez dit qu'elle s'appelait Angela.

— Elle ment tout le temps.

— Toutes les mêmes.

Il sort le dossier de Pam/Angela. L'acte de vente et l'emprunt à la banque sont au nom de Pam Turgenov, mais le compte fait état d'arriérés. Les charges de l'appartement 1808 n'ont pas été payées depuis trois mois et la banque a gelé le compte.

— On la recherche, m'explique le concierge. Pour ce que j'en sais, ça fait un moment qu'on ne l'a pas vue. Pas depuis le cambriolage.

— Un cambriolage ?

— Z'ont piqué deux ou trois bricoles et des bijoux en toc. Même pas pris la télé.

Deux ou trois bricoles. La casquette de Petra, par exemple. En attendant qu'elle se retrouve chez moi.

— Je dois changer les serrures cette semaine, reprend le concierge.

— Ça ne changera rien. Elle ne reviendra pas.

— Y a encore toutes ses merdes.

— Je vous assure.

— J'croyais qu'elle avait votre môme !

— Je compte bien la retrouver.

J'ai dû m'exprimer sur un ton convaincant car le concierge me gratifie d'un hochement de tête martial.

— Quand vous la verrez, dit-il en me reconduisant jusqu'à la porte, dites-lui que j'ai gardé sa télé.

Je remonte Bay Street en direction des tours de bureaux qui dressent leurs silhouettes argentées et dorées de l'autre côté des voies ferrées. En route, j'essaie de donner un sens à ce que je viens d'apprendre. Je ne devrais pourtant pas être surpris : non seulement Angela a oublié de dire à la police que la personne qui a trouvé la mort avec Conrad White était Evelyne, mais il est plus que vraisemblable qu'elle a joué un rôle dans l'accident. C'est elle qui les a attirés jusque-là en laissant des petits cailloux derrière elle. Il est très probable qu'elle se trouvait sur place au moment du drame. Pour s'assurer que tout avait bien fonctionné. Également pour mettre son sac à la place de celui d'Evelyne.

En organisant sa propre disparition, Angela s'arrangeait pour s'évaporer dans la nature sous une autre identité. Le temps d'accumuler des dettes sous le nom de Pam Turgenov et elle disparaissait de nouveau.

Je trouve la confirmation de cette hypothèse dans les bureaux du cabinet d'avocats dans lequel Angela prétendait être employée en qualité d'assistante juridique. Cette fois, je me fais passer pour un amant éconduit – ce qui n'est pas entièrement faux. Une posture qui m'attire la sympathie immédiate de l'hôtesse d'accueil, le temps d'apprendre qu'une Pam Turgenov a effectivement travaillé un temps pour le cabinet en qualité d'intérimaire, et non d'assistante.

— Je n'ai pas vraiment eu le temps de la connaître, me confie l'hôtesse d'accueil d'une voix éplorée, comme si c'était le grand regret de sa vie. Elle passait son temps le nez dans un bouquin, on n'osait même pas la déranger.

— Vous vous souvenez de ce qu'elle lisait ?

Mon interlocutrice examine longuement ses ongles.

— En fait, je ne crois pas qu'elle lisait. Elle *écrivait*.

— Quand a-t-elle quitté le cabinet ?

— Je ne sais pas. Depuis plusieurs mois, au moins. En tout, elle a dû rester quinze jours.

— Vous avez une idée de l'endroit où elle a pu aller ensuite ? Un autre cabinet d'avocats, peut-être ?

— Ces filles-là ne sont pas intérimaires pour rien, me répond l'hôtesse avec un haussement d'épaules. Elles passent leur temps à aller et venir.

Je lui tends le bouquet de fleurs que j'avais apporté (« Pam est-elle là, par hasard ? Je voulais lui souhaiter un bon anniversaire ») et elle m'adresse un merci rougissant.

— Si jamais je la croise un jour par hasard, comment vous appelez-vous ? demande-t-elle en me voyant repartir en direction des ascenseurs.

— Conrad. Ou alors Len. Ou bien Ivan.

Les portes de l'ascenseur sont presque entièrement refermées lorsque je la vois lever des yeux étonnés du bloc sur lequel elle notait scrupuleusement les prénoms que je viens de lui donner.

Le crépuscule embrase la ville d'une lumière rosée, conséquence curieusement belle des effets de la pollution. Le soleil s'est à peine caché derrière les toits qu'un vent de fraîcheur enveloppe les rues. Je me dirige vers l'est, sans but précis, excepté l'envie d'éviter les messages qui m'attendent chez moi, ceux qu'aura laissés la police afin de me signaler qu'il n'y a rien de nouveau. Qui sait si je ne trouverai pas le gamin du *National Star* planté dans mon jardin, avec dans son sac à dos un exemplaire du *Marchand de Sable va passer* débordant de post-it ? J'aime autant marcher dans les rues jusqu'à la nuit tombée.

L'heure et la lumière sont propices aux illusions d'optique.

Comme cette camionnette noire qui passe à côté de moi, avec une ombre au volant. La même silhouette, les mêmes mains gantées que lors de la course-poursuite entre les rangées de maïs au drive-in.

Je m'élance après le véhicule, sans pouvoir m'empêcher de remarquer l'absence d'identification sur les portes arrière, ou encore les taches de boue séchée qui empêchent de lire la plaque minéralogique. Mais la camionnette accélère déjà et disparaît au coin de la rue.

Je traverse d'un bond, sans regarder. Un break pile dans un long crissement de pneus en me frôlant la hanche, m'envoyant valser contre une fourgonnette, mais rien ne m'arrête et je finis par atterrir tant bien que mal sur le trottoir d'en face. Des coups de klaxon et des *Hé ! Vous !* fusent dans mon dos, que j'oublie aussitôt en m'engageant au pas de course dans la rue où vient de disparaître la camionnette. À mon âge et sans entraînement physique, il est difficile de parcourir plus de cent mètres en courant sans que le rythme de la respiration et du cœur ne vous bouchent rapidement les oreilles.

La camionnette a disparu, mais je cours toujours.

Soudain, je le vois.

Son ombre court sur les façades un peu plus loin et je le vois s'engager au milieu des ruines de l'ancienne distillerie Gooderham & Worts. Quelques pâtés de maisons d'un Londres à la Dickens coincés entre l'autoroute et des immeubles en construction. D'immenses entrepôts en brique de style victorien ponctués par de hautes cheminées d'usine en point d'exclamation.

Cette plongée dans le temps ralentit ma course, les rues pavées de cette enclave du passé m'obligeant à danser sur la pointe des pieds. Pendant la journée, des galeries et des cafés ouvrent leurs portes des deux côtés, mais tout est fermé à cette heure. À part celui qui m'a entraîné jusqu'ici, je suis la seule âme perdue au milieu de cette zone piétonne.

Je l'aperçois. Il vient de se glisser dans une ruelle étroite. Lentement. Comme s'il m'attendait.

Les façades des bâtiments empêchent la lumière du soir de pénétrer dans le boyau et c'est tout juste si j'aperçois le haut de sa silhouette glisser le long des murs de brique. Et puis l'inconnu s'arrête.

Encore un petit effort, semble-t-il me dire. Tu y es presque.

Je me précipite aussi vite que possible, mais les forces commencent à me manquer et lorsque j'atteins enfin l'endroit où il se tenait, je me prends les pieds dans un objet lourd et meuble à la fois. Un sac de sable.

Ce qui lui laisse tout le temps de remonter dans la camionnette noire qui l'attend au milieu du parking. Les feux arrière projettent sur mes mains levées des reflets rouges qui virent au rose lorsque le véhicule se met en route et disparaît.

En revenant sur mes pas, je manque de tomber une nouvelle fois sur le sac de sable. À ceci près qu'il ne s'agit pas d'un sac de sable, mais d'un corps.

Plus ou moins. Plutôt moins, d'ailleurs.

Il repose contre le mur à la façon d'un ivrogne endormi. Sans les jambes. Et sans les bras, le nez, les yeux. Un cadavre découpé en morceaux dispersés sur les pavés de la ruelle. Une sorte d'anthologie du corps humain.

J'en reviens à remercier le ciel que la nuit soit tombée, même si je vois encore trop bien. Quant à tout ce que je ne vois pas, mon cerveau n'a guère de mal à l'imaginer, surtout avec le souvenir encore frais de la nuit passée avec Petra dans ma cabane de jardin.

Il est temps de repartir en laissant à un autre le soin de cette découverte demain matin. Je n'ai rien à gagner à moisir plus longtemps dans les parages, je ne tiens pas à être vu ici.

Je traîne pourtant quelques instants de plus. En partie parce que j'ai du mal à respirer. Également parce que le corps éparpillé à mes pieds est celui d'un ancien ami.

Nous étions les deux derniers. C'est ce qui me fait dire qu'il s'agit de Len, avant même d'avoir ouvert du bout de ma chaussure le portefeuille posé à côté d'une main et d'avoir lu le nom sur le permis de conduire qui s'y trouve. Si je ne savais pas tout ce que je sais, je ne pourrais jamais faire un lien entre le visage souriant du permis de conduire et ce corps méconnaissable, définitivement privé des traits qui le caractérisaient. Je soupçonne Angela d'en avoir fait sa règle de conduite depuis le départ, en volant aux autres leur histoire pour ne laisser d'eux qu'un amas de chair et de sang. Le corps lui-même n'est rien, ce sont ses actions qui comptent. Ses vérités et ses mensonges.

On parle de moi aux actualités le lendemain, en recyclant la déclaration enregistrée le jour de la disparition de Sam. J'ai refusé de m'exprimer devant les caméras depuis, convaincu que mes propos ne pourraient qu'alimenter les soupçons à mon endroit. Sans compter que supplier les ravisseurs de me rendre Sam sain et sauf ne servirait à rien, maintenant que je sais qui l'a enlevé.

Deux enquêteurs passent me faire un compte rendu de leurs recherches, mais je perçois le doute briller dans leurs yeux. Ils me demandent par acquit de conscience si je leur ai bien tout dit. J'ai beau leur rapporter les mêmes détails pour la énième fois, ils attendent d'autres éléments. *C'est bon*, m'indique clairement leur expression blasée. *Vous pouvez tout nous raconter. On ne cherche pas à vous juger.*

Ils sont à peine partis que je fais mes valises.

Avant de m'en aller, je passe un coup de fil à Tim Earheart depuis la cabine du bout de la rue. Je suis le premier surpris de m'apercevoir qu'il s'agit de la seule personne au monde à laquelle je tiens à dire au revoir. Le destin ne m'accorde même pas cette grâce car il n'est pas chez lui et je me contente de bredouiller plus ou moins n'importe quoi sur son répondeur. Je me souviens d'avoir voulu plaisanter. « J'ai compris que je ne sortais pas assez en voyant que j'avais un seul numéro en mémoire sur mon téléphone », avant d'ajouter : « Merci de t'occuper de Sam si jamais… si jamais Sam avait besoin qu'on s'occupe de lui. » Le genre de truc qu'on dit, la gorge serrée, et qu'on voudrait pouvoir effacer une fois qu'on a raccroché.

Je m'octroie une dernière halte chez moi, le temps de vérifier que je n'ai rien oublié. Je m'attarde sur les rangées de livres que Sam est désormais trop grand pour lire et je me dis qu'un père et son fils ont habité ici un jour. Le simple fait d'utiliser le passé composé ôte tout sens à ma pensée. Ce n'est pas parce que d'autres y ont déjà vécu que l'endroit où vous vous trouvez n'est pas vide.

32

Whitley, Ontario, est l'une de ces petites bourgades têtues accrochées à la route qui longe la bosse du lac Supérieur. Le genre d'endroit connu – si tant est qu'on le connaisse – pour ses stations-service et ses motels qui sentent le renfermé, dans lesquels se cloître le voyageur bloqué par une tempête de neige. À une demi-journée de voiture des maisons de campagne les plus éloignées de la ville, la région de Whitley n'existe que de façon abstraite, sur une carte ou dans l'imagination. Une porte ouverte sur l'un des ultimes néants de la planète.

Remonter cette route est une épreuve pour les quatre cylindres de ma Toyota. Une fois franchie la rivière Soo, la Transcanadienne perd de son allant et multiplie les circonvolutions afin d'éviter les marais, les buttes et les anses qu'elle trouve sur son chemin. Les six cents kilomètres jusque Thunder Bay sont particulièrement sportifs, à la fois pour les bras qui tournent le volant et pour la jambe qui encaisse les coups de frein. Ce ne sont pas tant les montées poussives qui sont gênantes que les descentes vertigineuses qui entraînent irrémédiablement la voiture vers les parois rocheuses, avec l'impression constante, entre une rétrogradation brutale et un *Oh putain de merde !* grommelé entre les dents, qu'on est passé à deux doigts de la catastrophe.

La route n'a pourtant pas l'air de déranger le conducteur qui me suit.

Tandis que l'après-midi tire à sa fin, un coup d'œil dans le rétroviseur me permet d'apercevoir sa limousine noire les rares fois où la route est droite. Il pourrait fort bien s'agir de la Continental repérée le jour où je suis allé voir Sam à Saint Catharines. Chaque fois que je ralentis, il fait de même, ou alors il s'arrête sur le bas-côté, parce que je n'arrive jamais à le voir. Plus tard, alors que la forêt empêche la lune de filtrer jusqu'à la route, je constate que la voiture est toujours là en apercevant ses phares par intermittence.

C'est justement sur cette route, au sortir d'une ligne droite, que Conrad et Evelyne ont trouvé la mort. Sans doute un suiveur aussi obstiné que le mien les a-t-il obligés à négocier un virage trop rapidement. La même Continental, peut-être. Le même conducteur…

Celui qui se trouve au volant aujourd'hui n'a pas l'air de vouloir me tuer tout de suite. Il entend s'assurer que je vais dans la bonne direction. À ce stade, il n'y a que deux solutions : continuer ou faire demi-tour. Je n'ai donc pas le choix.

Il est minuit passé lorsque j'arrive à Whitley. La ville elle-même se cache derrière un rideau d'arbres, à l'écart de la route principale, comme si elle avait honte. Un bowling. Deux vendeurs de voitures d'occasion. Un bar dont les fenêtres ont été aveuglées avec du contreplaqué. Tout a l'air fermé. Jusqu'à l'éclairage public, éteint pour la nuit. À moins qu'il ne fonctionne plus.

En revanche, la télé à l'accueil du Sportsman Motel fonctionne très bien. C'est même ce qui m'incite à m'arrêter là plutôt qu'ailleurs : une lueur glauque indiquant que je ne suis pas le seul à résister au sommeil à Whitley.

Je me demande quand le propriétaire a allumé pour la dernière fois le signe « COMPLET » sous le néon, orné d'une silhouette de chasseur tenant un fusil d'une main et la dépouille d'un canard de l'autre.

Le type de l'accueil est branché sur *Canadian Mega-Star!* et regarde une gamine de Saskatoon massacrer une chanson de Barry Manilow en secouant la tête.

— Vous le croyez, ça ? grogne-t-il en me tendant une clé sans quitter l'écran des yeux. Qu'est-ce qu'ils croient, tous autant qu'ils sont ?

— Ils ont envie de devenir célèbres.

— Eh ben je peux vous garantir que celle-là va devenir célèbre. Célèbre pour son gros cul et sa voix de poulet asthmatique.

Il secoue de nouveau la tête en ricanant, croise les bras sur sa poitrine en faisant grincer sa chaise, sans zapper pour autant.

La chambre sent le rhum et la capote usagée. Je verse sur la moquette le contenu d'un petit flacon de shampooing dans l'espoir de purifier l'air. Je suis en train d'étaler la mousse avec le pied lorsque la Continental passe devant ma fenêtre.

Le temps d'ouvrir la porte et elle repart en marche arrière. Le froid me fait l'effet d'un coup de poing à l'estomac et je reste pétrifié sur le seuil, le visage perdu dans le nuage gris de mon haleine. Ça ne servirait à rien de courir derrière la voiture qui s'éloigne déjà vers la route.

Je ne sais pas s'il s'agissait effectivement de lui, mais je sais qu'il est là. J'ai un drôle de goût dans la bouche, dont j'essaie de me débarrasser en crachant par terre. Il est là. Angela est donc là, elle aussi.

À part les donuts pas frais que l'on trouve au Hugga Mugga, le seul endroit où prendre un semblant de petit déjeuner à Whitley est un restaurant chinois, le Lucky Seven BBQ. Les œufs ont un goût de nem et les toasts sentent le soja, mais j'ai suffisamment faim pour m'en satisfaire. En relevant la tête, je découvre Sam en face de moi. Il a l'air inquiet. Pas pour lui, mais pour moi.

Ce n'est pas ton fantôme, Sam. C'est juste que tu me manques. Je sais que tu es vivant.

— Encore un peu de café?

Le temps de lever les yeux sur la serveuse et la chaise de Sam est vide.

Debout sur le trottoir, je regarde la rue principale de Whitley en m'imaginant le père d'Angela en train de chercher sa fille. Comme moi. Raymond Mull est la seule trace d'elle qu'il me reste encore. Je dois impérativement retrouver la ferme où il lui a rendu visite et le mieux est encore de me mettre en chasse d'Edra, la mère adoptive d'Angela. Le fait qu'elle ait choisi de s'appeler Stark dans son journal m'inciterait à croire qu'Angela ne portait pas ce nom-là.

Je commence par me rendre dans les bureaux du *Whitley Register*. La pancarte accrochée à l'entrée indique qu'ils ouvrent à 9 heures, mais il est presque 10 heures et il n'y a toujours personne, ce qui m'oblige à m'asseoir sur les marches en regrettant de n'avoir pas acheté de cigarettes au Lucky Seven. Les passagers des pick-up qui passent devant le bâtiment me dévisagent ouvertement. Je fais semblant de ne pas remarquer leur manège, le col de mon manteau relevé pour échapper à un vent glacial.

L'automne arrive un mois plus tôt par ici et les arbres ont déjà changé de couleur. Les caniveaux, obstrués par des feuilles orangées et des canettes vides de Red Bull, ont un air de rentrée des classes. La neige ne tardera pas à enfouir leur contenu que l'on retrouvera au printemps, fermenté et ramolli. Comme Jacob Stark, dont le corps sans vie a été retrouvé longtemps après son escapade dans les bois, en chaussettes.

Une femme en veste de chasse écossaise s'arrête et je m'attends presque à ce qu'elle exige de me voir déguerpir. Sa bouche tombante et sa carrure épaisse me font comprendre qu'elle en est parfaitement capable. Mais lorsqu'elle se plante devant moi, les mains sur les hanches, en me demandant en quoi elle peut m'être utile, je lui explique le but de ma visite.

— Je fais des recherches et j'ai pensé que vous pourriez peut-être m'aider.

— Des recherches ? Quel genre de recherches ? Sur l'équipe des Whitley Whippers ?

— Je vous demande pardon ?

— Je m'occupe de la rubrique sportive du *Register*, je ne suis pas documentaliste. De toute façon, le journal n'en a pas.

— Vous pourriez peut-être m'indiquer le nom d'un collègue susceptible de m'aider ? Quelqu'un des informations générales.

— Je m'occupe aussi des infos générales. Comme de la culture, des pages économiques, du jardinage. Des petites annonces aussi, quand j'ai le temps.

Elle me tend une main gantée que je commence par serrer avant de m'en servir pour me remettre debout.

— Je m'appelle Patrick Rush.

— Jane Tanner. Rédactrice en chef par intérim depuis la mort du rédacteur en chef.

— Désolé de l'apprendre.

— Il n'y a pas de quoi. Ça fait déjà trois ans et c'était un sale con.

Jane Tanner ouvre la porte et m'invite à entrer, puis elle me propose un café qui a réchauffé sur sa plaque toute la nuit.

— À quel genre de recherches vous livrez-vous ? Vous vous intéressez aux mines ou aux crimes ?

— Pourquoi dites-vous ça ?

— Parce qu'il n'y a rien d'autre à Whitley. Quelques personnes peu recommandables et des galeries plein le sous-sol.

— Eh bien, vous avez raison. Je m'intéresse aux crimes commis par Raymond Mull il y a quelques années.

Jane Tanner repose son mug de café.

— Il y a dix-huit ans, exactement.

— Je me demandais s'il était possible de consulter les journaux de l'époque. Vos archives ne sont pas encore disponibles sur Internet, je crois.

— Pas encore. J'aime bien le *encore*.

Je m'attends à ce qu'elle s'étonne de voir un parfait inconnu lui poser des questions sur le pire fait divers jamais survenu dans ce trou du cul du monde. Jane Tanner se contente de me conduire dans une cave pleine de piles de journaux moisis qui menacent de s'écrouler sur le premier qui oserait s'en approcher.

— Amusez-vous bien, m'encourage-t-elle avant de remonter l'escalier.

Dix-huit ans. Je commence par les journaux empilés du côté des outils de jardin avant de remonter progressivement jusqu'aux vieilles machines à écrire. Je finis par dénicher les éditions de l'automne 1989 près de la chaudière et j'en exhume péniblement un tas en faisant attention de ne pas me brûler. Le temps de débarrasser une vieille caisse de lait des crottes de rats qui la maculent et je m'assieds dessus avec ma pile de journaux.

Il est bien passé par ici. Tout au long des aventures meurtrières de Raymond Mull, le *Whitley Register* a consacré des numéros spéciaux à l'affaire. Les témoignages des familles des victimes côtoient les rapports d'enquête, le tout sur fond d'éditoriaux enflammés réclamant le retour de la peine de mort. Mais ce sont les photos souriantes des fillettes assassinées qui donnent la mesure de l'atrocité de ses crimes. Tout d'abord Laney Pelle. Puis Tess Warner. Et enfin Ursula Lyle, la seule dont le corps n'a jamais été retrouvé, tout simplement parce que Angela l'a consciencieusement enterré dans les bois proches de la ferme des Stark, à en croire son journal.

Lorsqu'on l'a arrêté dans un motel à une trentaine de kilomètres au nord de la ville et qu'on a découvert dans sa chambre, comme chez William, des pioches, des scies et des gants, Raymond Mull n'a rien déclaré. La seule photo de lui publiée dans le *Register* montre un type en bleu de mécanicien avec une veste à fermeture éclair, le regard vide et une ombre de sourire aux lèvres, comme s'il était le seul à discerner l'ironie de la situation.

Je remonte dans le temps en couvrant les semaines qui ont précédé l'arrestation de Mull, à la recherche d'articles relatant la mort mystérieuse de Jacob Stark dont la fille adoptive, gravement traumatisée, aurait été retrouvée à demi morte de froid dans la grange de la ferme. Lorsque je trouve enfin ce que je cherche, les détails sont sensiblement différents de ceux rapportés dans le journal d'Angela.

À commencer par les noms. Jacob Stark s'appelait en réalité David Percy. Et si son corps a bien été retrouvé dans les circonstances étranges décrites par Angela – enterré par le premier blizzard de la saison, le corps égratigné par sa course folle dans les bois –, il n'est fait nulle part mention d'une petite fille adoptive qui aurait refusé de révéler un secret quelconque. Il y a un autre détail troublant : David Percy était aveugle.

Le *Register* ne précise pas non plus où se trouve la ferme des Percy. On ne parle d'ailleurs pas d'une ferme, mais de la « maison des Percy en dehors de Whitley ». Inutile de chercher dans l'annuaire, Marion (et non Edra) Percy doit être morte depuis longtemps.

Je repose le numéro du *Register* que je viens de terminer en me disant que la piste s'arrête peut-être ici. Dans cette cave pleine de toiles d'araignées au milieu de laquelle un homme pleure ses erreurs et ses pauvres intuitions.

Sam n'est pas ici. Il ne l'a jamais été. Et pendant que je perds mon temps dans ce trou, elle a pu aller n'importe où. Avec lui.

Il s'agit peut-être de l'épilogue auquel aspirait Angela depuis le début : me faire croire que la réponse à toutes mes interrogations se trouvait à Whitley alors qu'elle n'y a jamais vécu, qu'elle n'a jamais enterré le corps d'une petite fille de son âge, que le Marchand de Sable ne lui a jamais demandé de la rejoindre dans la grange. C'était une histoire, rien d'autre.

— Je suis désolée de voir que vous avez trouvé ce que vous cherchiez, souffle la voix de Jane Tanner que je découvre au bas des marches.

— En fait, pas vraiment.

— Je ne devrais pas en être fière, mais j'ai toujours vécu ici. Peut-être puis-je vous aider.

— David Percy.

— Je croyais que vous vous intéressiez à Raymond Mull.

— Je me dis qu'il y a peut-être un lien entre les deux affaires.

— Vous n'êtes pas le seul. À l'époque, il suffisait qu'un chat disparaisse ou que quelqu'un égare ses clés de voiture pour qu'on accuse Raymond Mull.

— Est-ce qu'ils avaient un enfant ? Je veux parler des Percy.

— Ils avaient une fille.

— La leur ?

— Une fille adoptive. On la connaissait mal. Ils habitaient en dehors de la ville et elle n'est pas restée longtemps.

— Comment se fait-il qu'on n'en parle pas dans le journal ?

— On a voulu la protéger.

— De quoi ?

— De celui qui voulait la prendre.

— On a donc cru que Mull avait conduit le vieil homme dans les bois.

— Qui d'autre ? Tout le monde a pensé que c'était lui.

— Et qu'il avait voulu s'en prendre à la fille des Percy.

— Elle avait le même âge que les autres et elle était gravement traumatisée.

— Elle lui a échappé en se cachant dans la grange.

Jane Tanner se poste sous l'une des ampoules accrochées au plafond.

— Comment l'avez-vous su ?

— Une histoire qu'on m'a racontée.

— La vôtre, vous voulez dire.

— Vous avez lu mon livre ?

— Bien sûr. Un ancien journaliste devenu un romancier célèbre. Vous avez eu de la veine, mon salaud. Vous étiez l'un d'entre *nous*.

Elle me demande si je suis venu m'informer sur les circonstances réelles de l'affaire dont je me suis inspiré pour *Le Marchand de Sable va passer* et je ne fais rien pour la détromper. Je lui explique qu'un magazine m'a commandé un article. Une exploration des dessous de la fiction.

— Vous avez besoin d'autre chose ? me demande-t-elle mollement.

Tout dans son attitude me signifie qu'il est temps de m'en aller.

— Non, je ne crois pas. J'ai à peu près fait le tour.

— C'est souvent le problème avec le passé. Il est rare qu'il nous aide à pénétrer ses secrets.

Au moment où je passe à côté d'elle, Jane Tanner pose une main sur mon bras.

— Je suis désolée pour votre petit garçon.

— Je vous remercie.

— C'est pour lui que vous êtes venu jusqu'ici ?

— Je vous l'ai dit, j'écris un article.

— Oui, bien sûr.

Je regagne le rez-de-chaussée, mais elle ne donne pas l'impression de vouloir m'imiter.

— Je suppose que vous êtes déjà passé la voir ? reprend-elle depuis la cave.

Je fais volte-face. Elle connaît donc Angela ?

— Pourquoi ? Elle est ici ?

— À ma connaissance, elle est toujours vivante. Elle vit à Spruce Lodge, une maison de retraite à quelques kilomètres d'ici.

— Je ne comprends pas.

— Marion Percy. Elle pourra peut-être vous en dire davantage sur l'histoire qu'on vous a racontée.

Comme souvent dans les institutions médicalisées, il n'y a rien de très médical à Spruce Lodge. Personne à l'entrée, des couloirs déserts à l'exception des quelques vieillards, prostrés dans leurs fauteuils roulants, que l'on dirait figés en plein parcours vers une destination qui leur échappe. Le tableau est encore plus sinistre dans la salle commune. Des néons éclairent violemment une dizaine de pensionnaires au menton tremblant, certains occupés à reconstituer des puzzles. Des murs vides, sauf là où sont scotchées les instructions pour la manœuvre d'Heimlich. Le seul qui remarque ma présence est un vieux monsieur debout près de la fontaine à eau, la main dans le pantalon. Il la sort en me voyant et m'adresse un geste amical avant de la remettre là où elle était.

311

— Vous cherchez quelqu'un ? me demande une infirmière en voyant que j'attends sur le seuil de la pièce depuis cinq bonnes minutes.

— Je suis venu voir Marion Percy.

— Vous êtes un parent ?

— Non.

— Alors c'est l'église qui vous envoie.

— Mme Percy est là ?

L'infirmière semble s'animer à ma présence – elle s'ennuie manifestement autant que ses pensionnaires –, mais elle comprend que je ne suis pas d'humeur à bavarder avec elle. D'un doigt, elle me désigne une vieille femme assise près de l'unique fenêtre de la pièce.

— C'est Marion, là-bas.

Il est difficile de lui donner un âge. Marion Percy a atteint le stade, au-delà des quatre-vingts ans, où les chiffres traduisent imparfaitement le miracle que constitue sa présence parmi nous, un mouchoir en papier entre les doigts. Cette personnification vivante de l'improbable est tournée vers la fenêtre, le regard perdu dans les bois qui bordent l'arrière de la maison de retraite.

— Madame Percy ?

Je ne suis pas certain qu'elle m'ait entendu jusqu'à ce qu'un tic prononcé me signale que j'ai réussi à capter son attention.

— Vous êtes nouveau ici.

— Je suis un visiteur.

— Vous n'êtes pas médecin.

— Non.

— Dommage. On aurait bien besoin d'un autre médecin.

Il est difficile de distinguer si elle sourit. Elle montre les dents, en tout cas.

— Je connais votre fille.

J'observe attentivement son visage, à l'affût d'une réaction, mais il ne se passe rien. À moins que son masque de cire impassible tienne lieu de réaction.

— Ah, finit-elle par répondre.

— Nous étions amis.

— Mais plus maintenant.

— On ne s'est pas vus depuis un petit moment.

— Elle n'est pas ici, si c'est ce que vous voulez savoir.

— Elle est déjà venue?

Le sourire – si sourire il y a eu – s'est effacé.

— Vous faites partie de la police?

— Non, je suis un ami.

— Vous l'avez déjà dit.

— Je ne voudrais pas me montrer indiscret.

— Vous ne l'êtes pas, mais j'ai comme l'impression que ça ne va pas durer.

— Je suis venu vous demander ce qui était arrivé à votre mari.

Elle me regarde comme si elle ne m'avait pas entendu. Je repose la question en parlant plus fort.

— Au sujet de son accident.

— Son accident? répète-t-elle en posant une main sur la mienne. Vous connaissez beaucoup de gens qui font *accidentellement* plus de six kilomètres dans la neige, à moitié nus?

La main reprend sa place sur ses genoux. Je me glisse devant la fenêtre, mais Marion continue à faire comme si je n'étais pas là. À force de regarder dans ses moindres détails le petit carré de monde extérieur dont elle dispose, elle le connaît par cœur.

— Vous pensez que quelqu'un l'a entraîné dans les bois? Je vous en prie, madame Percy...

— Je suis vieille. Pourquoi toutes ces questions?

— Je connais votre fille, madame, et je voulais savoir...

— Ce n'est pas pour elle que vous êtes là. Je me trompe?

— Non.

— Alors, pourquoi?

— Pour mon fils Sam.

— Votre fils?

— Il a été enlevé.

Peut-être est-ce la façon dont je tente de ravaler mon émotion – mon visage qui rougit, mes yeux qui se mettent instantanément à briller –, mais la vieille femme se redresse. Ses phalanges se crispent et deviennent dures comme de la pierre.

— Vous voulez le retrouver.

— Oui.

Elle acquiesce, se mord la lèvre inférieure.

— Que vouliez-vous savoir ?

— Votre mari. Vous pensez que quelqu'un a pu l'entraîner dans les bois ?

— Il ne serait jamais parti en la laissant seule. Sauf à vouloir la sauver.

— Angela.

— Votre amie, précise-t-elle, les yeux embués. Notre fille.

Marion Percy m'explique que peu avant la mort de son mari, avant même qu'elle se fasse opérer de la vésicule à l'hôpital, il avait entendu des voix. David Percy était persuadé que quelqu'un venait le tourmenter, l'égratignait volontairement avec un couteau, déplaçait les meubles afin qu'il se cogne. Il avait l'impression d'être épié depuis l'extérieur de la maison. Il croyait perdre la tête. Lorsque Marion était rentrée chez elle, il avait disparu et Angela était devenue muette.

— Vous pensez qu'il aurait pu s'agir d'elle ?

— Je vous demande pardon ?

— La personne qui l'a entraîné dans les bois. Il aurait pu s'agir de votre fille ?

La vieille femme retrousse le nez.

— C'était une enfant.

— Peut-être, mais qui d'autre…

— C'était *notre* enfant.

Marion Percy est peut-être âgée, mais elle possède encore toute sa tête. En l'occurrence, le fait que sa fille ait pu se trouver mêlée aux événements de cette nuit tragique a bouleversé sa vie. Elle a son idée sur ce qui s'est réellement passé, mais elle n'est pas prête à la partager avec moi.

— Elle vient parfois vous rendre visite?

Mme Percy m'observe derrière ses lunettes à double foyer, les yeux plissés.

— Qui êtes-vous?

— Je m'appelle Patrick Rush.

— Et vous prétendez connaître *notre* fille?

— Oui, madame. Je la connais.

Elle hoche la tête et je m'attends à ce qu'elle me demande ce qu'est devenue Angela, ce qu'elle faisait ces dernières années, comment elle va. Elle préfère reporter son attention sur le paysage.

— Qu'est devenue votre ferme? Lorsque vous avez pris votre retraite?

— La nature a repris ses droits. Il n'y avait pas grand-chose à reprendre. À part les cailloux et les arbres, la terre ne donnait rien. De la boue à patates, comme disait David.

— À qui appartient-elle aujourd'hui?

— À elle.

— Angela?

— C'est bien le problème avec les enfants. Quand ils ne sont plus là, il ne reste rien.

33

En quittant Spruce Lodge, je me rends directement chez les Percy alors que la lumière de cette fin d'après-midi montre déjà des signes de faiblesse. Marion Percy m'a dit que la ferme se trouve « à une petite vingtaine de kilomètres à la sortie de la ville, peut-être un peu plus », mais j'en arrive à me demander si la vieille femme ne m'a pas sciemment induit en erreur. Ses indications, sans le moindre nom de route, sont pour le moins vagues. Elle s'est contentée de m'indiquer quelques repères (« Vous prenez à droite quand vous arrivez à l'église en pierre ») accompagnés de distances très approximatives (« Un peu plus loin », « Tout droit pendant un bon moment »). Au bout d'une heure, je roule en boule la feuille de papier sur laquelle j'ai noté ce qu'elle me disait et je la jette sur la banquette arrière.

Je préfère encore me fier à mon instinct et je finis par me retrouver sur un petit chemin bordé d'arbres dont les branches griffent la voiture. « Ne vous attendez pas à voir une ferme, une maison, ou quoi que ce soit qui puisse donner l'impression que l'endroit a été habité », m'a recommandé Marion en décrivant l'entrée de la ferme. Si je ne me suis pas trompé, elle n'a pas menti.

En cette saison, dans cette région du Canada, le crépuscule dure une éternité. Il fait longtemps *presque* noir avant que la nuit tombe brusquement. J'allume les phares, ce qui ne change pas grand-chose. Les arbres enchevêtrés prennent simplement une teinte orangée avant d'arracher le rétroviseur latéral de la Toyota. Je continue à m'enfoncer sur le chemin sans voir le moindre signe d'habitation. Ni barrière, ni clôture, ni outils mangés par la rouille et les mauvaises herbes. J'ai dû me tromper, ce n'est même pas un chemin, mais une simple trouée qui ne mène nulle part. Je n'ai pas la place de faire demi tour, la terre est trop boueuse pour espérer repartir en marche arrière, et mon seul espoir est que ce sentier débouche sur une route.

En allumant la radio, je tombe sur un bulletin météo. On annonce la première tempête de la saison avec quarante centimètres de neige et des températures minimales avoisinant les moins vingt. Certaines routes risquent d'être coupées, il est recommandé de limiter ses déplacements au strict nécessaire.

Pour moi, il est trop tard.

Le froid qui lèche les vitres me fait penser à Sam. Est-il détenu dedans ou dehors ? Ligoté, une cagoule sur les yeux ? Lui donne-t-on à manger ? A-t-il de la lumière ? Souffre-t-il du froid ?

Est-il encore en vie ?

Non. Je suspends la question avant d'avoir pu me la poser.

Je dois rester concentré sur ce que je fais si je veux revoir Sam. Aller de l'avant. Ou plutôt en arrière, dans le cas présent. J'ai mis la voiture en marche arrière et je me retourne sur mon siège afin de voir s'il est possible de rebrousser chemin.

Une trouée dans la frondaison. Juste au moment où j'allais repartir dans l'autre sens.

J'enclenche une vitesse et la voiture part à l'assaut des dernières branches qui me bloquent le passage. L'une d'elles frappe le pare-brise avec un bruit sourd et la vitre s'étoile. J'ai beau appuyer sur la pédale d'accélérateur, les roues patinent, prises dans trente centimètres de boue.

Cela n'a plus aucune importance, je suis arrivé à destination.

Une maison de brique rouge à la façade mangée par un lierre qui a perdu ses feuilles, une grange bancale un peu plus loin, le tout bordé par ce qui a dû être un champ autrefois, avant que la nature ne reprenne ses droits comme l'a dit Marion.

317

Je descends de voiture en observant le décor qui m'entoure, comme s'il sortait tout droit de ma mémoire. Le lieu n'est pas exactement celui que je dessinais dans ma tête lorsque Angela nous lisait son journal, mais cela ne m'empêche pas de le reconnaître immédiatement. La girouette rouillée sur le toit, la vieille balançoire dans la cour, la clôture de rondins qui n'a pu empêcher les mauvaises herbes d'envahir l'ancien potager.

Je me dirige vers la maison. Les premiers flocons commencent à tomber lentement, à la façon d'une pluie de cendres. En tendant les bras, je m'aperçois qu'une fine couche de sucre glace recouvre déjà mon manteau et mes chaussures, me transformant en fantôme.

Un courant électrique venu de la terre me remonte le long des jambes. Existe-t-il un terme pour désigner l'inverse d'une terre sacrée ? J'imagine que certains endroits en Pologne ou en France possèdent le même genre d'énergie négative, héritage des horreurs qui y ont été commises. Je sais bien qu'il s'agit de l'expression de mon appréhension – quelle que soit l'issue, c'est là que mon histoire trouvera sa conclusion –, mais l'histoire de ce lieu me prend à la gorge tandis que je grimpe les quelques marches menant à la porte principale.

Tête levée et bouche ouverte, je renoue brièvement avec mon enfance en avalant quelques flocons, même s'il s'agit en vérité de voir si j'aperçois une silhouette à la fenêtre du premier étage, au coin du bâtiment. La fenêtre depuis laquelle Angela petite fille regardait son père.

La porte est entrouverte. Une intuition m'empêche de prendre la poignée à main nue et j'écarte légèrement le battant d'un coup d'épaule avant de me glisser à l'intérieur. L'atmosphère exhale des relents de feuilles mortes et de crottes d'animaux qui ne suffisent pourtant pas à cacher l'odeur rance qui se dégage du lieu. Des effluves de canalisations, soulignés d'une touche doucereuse et animale.

Une odeur que connaissent bien les soldats et les chirurgiens.
— Sam ?

Le son de ma voix plonge la maison dans le silence. Tout était calme à mon arrivée, mais j'ai brusquement conscience d'avoir suspendu toutes sortes d'activités invisibles. On pourrait croire que les planchers et les murs retiennent leur souffle.

J'aurais voulu maintenir ouverte la porte d'entrée, mais le chambranle tordu s'évertue à la refermer. Il ne fait pas tout à fait nuit dehors, les lambeaux de rideaux accrochés aux fenêtres n'empêchent plus depuis longtemps le jour de pénétrer dans la pièce, mais le moindre recoin est plongé dans l'ombre, tout comme les portes et le couloir. On a du mal à imaginer que la lumière du soleil ait pu un jour éclairer ces lieux. Ce qui s'est passé ici était écrit.

Les différentes pièces du rez-de-chaussée sont disposées autour d'un couloir central qui mène à la cuisine. Le salon s'ouvre à gauche, la salle à manger à droite. L'un comme l'autre sont trop petits, même à présent qu'ils sont déserts, débarrassés de la plupart de leurs meubles. Trois chaises en bois ont survécu dans le salon, au milieu des tessons d'une bouteille de whisky. La cheminée de brique est noire de suie, les restes calcinés de bûches encore prisonniers de l'âtre. Je les effleure du bout des doigts. Ils sont aussi froids que la neige qui s'accumule sur le seuil.

Le temps de retourner dans le couloir et l'obscurité s'est épaissie, me contraignant à longer le mur à tâtons. David Percy aura certainement fait de même lors de cette nuit fatale. Un vieil homme aveugle, martyrisé par celui qu'il croyait être un envoyé du démon.

Je me retourne, la porte est grande ouverte. Le vent se calme et le battant reprend sa place. *Une simple bourrasque.* Sans doute David Percy a-t-il tenté de se rassurer de la même façon.

L'odeur est plus prégnante à l'étage. Une odeur tiède et moite qu'il me faut combattre à chacune des marches si je ne veux pas vomir.

Il s'est passé quelque chose ici.

Pas seulement il y a dix-huit ans.

Il s'est passé quelque chose ici aujourd'hui.

J'en trouve la confirmation en arrivant sur le palier.

Du sang. De petites taches rondes qui se dirigent vers la chambre donnant sur l'avant. La chambre d'Angela.

Et un livre.

Par terre, ouvert à l'envers, un livre dont la reliure du dos est cassée comme pour marquer une page. Je devine le titre avant même de le déchiffrer sur la couverture. Je sais à quoi m'attendre avant de ramasser le livre et de voir qu'il s'agit d'un exemplaire de poche de ma propre bibliothèque, un bouquin d'occasion que Sam a pris comme livre de chevet. *Robinson Crusoé.* Le livre qu'il avait avec lui au drive-in le soir de sa disparition.

— Sam ?

J'ai tellement envie qu'il me réponde, mais le plancher s'en charge à sa place lorsque le livre me tombe des mains. Alors, je m'approche à petits pas de la chambre dont la porte est entrouverte.

Un coup de pied dans le battant qui s'écarte en laissant passer cette odeur caractéristique.

Un petit lit dont la tête est ornée de lapins empruntés à Beatrix Potter, un pupitre d'école, des autocollants d'animaux sur le miroir fendu de la coiffeuse : un putois grimaçant, une girafe qui rit. Et du sang partout. Des traînées à travers toute la pièce, comme des giclées d'un flacon de condiment, qui font davantage penser à une lutte qu'à un massacre. Une opération interrompue en cours de route, qui a très bien pu s'achever ailleurs.

Et puis je vois les chaînes sur le matelas. Quatre chaînes accrochées aux montants du lit, toutes munies d'un anneau. Des fers.

Je ne sais plus très bien ce que je fais à ce moment-là. Je ne sais pas pendant combien de temps je contemple les giclées de sang avant de caresser un maillon de l'une des chaînes rouillées. Le temps s'est arrêté, il est en train de s'effriter.

C'est alors que je l'entends.

Faiblement, mais distinctement. Loin, du côté des bois qui bordent les champs.

Quelqu'un m'appelle.

Le manteau de neige s'est épaissi au cours de l'heure qui vient de s'écouler. Le vent chasse les flocons dans mes yeux, le crépuscule se déploie au-dessus de ma tête tel un parapluie géant. Il me suffit d'obéir à mes jambes. Je traverse la cour et m'enfonce dans les sillons gelés d'un champ abandonné.

Sam s'est arrêté de m'appeler, mais cela ne m'empêche pas de continuer à entendre sa voix.

— *Papounet!*

Papounet. Le nom qu'il me donnait quand il était petit, avant de le simplifier en « papa » il y a quelques années afin de me montrer qu'il avait grandi. Les seuls retours en arrière qu'il s'autorise sont réservés aux moments où il a mal. Ou peur.

Je me retrouve au milieu des arbres. La nuit achève de tomber à l'instant où les branches qui m'entourent me refusent le réconfort du moindre rayon de lune. Le sol, relativement plat, m'autoriserait à marcher plus rapidement qu'entre les sillons si ma course n'était pas ralentie par les branchages enchevêtrés, les cailloux et les souches à demi enfouies sous la neige contre lesquelles je m'écorche les tibias.

Je m'essuie le front et ma main sent quelque chose d'humide. Je me suis coupé.

La météo ne s'est pas trompée. Pour la neige, mais également au sujet du froid. La température a chuté au point que j'ai les narines congelées et la peau des joues tendue au niveau des pommettes, prête à craquer.

Je m'arrête, le temps de reprendre mes esprits et de décider où aller, tout en cherchant à me convaincre que ce n'est ni le froid ni la panique qui me privent d'oxygène. Où se trouve le nord? Si Sam est dans les parages, c'est là que je dois me diriger. Seul Sam peut m'aider. Il sait retrouver son chemin grâce aux étoiles. Les rares fois où je m'arrête, j'aperçois bien des constellations au-dessus de ma tête. J'aurais dû écouter Sam quand il voulait m'apprendre à lire la carte du ciel. À l'idée qu'il n'aura jamais plus l'occasion de me l'enseigner, je me plie en deux et je vomis une tache sur le sol immaculé.

Le cri de Sam s'est perdu dans le blizzard. Le temps de compter jusqu'à vingt dans ma tête et la couche de neige s'épaissit de plusieurs centimètres. Elle m'arrive déjà jusqu'aux genoux dans les lits des ruisseaux.

Le froid n'est rien, je dois surtout me battre contre l'envie de m'adosser à un arbre et de m'endormir. Le temps d'une petite sieste. Une sieste éternelle, j'en suis bien conscient. C'est de cette façon que David Percy a quitté le monde. Ai-je vraiment de meilleures raisons de vivre que lui ? Comme lui, je ne suis qu'un pauvre imbécile persuadé que ses bonnes intentions suffiront à le porter.

Je m'apprête à me lover dans un creux abrité lorsque je le vois. Une silhouette adossée à un arbre dans une clairière.

— Sam.

Son nom, prononcé dans un murmure, résonne plus fort que tous les cris.

En m'approchant, je constate que la silhouette est bien trop grande pour être celle de Sam. En outre, son propriétaire s'est transformé en glaçon depuis belle lurette. Il n'est pourtant pas mort de froid, ainsi que l'indique la mare de sang figée sur ses genoux. Il a les mains crispées sur ses blessures, là où s'est enfoncé le fil de fer qui le retient à un tronc et dont il a tenté en vain de se libérer.

La tête du mort pend lamentablement. Je la relève et plonge mes yeux dans son regard sans vie.

C'est drôle de voir Ramsay sans ce petit air supérieur qu'il affectionnait tant. Son arrogance coutumière a totalement disparu, remplacée par un masque de terreur qui aura définitivement effacé ses certitudes.

Le supplice qui lui a été infligé dans la chambre d'Angela aura été long, il a été emmené ici par la suite. Il savait ce qui l'attendait, ce qui ne l'a pas empêché d'espérer jusqu'à la fin. Comme dans les romans policiers, où le miracle n'intervient qu'à la dernière minute.

Je me redresse. Le corps de Ramsay est déjà à moitié enterré. D'ici à une demi-heure, il aura disparu.

Je n'ai aucune raison de poursuivre ma route, mais je le fais quand même. Sam n'est pas ici, s'il l'a jamais été. La voix que j'ai entendue sortait peut-être tout droit de mon imaginaire, ou bien alors il s'agissait de celle de Ramsay, rendue plus aiguë par la morsure impitoyable du fil de fer qui l'étranglait. Aucune importance, cela ne change rien à la logique imparable du début, du milieu et de la fin. Les histoires aiment la symétrie et il est écrit que je finirai ma vie dans les mêmes circonstances que David Percy. Mon seul but à présent est de trouver l'endroit où l'on découvrira un jour ma dépouille.

Peut-être ici. Au milieu du champ des Percy. Sans le vouloir, j'ai tourné en rond et me voici revenu à mon point de départ.

Une lumière troue la nuit. L'ampoule qui éclaire le porche de la ferme.

Il y a quelqu'un.

Je tombe à genoux. À l'autre extrémité du champ, une ombre s'avance lentement dans ma direction. Une forme sombre prête à m'avaler. En arrière-plan, une silhouette plus menue observe la scène depuis l'entrée de la maison.

Quelque chose me dit que ces deux êtres sont là depuis toujours. Je ne parle pas uniquement d'aujourd'hui, mais de l'éternité. Ils ont l'éternité devant eux.

34

Les ombres ont-elles une ombre ?

Des flammes projetant des lueurs dansantes sur un plafond fissuré dans une large palette de clairs-obscurs. Des
lambeaux de peinture écaillée aux dessins inquiétants qui
tentent de m'agripper de leurs doigts crochus.

Je flotte dans un univers de pensées décousues et d'hallu-
cinations mineures, conscient de l'état dans lequel je me
trouve, proche de celui que l'on peut avoir en se réveillant
à l'hôpital après une opération.

À ceci près que je ne suis pas dans un hôpital.

Non, surtout ne pas se poser de questions. Ne penser à
rien, se contenter d'observer l'ombre des ombres. Ne pas se
poser de questions.

Où suis-je ?

Le mal est fait. Comment la refouler une fois qu'une telle
question vous traverse l'esprit ? Celle que l'on se pose en
premier au moment du réveil.

Cela veut donc dire que je suis éveillé.

Cela veut donc dire que je suis en vie.

Je perds connaissance avant de refaire surface.

Du moins est-ce ainsi que j'explique le trou que je
viens de traverser. Pendant mon absence, on a remis des
bûches dans la cheminée. Dehors, le blizzard s'est calmé,
tout juste un nuage de plumes au sortir d'une bataille
d'oreillers. Le froid, quasiment intolérable tout à l'heure à
l'écart du feu – ma main gauche, complètement bleue en

comparaison à sa jumelle rosée qui jouxte la cheminée, peut en témoigner –, s'est encore accentué.

Quelques instants, je m'accorde le luxe de me croire dans une ferme abandonnée quelconque, dans un autre salon vide dont les fenêtres donnent sur une nuit d'encre. La bouteille de whisky brisée à mes pieds est là pour me détromper, tout comme le fauteuil sur lequel je me trouve, étrangement semblable à celui que j'ai vu tout à l'heure dans le salon des Percy. Un fauteuil usé, mais solidement planté sur ses pieds.

Et moi, solidement attaché dessus.

Mes bras, à plat sur les accoudoirs, sont entravés par des chaînes. Mes chevilles aussi sont enchaînées, mon cou est douloureusement immobilisé par une sorte de joug. Je suis dans l'incapacité de voir ce qui maintient mon fauteuil plaqué au sol. À en juger par sa stabilité chaque fois que je tente de bouger, ses pieds doivent être vissés au plancher.

J'ai encore mes vêtements, mais on m'a enlevé mon manteau et je suis en chaussettes. Histoire de mieux serrer mes entraves, sans doute, mais au prix d'une plus grande vulnérabilité au froid. Sans feu, je ne tiendrais pas longtemps. Sa chaleur n'empêche même pas le voile de transpiration qui mouille ma lèvre supérieure de se transformer en glace. L'air gelé me pique les yeux.

Je n'ai jamais eu beaucoup de force, mais il ne m'en restera bientôt plus. Les petites taches noires qui annoncent un évanouissement prochain dansent devant mes yeux, prêtes à m'emporter.

Essayer de faire un effort. C'est tout ce qu'il me reste.

Le meilleur moyen de tester la résistance de mes chaînes est encore de bouger mes membres les uns après les autres afin de voir si je dispose d'une marge de manœuvre. L'effort de concentration qu'il me faut fournir – tourner un poignet, lever une jambe, puis l'autre – m'apporte la preuve que ma tête est aussi épuisée que mon corps. Je parviens bien à donner un peu de mou çà et là, mais pas assez pour me dégager. Si je veux m'extraire de ce fauteuil, je vais devoir employer les grands moyens.

Ce que je fais.

Je réunis mes dernières forces. J'essaie de me jeter en avant, en arrière, dans l'espoir de renverser mon siège. Autant d'efforts inutiles.

En fin de compte, je n'ai pas bougé, mais j'ai ouvert en grand la porte aux petites taches noires. Un voile d'une fatigue atroce s'abat sur moi.

Impossible d'ouvrir les yeux. Ou bien alors j'ai perdu la vue. J'entends pourtant du bruit dans la maison. Ou plutôt des vibrations. J'entends à la façon d'un sourd.

Un pas lourd à l'étage. Suivi d'un son métallique plus léger. Un bruit de casseroles et de couverts dans la cuisine.

Je tente de me relever. Impossible. Cette fois, j'ai mal.

— Qui est là ?

J'ai voulu crier, mais c'est à peine si un souffle est sorti de ma gorge, guère plus convaincant qu'une page de journal que l'on tourne.

Les bruits se sont arrêtés. M'aurait-on entendu ? Les petites taches noires sont de retour.

Où est mon fils ?

Cette fois, j'ai réussi. Un cri rauque qui traverse les entrailles de la vieille maison.

L'écho de mon appel s'éteint et une minute s'écoule. Seules les rafales de vent viennent cogner contre les vitres.

Et puis ça recommence. Un bruit de bottes dans le couloir du premier étage, quelqu'un qui prépare à manger dans la cuisine. Mais aucune réponse. Personne ne semble croire que quelqu'un est en passe de mourir de froid dans le salon. Un père dont l'unique désir est de savoir si son fils se trouve là, s'il pourrait l'entendre à condition de trouver la force de prononcer son nom.

Une silhouette s'encadre dans la porte. Debout sur le seuil, une bougie à la main, plantée dans une tasse de thé.

326

La maigre lueur danse frénétiquement et j'aperçois des bottes fourrées, une toque tricotée, des tendons sillonnant un cou blafard.

Elle ne s'avance pas pour autant, s'appliquant à tenir la bougie de côté de façon à ne pas illuminer directement les traits de son visage. Une pose digne d'un portrait gothique.

Ne lui fais pas de mal.

Ma langue refuse d'obéir, alors j'essaie de le lui dire en silence. Ce n'est pas la première fois qu'on la supplie. Elle a l'habitude des dernières suppliques.

Je t'en prie.

Je cherche ma respiration. Le temps de la retrouver, le couloir est désert.

Elle est de nouveau là lorsque je me réveille.

Elle se tient dans un coin sombre de la pièce, comme par un excès de timidité. Ce n'est pourtant pas la timidité qui la retient. Elle aime tout simplement observer sans être observée.

Je voudrais me ruer sur elle, mais les chaînes donnent à mon élan des allures de hoquet.

Dans la cheminée, le feu brûle ses dernières étincelles. Dehors, la nuit possède cette netteté absolue caractéristique des très grands froids.

— Où est-il ?

Ma voix est sèche comme une pelure d'oignon.

— Où est Sam ?

— Pas ici.

— Je veux le voir.

— Il n'est *pas* ici.

— Il est vivant ?

Elle ignore la question.

Je tente une nouvelle fois de me lever. Plus je gigote, plus mes liens se resserrent.

— Laisse-moi partir.

— Tu sais bien que tu ne sortiras jamais d'ici.

— J'aurais dû t'enculer.

— Ça ne ressemble pas au personnage que je connais.

— Je ne suis pas un « personnage ».

— Ça dépend des points de vue.

— Je vais te le donner, mon point de vue. Tu n'es qu'une connasse vide et dénuée de talent. Tu n'es rien.

— Tu n'iras pas loin comme ça.

— Ça t'ennuie que je te dise ça ?

— La nuit risque d'être longue, tu ferais mieux d'économiser tes forces. La colère est mauvaise conseillère.

— Tu es bien placée pour le savoir.

— Moi ? Je ne suis pas en colère.

Angela s'avance. Le plancher grogne sous son poids comme sous les pas d'un géant. En se déplaçant, elle provoque dans la pièce une légère brise qui me caresse le visage.

— Ils finiront par te mettre la main dessus.

— Tu crois vraiment ? demande-t-elle calmement.

— La police va me chercher. Elle cherchera Ramsay. Elle sait où nous sommes.

Elle se penche au-dessus du feu et remet sur les flammes quelques bûches, ou plutôt de grosses branches couvertes de givre qui se mettent à siffler.

— Personne ne viendra ici, reprend-elle.

De l'endroit où je me trouve, je ne vois que sa nuque. Elle a les cheveux relevés, seules deux mèches duveteuses retombent sur le col de sa parka. Je regarde cette nuque fixement. Si je pouvais, je lui briserais les vertèbres d'un coup de dents.

Je dois tout faire pour qu'elle reste là.

— C'est donc comme ça que David Percy est mort. Tu lui as fait subir le même sort que tu me réservais.

— Quel sort ?

— Tu lui as fait croire que tu étais dehors. Un aveugle affolé à l'idée d'avoir perdu sa fille. Il n'était pas poursuivi par un fantôme ou par le Marchand de Sable, il est parti à ta recherche dans les bois.

— Tu aurais dû y penser pour la fin de ton roman.

— C'est comme ça que ça s'est passé.

— Tu es encore plus aveugle que le pauvre vieux ne l'était.

— Qu'est-ce que je ne vois pas?

— Ce n'est pas tuer qui m'intéresse.

— Alors dis-moi.

Angela repose la pince avec laquelle elle tisonnait le feu et se retourne.

— Ce qui m'intéresse, c'est de m'introduire dans la tête des autres et de gratter jusqu'au fond.

— Tu considères ça comme de la *recherche*?

— C'est bien plus que de la recherche. C'est du matériau brut. Toi et moi avons plus de points communs que tu ne le penses. À commencer par une même difficulté à imaginer des histoires.

— Je ne comprends pas.

— Toi et moi avions envie d'écrire un livre. Le mien, c'est la vie que je mène. Les vies que je prends. C'est ce qui nourrit mon roman. Un roman qui n'a de roman que le nom puisqu'il s'agit en fait de la réalité.

— Une autobiographie.

— Pas tout à fait. Le point de vue du narrateur n'est pas le mien. Je ne sais pas encore exactement celui que j'adopterai, en fin de compte. Je dois encore trouver le ton idéal.

— Si je comprends bien, ton roman est autant une imposture que le mien.

— Sauf que je ne vole rien, je fais des collages.

— Tu as déjà le titre?

— *Le Cercle littéraire des amateurs de macchabées démembrés.* Qu'en dis-tu?

— Je ne suis pas sûr de trouver ça génial, mais je ne suis pas objectif étant donné que tu as l'intention de me tuer pour boucler un chapitre. Comme avec les autres.

Je suis le premier surpris de la vitesse à laquelle elle se précipite sur moi. Au lieu de l'accueillir avec la rage qu'il me reste, je recule machinalement. Elle m'attrape par les cheveux et les soudures des maillons de mes chaînes me déchirent la peau.

— Je n'ai jamais tué personne, siffle-t-elle.

Nouveau réveil, nouvelle confirmation du fait que ce n'est pas un cauchemar, que je suis bien prisonnier d'un fauteuil dans une maison hantée.

Elle détient Sam.

Je mourrai lorsque le feu s'éteindra.

Je ne quitterai jamais cet endroit.

L'espoir de m'en sortir à la dernière minute parce que je suis le narrateur et que le narrateur ne meurt jamais est un mensonge de plus.

Je ferme les yeux en attendant le sommeil, mais ce n'est pas le sommeil qui me coupe le souffle l'instant d'après.

Elle est assise à trois mètres de moi. Peut-être un peu plus. Elle semble presque gigantesque dans le vide qui nous entoure.

Elle regarde par la fenêtre en tapant du talon sur le plancher. On dirait une gamine attendant avec impatience le bus de ramassage scolaire.

— Pas étonnant que tu sois aussi azimutée, avec un père comme Raymond Mull.

Angela se tourne vers moi, une vague lueur d'intérêt dans les yeux.

— Que sais-tu de lui?

— Qu'il t'a fait souffrir. Qu'est-ce que tu ressentais?

— *Qu'est-ce que je ressentais?*

— Ça pourrait expliquer pas mal de choses.

— Que je sois devenue cruelle si jeune? Que j'aie pu entraîner un vieillard aveugle dans les bois en pleine tempête de neige?

— Non, que tu n'aies aucune personnalité.

— J'en ai beaucoup, au contraire.

Elle se lève, les yeux perdus sur un point précis de l'horizon.

— Tu sais quoi? Pour un peu, j'aurais pitié de toi.

— Les artistes ont droit à certains privilèges, réplique-t-elle. En échange, il leur faut consentir à des sacrifices.

— On croirait entendre Conrad White.

— À vrai dire, je crois bien que c'est une phrase de lui.

— Quand t'a-t-il dit ça? Quand il prétendait que tu étais la femme idéale, la réincarnation de sa fille disparue?

— Je me fiche de ce que les gens peuvent voir en moi.

— Un miroir.

— Parfois. Ou bien quelqu'un d'autre. Un jumeau. Une amante. Quelqu'un qu'ils ont perdu, quelqu'un à qui ils voudraient ressembler.

— Et moi, qu'ai-je vu en toi?

— Toi? C'est facile. Tu as vu en moi ta muse.

Angela s'approche du feu sur lequel elle pose une poignée de branches grêles.

— Pas terrible, ton bûcher.

— C'est bien suffisant.

— Pourquoi, tu ne comptes pas t'éterniser?

Elle ne répond même pas.

— Comment as-tu fait pour te débrouiller toute seule?

— Toute seule pour faire quoi?

— Déplacer les corps, par exemple, les découper. Ça devait être lourd.

— Tu sais de quoi tu parles.

J'essaie de repousser les images de Petra au fond de ma mémoire.

— Tu m'as regardé faire?

— Je te regardais tout le temps, tu veux dire. Mais je dois avouer que je ne m'y attendais pas.

— William était ton complice? C'est toi qui l'as convaincu de t'aider?

— Je l'ai poussé à étudier ses semblables.

— Mais ce n'est pas lui qui a tué les membres du cercle. Ni même Carole Ulrich et Ronald Pevencey. Les premières victimes.

— Tu oublies Jane Whirter.

— C'est vrai. Que venait-elle faire à Toronto ?

— C'est moi qui l'ai invitée. Elle avait des soupçons, alors je lui ai dit que moi aussi.

Ma tête retombe sur ma poitrine, ce qui me réveille en sursaut.

— C'est toi qui as mis les outils pleins de sang dans l'appartement de William.

— Il fallait bien que la police arrête un monstre. Elle en tient un, à présent.

— Oui, mais pas le bon.

— Tu l'as entendu protester de son innocence ?

— C'est vrai, pourquoi ne se défend-il pas ?

— Parce que je l'ai convaincu de n'en rien faire.

Angela s'éloigne de la cheminée et se dirige vers le fond de la pièce. Les épaules rentrées, les cheveux gras après quelques jours sans eau. Elle a retrouvé son âme de petite fille. Malgré la fatigue, les années qui se sont accumulées depuis qu'elle a ouvert son journal pour la première fois chez Conrad White ont cédé la place à quelqu'un d'un peu perdu, quelqu'un qui ne sait plus très bien qui elle est et pourquoi elle se trouve là. Il s'agit d'une illusion, bien sûr. Une erreur qui peut en amener d'autres. Avant tout, Angela est une somme de fausses pistes.

— Pourquoi avoir tué Ramsay ?

Ma question lui fait tourner la tête.

— Mon travail exige une part de… d'improvisation.

— Ils vont le chercher.

— Non.

— Pourquoi ?

— Je lui ai parlé. Il m'a assuré qu'il était venu ici de sa propre initiative. Il te suivait et personne ne sait où il est allé.

— Tu ne crois pas qu'il a pu te raconter des conneries ?

— Dans l'état où il était, je doute qu'il ait pu me mentir.

— Tu sais que tu n'es pas très maligne…

Je m'étouffe en la voyant repartir en direction du couloir.

— Tu te prends peut-être pour une artiste, mais tu n'es qu'une merde.

Angela s'arrête. Elle ne se tient plus dans la lumière du feu et c'est une ombre qui me reprend vertement.

— Tu n'es qu'un vulgaire plagiaire, Patrick, me rétorque-t-elle. Moi, au moins, je suis capable de créer du neuf, de l'original.

Je sors brusquement de ma torpeur en croyant entendre du bruit. En fait, il s'agit d'une lumière. Deux points blancs qui trouent la nuit de l'autre côté de la fenêtre, qui grossissent au milieu d'une pénombre neigeuse.

Angela est là, avec moi, debout face à la fenêtre.

— Qui est-ce ?

— Tu ne devineras jamais, répond-elle.

— Le Marchand de Sable.

— D'accord, mais ça pourrait être n'importe qui.

— Non, pas n'importe qui. Celui qui a tué Petra et Len, qui est à l'origine de l'accident de Conrad et d'Evelyne, celui qui a poussé Ivan sous le métro.

— Jusque-là, c'est facile.

Elle se retourne. Dehors, les phares effectuent un virage et je vois passer une voiture devant la fenêtre. Ou plutôt une camionnette noire. Celle aperçue dans Queen Street. Celle que j'ai vue s'éloigner le jour où j'ai découvert le cadavre de Len.

— Je ne vais pas tarder à savoir de qui il s'agit.

— Tu as vraiment envie de savoir, Patrick ?

— Tu ne peux pas savoir à quel point je serais ravi de rencontrer l'homme de tes rêves.

Angela pouffe de rire, faussement gênée.

— Ce n'est pas tout à fait ce que tu crois.

Son ton enfantin me rappelle qu'elle est le résultat de ce qu'elle a connu dans sa jeunesse. C'est pour ça qu'il est si difficile de lui donner un âge, même dans son lit lorsqu'elle faisait semblant de jouer à la femme. Une partie de son âme appartient au passé parce qu'une part d'elle-même est morte à cette époque-là.

— Ton père t'oblige à commettre des actes atroces, mais ce n'est pas ta faute.

— Merci. Je me sens déjà nettement mieux.

— Relâche-moi et je te promets de t'aider.

— Tu veux m'aider?

— Dis-moi où est Sam et nous n'aurons qu'à partir tous ensemble. Ou séparément. Mais je ferai en sorte que ton père ne puisse plus jamais nous faire de mal. Nous serons tous en sécurité.

— Mais je suis en sécurité.

— Je t'en prie, Angela. Pourquoi agis-tu comme ça? Pourquoi lui obéir?

— Tu préférerais que je sois avec toi, c'est ça? Que je te serve de femme de remplacement? De coauteur?

La porte de la camionnette s'ouvre à la volée et un bruit de pas résonne sur les planches du porche.

Je suis le sol sous vos semelles…

J'entends la porte s'ouvrir, quelqu'un frappe des pieds par terre pour faire tomber la neige de ses bottes, fait quelques pas dans le couloir et se plante sur le seuil.

Une ombre géante. Celle que j'ai aperçue tout à l'heure dans le champ avant de m'évanouir. Une silhouette que je connais.

— Je te présente mon frère, déclare Angela.

La silhouette s'avance et s'arrête à la lisière de la lumière projetée par le feu. Deux mains gantées, croisées devant lui. Le sourire tremblant qu'il m'adresse me signale qu'il aimerait rester sérieux, sans y parvenir.

— Len?!!

— Ce n'est pas son vrai nom, me corrige Angela en s'approchant prudemment de lui, sans le toucher. Len le puceau. Comme moi, il a accumulé les pseudonymes au cours des années. Autant de noms pour autant d'incarnations.

— Mais… je t'ai vu, dans la ruelle.

— Tu as vu ce que tu voulais voir, me répond Len avec un grand sourire. On comptait bien là-dessus. On a toujours compté là-dessus.

— Putain de merde...

— Tu te sens bien?

— *Putain* de merde.

La pièce se met à danser autour de moi. Non, c'est moi qui danse dans un air épais, aussi lourd que l'eau d'un aquarium.

— Je vais jeter un coup d'œil là-haut, lui annonce Angela.

Len approuve d'un hochement de tête. En passant à côté de lui, elle frôle son blouson de nylon, provoquant un bruit semblable à celui d'un coup de couteau dans du papier aluminium.

— C'était donc toi, dis-je. À l'enterrement de Michelle Carruthers. Mull était également ton père.

— *A priori.*

— Et je suppose que tu as été placé dans des familles d'accueil comme ta sœur.

— Ce genre d'expérience a le don de créer des liens.

— C'est pour ça que tu as décidé de prendre la vie des autres. Pour remplacer la tienne.

— Trop simpliste. Bien trop simpliste.

Len crache par terre. À sa façon de fixer les bulles baveuses de son crachat sur le plancher, je devine le vide qui l'habite, son indifférence stérile.

— Tu joues bien la comédie, en tout cas.

— Je ne suis pas Len, tranche-t-il en parcourant la pièce d'un pas menaçant. Si c'est ce que tu veux dire.

— Len était pourtant quelqu'un. Tu jouais peut-être la comédie, mais il avait sa propre personnalité, alors que toi, tu n'es personne.

— Tu es en train de m'insulter?

— Non, je sais bien que ça ne marcherait pas. Tu es imperméable à toute forme de souffrance. Comme ta sœur.

— Angela est une artiste.

— Et toi le monarque du Royaume de la Diversion.

— Non.

— Le Marchand de Sable.

— Non.

— Alors qui est-ce?

— Celui qui te fait le plus peur, quel qu'il soit.

Len enlève ses gants et les enfouit dans une poche. Ses grosses mains sont marbrées de noir.

Des mains sales.

— Où se trouve mon fils?

— C'est un secret.

— Tu as l'intention de me faire mal? Le mal est déjà fait.

— Allons, allons! Inutile de te mettre dans cet état.

— C'est un enfant. Tu t'en fiches?

— Nous aussi, nous étions des enfants.

Je ravale une furieuse envie de vomir. La gorge me brûle horriblement.

— C'était donc toi. Les petites filles assassinées à Whitley.

— J'étais trop jeune.

— Alors qui?

— C'était *lui*.

— Mull? Tu es sûr que ce n'était pas toi qui suivais ta petite sœur? Que ce n'était pas toi qui la voulais?

— Je la *protégeais*.

— De quelle manière?

— En éloignant papa.

— Tu l'as tué?

— On voulait se bâtir un nouveau monde, répond-il en dévoilant ses mauvaises dents. Il n'y avait pas sa place.

Len a vu que j'étais prêt à tourner de l'œil.

— Je ne me sens pas très bien.

— C'est la déshydratation.

— Je peux avoir à boire?

— Tu sais que tu es drôle?

Il s'approche du feu et s'empare d'une branche, hésite à la mettre dans les flammes, puis il finit par la reposer sur le tas de bois.

À l'étage, Angela ouvre et ferme des portes. Si je ne me suis pas trompé dans le nombre de chambres, elle n'en a plus pour longtemps.

— Qui était-ce?

J'ai posé la question bien que j'aie envie de vomir, mais je sais que le temps est compté.

— Je veux parler du cadavre que j'ai pris pour le tien.

Len se plante devant moi. Ses mains retombent le long de son corps.

— Le *National Star* aura bientôt besoin d'un nouveau journaliste.

Je vomis. Un spasme douloureux qui envoie quelques cuillerées de bile à mes pieds.

Angela apparaît sur le seuil, un sac de voyage à la main. Des taches humides maculent le tissu. Elle échange un regard avec Len.

— C'est l'heure, annonce-t-elle.

Elle repart déjà lorsqu'elle s'arrête, s'approche de moi et glisse la main dans ma poche. Elle en ressort le petit dictaphone.

— J'ai laissé d'autres enregistrements, dis-je.

— On les a tous récupérés.

— J'en possède des copies.

— C'est faux. Nous avons aussi récupéré ton journal. Y compris celui qui se trouvait dans la boîte à gants de ta voiture, dans lequel tu annonces ton arrivée ici.

Angela demande ensuite à Len s'il n'a rien laissé dans la cuisine et il baisse imperceptiblement la tête en lui avouant qu'il a oublié de s'en occuper. Elle regarde sa montre. Deux minutes de répit.

Len obéit à sa sœur qui reste là, adossée au chambranle, le regard perdu dehors. Elle ne me voit même plus, je suis déjà mort.

— Tu t'es trompée sur mon compte.

Ma phrase à peine terminée, j'éclate d'un rire inattendu qui me projette des filets de bave tiède sur le menton.

— Ah bon?

— Il te manque une partie de l'histoire.

— La manœuvre désespérée du condamné.

— C'est pourtant vrai.

— Je sais de toi tout ce que j'ai besoin de savoir.

— Non. Il me reste un secret que je garde depuis si longtemps qu'il m'arrive parfois de l'oublier à moitié. Un secret qui change tout.

— Tu es pitoyable, réplique-t-elle.

Mais je vois bien qu'elle me regarde d'un air différent.

— Je suis le dernier survivant du cercle. Sans mon secret, il te manquera un détail crucial. Ton livre restera incomplet. Tu m'as toujours pris pour « monsieur Creux », mais monsieur Creux n'est pas celui que tu croyais. Il te réserve un coup de théâtre.

Dans la cuisine, Len ouvre un tiroir trop brutalement et les couverts qu'il contenait tombent bruyamment par terre. Je l'entends pousser un juron avant de ramasser les couteaux et les fourchettes.

Angela s'approche.

— Alors vas-y.

— Promets-moi une chose. J'accepte de te révéler mon secret si tu me promets de relâcher Sam sain et sauf.

— Je te l'ai déjà dit. Jamais je…

— Je sais bien que tu n'es pas une tueuse. C'est son boulot, à lui.

— Et s'il était trop tard ?

— Alors tant pis. Mais il n'est peut-être pas trop tard. Il a l'intention de tuer Sam. Pour le faire taire, pour me punir, ou bien parce que c'est dans sa nature.

— Tu t'imagines que ton petit secret pourrait l'en empêcher ?

— Non. Toi, tu pourrais l'en empêcher.

— Pourquoi ferais-je ça ? Pour entendre le mensonge de quelqu'un qui est déjà mort ?

— Sauf que ce n'est pas un mensonge.

— Comment pourrais-je le savoir ?

— Tu le sauras dès que je te l'aurai dit.

À l'autre bout du couloir, Len remet le tiroir en place.

Alors je lui révèle mon secret. Dans un murmure de phrases staccato, enchaînées les unes aux autres, sans fioritures. Ce n'est pas tant ce que je dis qui la convainc. C'est ma voix. Une voix qui se brise dès les premiers mots, un grincement qui devient plus aigu à mesure que jaillit la vérité.

Je raconte à Angela comment j'ai tué Tamara. Ma femme. Un acte qui nous réunit tous les deux dans le meurtre.

Il n'a jamais été question de l'aider à se suicider, de mettre en œuvre un plan longuement mûri ensemble. Il faut que tout soit bien clair : c'est moi, et moi seul, qui en ai eu l'idée. Elle avait beau être endormie lorsque j'ai enfoncé l'aiguille dans son bras, je suis convaincu qu'en se réveillant, Tamara m'en a été reconnaissante. Elle a compris que j'agissais par amour pour elle. Ce qui était le cas. J'ai peut-être mal agi aux yeux de certaines lois et de certains dieux, je me suis sans doute infligé des nuits sans sommeil et des cauchemars pour le restant de mes jours, c'est peut-être ce qui m'a permis de continuer à pleurer quand mes larmes s'étaient taries toutes ces dernières années, j'ai peut-être agi trop tôt, mais je voulais uniquement l'empêcher de souffrir de plus en plus. Faire preuve d'autant de courage qu'elle en avait chaque fois qu'elle esquissait un sourire pâle en présence de Sam. Le cancer avait déjà bien commencé son œuvre. L'être malfaisant qui s'est introduit dans sa chambre sans allumer la lumière, ce n'est pas moi : c'est lui.

Toutes ces pensées ne m'ont pas facilité la tâche. C'est la première fois que je les partage avec quelqu'un d'autre : Angela, hypnotisée par les mots qui sortent de ma bouche dans un nuage de buée.

La silhouette de Len s'encadre dans la porte. Il se remplit les poumons à la façon de quelqu'un qui hume l'air avec gourmandise.

— Prêt ! lance-t-il.

Angela lui montre son visage. Rien dans son expression, absolument rien, ne permet de dire qu'elle vient d'entendre quoi que ce soit d'inhabituel. Elle est forte lorsqu'il s'agit de dissimuler ses sentiments. Ou alors elle n'a aucun sentiment à dissimuler, elle est persuadée que j'ai voulu la bluffer. Le regard vide qu'elle m'adresse en emboîtant le pas à Len m'interdit tout espoir.

Son pas résonne déjà dehors. Len s'arrête dans le couloir et regarde autour de lui une dernière fois, puis il sort de la maison et tire la porte à moitié. Le vent remplit la maison de ses rugissements sinistres, triste de les voir partir.

35

Cela fait déjà plusieurs heures que je n'ai plus aucune sensation au niveau des jambes. J'aurais pourtant pensé que l'un des avantages de mourir de froid était l'absence de souffrance, mais l'expérience me donne tort. Le corps ne renonce pas aisément à ses sensations, même lorsque la seule qui reste est celle d'une brûlure intense. Le froid brûle, dit-on, ce qui peut paraître idiot. Mais essayez de serrer longtemps un glaçon dans le creux de la main. Au début, ça fait froid. Et puis ça brûle.

Le fait de hurler m'aide. Ma voix sert à repousser l'obscurité qui s'épaissit à mesure que les flammes diminuent dans la cheminée. Je me dis même que quelqu'un pourrait m'entendre. Qui sait si Angela n'a pas prévu dans son récit qu'un *deus ex machina* quelconque – un voisin compatissant, un flic du cru – pousse la porte de la ferme et me reconduise au Sportsman Motel pour y prendre une bonne douche bien chaude et un alcool bien tassé ? L'expérience m'ayant servi de leçon, elle n'aura plus qu'à déverser sur moi son amour impitoyable. Après tout, Angela ne m'a-t-elle pas dit que son livre préféré était *Le Mage* ?

Sauf que je ne suis pas entre les pages d'un livre.

J'ouvre la bouche, prêt à pousser un autre hurlement lorsque me parvient le son d'une radio.

Elle doit être allumée depuis longtemps, mais faute d'être réglée sur la bonne fréquence, il aura fallu un répit dans la tempête, une meilleure réception, pour qu'elle se remette en marche. Les dernières mesures de « Raindrops Keep Falling On My Head » grésillent dans le noir.

Le son provient d'un vieux transistor posé à mes pieds. Son antenne déployée se balance au gré des courants d'air et la diode bleue de l'appareil forme sur le plancher une minuscule flaque bleutée.

L'animateur m'informe que j'écoute la radio 100 % musique de Whitley. « Le meilleur de la chanson au nord du lac Supérieur. » Au programme : Perry Como, Streisand, The Carpenters. « Allez, prenez-la dans vos bras », annonce l'animateur sur un ton canaille. « On vous réserve la panacée en droite ligne du passé : Paul Anka ! »

Je me demande si Angela a laissé la radio pour me réconforter, ou bien au contraire pour me punir. Une station 100 % musique. À moins qu'elle ait voulu me signifier quelque chose. De la musique fade pour un condamné sans imagination.

Quand je pense qu'on parle d'amoureux transis. Si les gens savaient…

Le feu achève de se consumer sur son lit de braises. Autant d'étoiles qui scintillent au milieu des briques noircies. Le feu ne va pas tarder à mourir, et moi avec.

Je lui ai raconté.

Une pensée qu'accompagne un pincement au cœur. J'ai du mal à respirer. En voulant me dégager le nez, je laisse sur mon pantalon une longue traînée sanguinolente.

Je lui ai tout raconté. Ce n'est pas un rêve. Je lui ai vraiment tout dit.

Deux nouvelles peu réconfortantes à la radio, entre un hommage à Jefferson Airplane et « Careless Whisper » : il est 3 h 42 du matin et il fait presque moins trente dehors. J'espérais vaguement tenir jusqu'au matin, ne serait-ce que pour voir les fleurs de givre sur les carreaux et le rideau d'arbres au loin, mais le destin ne semble pas vouloir m'accorder cette maigre consolation.

Un disque d'Engelbert Humperdinck. J'ai toujours adoré ce nom.

Laisse-moi partir. Je veux m'en aller…

Et c'est l'heure des informations. Après le décompte des victimes du jour au Moyen-Orient, le présentateur rapporte un fait divers. Je n'y prête pas attention immédiatement, distrait par la mauvaise qualité de la réception.

« Le fils d'un romancier... dans une rue de Dryden, Ontario... conduit à l'hôpital le plus proche afin d'y subir des examens... raisons inconnues... ne semble pas avoir souffert de sa détention, en attendant un communiqué officiel... l'identité de son ravisseur... reste quant à lui introuvable et n'a pu être contacté... selon certaines sources, l'enfant aurait pu donner aux enquêteurs de précieuses informations sur l'endroit où se trouve son père... conformément aux usages en pareil cas, refuse de répondre aux questions tant que... sport à présent, avec une nouvelle défaite des Leafs... »

Je devrais en savoir plus d'ici à une demi-heure, ce qui me donne une raison de continuer à respirer, de ne pas céder à la tentation d'un sommeil qui n'en est pas un, de fredonner avec la radio les paroles de « Everybody Plays The Fool » et de « Someday We'll Be Together ».

Un nouveau bulletin d'information. Cette fois, le signal est suffisamment fort pour me permettre d'entendre tous les détails.

Sam Rush, le fils du célèbre romancier, a été découvert dans un quartier résidentiel de Dryden, la ville voisine de Whitley sur la Transcanadienne. La police indique qu'il était en bonne santé et qu'il a pu lui fournir des éléments susceptibles de l'aider à retrouver son père. Les enquêteurs tentent actuellement de localiser la ferme où l'enfant a été retenu prisonnier en se servant des indications qu'il a pu leur donner en se fiant aux étoiles. On ignore encore l'identité des ravisseurs de l'enfant, qui n'a pas pu, ou voulu, en donner une description précise. Il est conseillé aux parents de surveiller étroitement leurs enfants dans les jours qui viennent, même si les enquêteurs assurent faire de leur mieux pour arrêter les ravisseurs. Le porte-parole de la police a néanmoins insisté sur le fait qu'en dépit des déclarations de l'enfant rien ne permettait d'établir avec certitude que l'enlèvement de Sam Rush et la disparition de son père étaient liés.

Il n'est pas fait mention de Ramsay. Ni même de Tim Earheart, dont le corps a très certainement été identifié à l'heure qu'il est. La police ne tardera pas à additionner deux et deux, mais jamais ils ne retrouveront Angela et Len, j'en suis persuadé. Ils ne reviendront pas. Ils franchiront la frontière sous un autre nom, un autre visage, abandonnant derrière eux leur ancienne peau, en attendant de se joindre un jour à un nouveau cercle. Ce jour-là, quelqu'un d'autre commencera à croire au Marchand de Sable.

La radio commence à montrer des signes de faiblesse, lâchée par les piles. Angela a voulu que j'entende la nouvelle, que je sois au courant, avant de me laisser retomber dans le silence.

Le poste va expirer sur un ultime grésillement, et c'est précisément ce qui se produit.

Le vent s'est tu, assourdi par la neige qui s'est accumulée le long de la façade. La maison tout entière retient son souffle.

Sam est vivant.

Cette certitude, porteuse d'une infinie sérénité, m'autorise à tout relâcher.

Je me suis battu plus sauvagement que je ne l'imaginais. Pour qu'il me trouve ici s'il parvenait à échapper à la tempête. Mais il est loin, et d'autres l'ont pris en charge. Je voudrais que ce soient mes bras qui le serrent, ma voix qui l'aide à s'endormir. Qu'importe. Je lui ai déjà lu suffisamment d'histoires pour que ma voix reste à jamais avec lui.

Bonne nuit, mon fils. Fais de beaux rêves.

On finira bien par me retrouver. Peut-être même avant que mon haleine se soit cristallisée dans ma poitrine. On me cherche, je l'ai entendu à la radio, ils se servent des indications de Sam, le nord et le sud, l'est et l'ouest. Il sait lire dans les étoiles. Il y a toutes les chances pour que ce soit trop tard. Pourtant, tout en me résignant à l'inéluctable, je me bats pour continuer à penser, à me souvenir. Je me bats minute après minute, pour la possibilité de l'aube. De revoir Sam.

Je trouve même le temps de rêver de vengeance. J'envisage de vendre notre maison d'Euclid Street, de quitter la ville et de me mettre à l'abri avec Sam. Alors, à des milliers de kilomètres d'ici, je me mettrai au travail. Je m'appliquerai à prendre à Angela la seule chose qui lui tienne à cœur. *Le Cercle littéraire des amateurs de macchabées démembrés.* Si jamais je m'en tire, je l'écrirai moi-même. Je lui planterai un couteau en plein cœur. Je lui volerai le roman sur lequel elle travaille à partir des histoires de leurs victimes.

Mais ce ne sont que des pensées vaines, de celles qui précèdent le sommeil. Un sentiment d'apesanteur avant le choc. Pour la première fois depuis une éternité, je ne veux rien, je ne cherche rien. Je n'entretiens ni envie ni admiration solitaire, je ne souffre même plus de ce besoin inepte de sortir du lot. Je n'ai plus peur.

Quelles sont mes dernières pensées?

La notion qu'il me reste quelques idées à exploiter, une ou deux leçons dans le genre de celles que l'on trouve à la fin des romans. Quelque chose de positif et d'optimiste. J'en serais certainement capable si j'en avais le temps, mais ce n'est pas le cas. Je sens déjà se poser sur moi une couverture en laine qui m'empêche de voir. Curieusement, je l'accueille par un éclat de rire. Un rire effrayant, frénétique et hoquetant, qui se répercute à travers les pièces vides de la vieille ferme. Un rire de fantôme. Le rire d'un homme sans histoire qui comprend que sa présence en ce lieu lui en fournirait une excellente, à condition d'avoir un lecteur à qui la raconter.

*Cet ouvrage a été composé
par Atlant' Communication
au Bernard (Vendée)*

Impression réalisée par

BRODARD & TAUPIN

*La Flèche (Sarthe)
en octobre 2010
pour le compte des Éditions de l'Archipel
département éditorial
de la S.A.S. Écriture-Communication.*

Imprimé en France
N° d'impression : 58806
Dépôt légal : novembre 2010

Verity Fairy
AND
Snow White

Contents